KARL LÖNING

DIE SAULUSTRADITION
IN DER
APOSTELGESCHICHTE

VERLAG ASCHENDORFF
MÜNSTER

NEUTESTAMENTLICHE ABHANDLUNGEN

Begründet von Augustinus Bludau,

fortgeführt von Max Meinertz, herausgegeben von Joachim Gnilka

Neue Folge
Band 9

Mit kirchlicher Druckerlaubnis
Nr. 305/6 - 1/73
Dr. Lettmann, Generalvikar

ISBN 3-402-03631-2

INHALTSVERZEICHNIS

VORWORT

Die vorliegende Untersuchung wurde im Wintersemester 1970/71 vom Fachbereich Katholische Theologie der Westfälischen Wilhelms-Universität Münster als Dissertation angenommen. Sie ist für den Druck geringfügig überarbeitet und durch einen Nachtrag ergänzt worden.

Die Anregung zu dieser Arbeit verdanke ich Herrn Professor Dr. Joachim Gnilka, der darüber hinaus den Gang der Untersuchung mit kritischem Rat gefördert und ihr auch einen Platz in der Neuen Folge der Neutestamentlichen Abhandlungen eingeräumt hat. Ihm gilt mein besonderer Dank für alle freundschaftliche Hilfe und persönliche Anteilnahme. Zugleich danke ich allen Mitgliedern des Fachbereichs Katholische Theologie der Westfälischen Wilhelms-Universität Münster für mancherlei wissenschaftliche und berufliche Förderung während meines Studiums und meiner Tätigkeit als Assistent und als Akademischer Rat.

Zu danken habe ich ferner dem Kurator der Westfälischen Wilhelms-Universität Münster für einen namhaften Druckkostenzuschuß.

Herr cand. theol. Hubert Manke hat dankenswerterweise die Korrekturen mitgelesen.

Münster, im Dezember 1972

Karl Löning

EINLEITUNG

FORSCHUNGSGESCHICHTLICHE ASPEKTE ZUR FRAGE NACH DEM LUKANISCHEN PAULUSBILD

Ein „besonders lockendes Problem" nannte E. Haenchen in der vierten Auflage seines Acta-Kommentars (Meyers Komm. III, 13. Aufl., Göttingen 1961)[1] die Frage nach dem Paulusbild des Lukas (S. 670). Fast gleichzeitig veröffentlichte G. Klein eine Studie mit dem Titel: Die Zwölf Apostel. Ursprung und Gehalt einer Idee[2], in der dies Problem als Aspekt der Frage nach der Entstehung der Zwölf-Apostel-Idee eingeordnet und behandelt wird. Kleins Fragestellung beruht auf der Voraussetzung, daß die Eingrenzung des Apostelkreises auf die „Zwölf" und die Vorenthaltung des Aposteltitels für Paulus korrelative Ideen darstellen[3]. Ergebnis seiner Untersuchung ist die Hypothese, Lukas habe die durch gnostische Reklamationen belastete Autorität des großen Missionars für die kirchliche Orthodoxie dadurch retten wollen, daß er Paulus in einen von der Gnosis nicht zu durchbrechenden historischen Zusammenhang einordnete, nämlich den der apostolischen Sukzession. Die Rettung des Paulus für die Kirche sei nur um den Preis seiner „Domestikation", d. h. seiner Einstufung in das dritte Glied der apostolischen Sukzession, zu haben gewesen[4]. Um dieser „Domestikation" des Paulus willen habe Lukas die Identifizierung des Apostelkreises mit dem Zwölferkreis vorgenommen.
Die Kritik an Klein richtete sich fast ausschließlich auf seine Ergebnisse, nicht auf die Voraussetzung, auf der seine Fragestellung beruht[5]. J. Roloff hebt sogar als besonderes Verdienst dieser Studie

---

[1] Im folgenden wird die 6., durchgesehene Aufl. der Neuauslegung durch Haenchen, das ist die 15. Aufl. des Meyer'schen Kommentars, Göttingen 1968, zitiert.

[2] Göttingen 1961 = FRLANT 77.

[3] Vgl. aaO., S. 20 ff. „Falls überhaupt noch irgendwo die Kräfte faßbar sein sollten, die den paulinischen Apostelbegriff zugunsten eines moderneren destruierten, so können sie sich dort am wenigsten verhüllen, wo es um eine Darstellung der Gestalt des Paulus selbst geht" (S. 21).

[4] Vgl. aaO., S. 213—216.

[5] Ausdrücklich anders: W. Schmithals, Das kirchliche Apostelamt. Eine historische Untersuchung, Göttingen 1961 (= FRLANT 79); vgl. bes. S. 235—237 und S. 268 f. „Lukas l e b t b e r e i t s in einer Zwölf-Apostel-Tradition, die an dem Apostolat des Paulus nicht interessiert ist" (S. 269).

hervor, auf den Zusammenhang der beiden Sachverhalte, des lukanischen Apostolatsverständnisses und des lukanischen Paulusbildes, hingewiesen zu haben[6]. So spiegelt die Diskussion, soweit sie hier erwähnt ist[7], in der grundsätzlichen Beurteilung des lukanischen Paulusbildes einen Konsens, der besagt, daß es Lukas in der Behandlung der Paulusfigur in der Apostelgeschichte primär um eine Einordnung des Paulus in die Kirchenstruktur gehe, was immer man näher darunter verstehen mag.

Dieser Befund ist insofern überraschend, als die unbefangene Lektüre der Apostelgeschichte keine deutlich ins Auge springende Einstufung des Paulus als „Kirchenmann" erkennen läßt. Man kann dies als Zeichen der Befangenheit des Lukas und damit als Bestätigung des postulierten Problemzusammenhangs auffassen; man kann aber daraufhin auch das Postulat in Frage ziehen. Da sich bei Lukas selbst keine unzweideutige Aussage in dieser Hinsicht findet,

---

[6] Vgl. J. Roloff, Apostolat—Verkündigung—Kirche. Ursprung, Inhalt und Funktion des kirchlichen Apostelamtes nach Paulus, Lukas und den Pastoralbriefen, Gütersloh 1965, S. 199 f.

[7] Die nicht auf der Korrelativität von Zwölf-Apostel-Idee und Paulusbild aufbauenden Beiträge zur Frage nach dem lukanischen Paulusbild gehen in eine andere Richtung. Die 1958 abgeschlossene Dissertation von M. Hinderlich, Lukas und das Judentum. Eine Untersuchung des dritten Evangeliums und der Apostelgeschichte nach ihrem Verhältnis zum Judentum, 2 Bd., Diss. masch. Leipzig 1958, in der reichlich Hinweise zum lukanischen Paulusbild gegeben werden, zeigt einen ganz anderen Fragenkreis an, in dessen Rahmen die Paulusfigur der Apostelgeschichte beurteilt werden kann. In neuerer Zeit arbeitet J. Jervell mit ähnlicher Fragestellung (J. Jervell, Paulus — der Lehrer Israels. Zu den apologetischen Paulusreden der Apostelgeschichte, in: Nov T 10 [1968], 164—190; ders., Das gespaltene Israel und die Heidenvölker, in: StTh 19 [1965], 68—96; ders., Ein Interpolator interpretiert. Zu der christlichen Bearbeitung der Testamente der zwölf Patriarchen, in: Studien zu den Testamenten der zwölf Patriarchen. Drei Aufsätze, hrsg. von W. Eltester, Berlin 1969 = ZNW, Beih. 36, S. 30—61, bes. S. 57 A 85). Eine ähnliche Fragestellung deutet Haenchen in der eingangs erwähnten 4. Aufl. seines Acta-Kommentars an: „Das Paulusbild der Apg hat wegen seiner Differenzen mit den Paulinen viele Überlegungen ausgelöst. Trotzdem fragt es sich, ob man es als „das" Acta-Problem betrachten darf, oder ob es nicht vielmehr selbst in einen größeren Zusammenhang eingeordnet werden muß" (aaO., S. 674). Als diesen „größeren Zusammenhang" betrachtet Haenchen die durch das gesamte lukanische Doppelwerk hin spürbare Absicht, die Juden als diejenigen zu zeichnen, die aus eigener Schuld ihr Heil verpaßt haben. Dies sei der Hintergrund, auf dem das im Sinne des Judentums „orthodoxe" Paulusbild des Lukas zu beurteilen sei (vgl. ebd., S. 680 f.). Es zeichnet sich also auch in dieser Richtung ein Konsens ab, der beinhaltet, daß die lukanische Paulusfigur im Hinblick auf das Verhältnis Juden—Christen, Synagoge—Kirche konzipiert sei, was keine „Einstufung" in die kirchlichen Amtsstrukturen im Gefolge haben muß.

besteht der Verdacht, daß die Korrelativität der Idee des Zwölfer-
Apostolats und der „Einstufung" des Paulus als Nicht-Apostel
unlukanisch ist. Zu diesem Verdacht einige forschungsgeschichtliche
Hinweise:
1950 veröffentlichte Ph. Vielhauer, angeregt durch eine Studie
von Dibelius zu den Reden der Apostelgeschichte[8], einen Aufsatz:
Zum ‚Paulinismus' der Apostelgeschichte[9]. Es geht darin um die
Frage, „ob und inwiefern der Verfasser der Apostelgeschichte...
theologische Gedanken des Paulus aufgenommen und wiedergegeben, ob und inwieweit er sie modifiziert hat" (aaO., S. 1). Diese
Frage sei berechtigt, weil Paulus in der Apostelgeschichte *auch* als
Theologe dargestellt werde, zumindest in seinen Reden (vgl.
ebd.). Die Reden seien, wie Vielhauer unter Hinweis auf Dibelius
betont, „anerkanntermaßen Kompositionen des Autors" Lukas
(ebd.). Daraus wird aber nicht etwa gefolgert, deshalb seien sie
auch nicht unmittelbar an der paulinischen Theologie meßbar, sondern Vielhauer argumentiert gerade umgekehrt: Als lukanischen
Kompositionen komme ihnen gemäß den Gepflogenheiten antiker
Schriftstellerei, Reflexionen grundsätzlicher Art in die Form frei
entworfener Reden literarischer Hauptfiguren zu kleiden, „prinzipielle und paradigmatische Bedeutung" zu (ebd.), wobei Vielhauer, darin über Dibelius hinausgehend (vgl. unten, Anm. 23),
annimmt, daß die lukanischen Paulusreden von Lukas als Sum-
marien paulinischer Verkündigung konzipiert seien. „An der Art,
wie hier der Verfasser die Theologie des Paulus zur Sprache bringt,
wird nicht nur sein Paulusverständnis sichtbar, sondern muß es sich
zeigen, ob er selbst theologisch zu Paulus gehört oder nicht" (ebd.).
Die Untersuchung wird an vier theologischen Zentralthemen
(natürliche Theologie, Gesetz, Christologie, Eschatologie) durchgeführt; das Ergebnis ist negativ: „Es findet sich bei ihm [Lukas]
kein einziger spezifisch paulinischer Gedanke" (aaO., S. 15). Zwischen Lukas und Paulus zeige sich eine „offenkundige sachliche
Distanz" (ebd.), welche zu der Frage nach dem theologiegeschichtlichen Ort des Lukas und der spezifisch lukanischen Theologie führe
(vgl. ebd.). „Die Frage nach dem Paulinismus der AG ist zugleich
die Frage nach einer möglichen Theologie des Lukas" (aaO., S. 1).
Die Bedeutung des Aufsatzes liegt zweifellos in diesem Hinweis
auf die theologische Sonderstellung des Lukas. Die abschließenden

---

[8] M. Dibelius, Die Reden der Apostelgeschichte und die antike Geschichtsschreibung. SAH 1949, 1. Abh.; auch in: M. Dibelius, Aufsätze zur Apostelgeschichte, hrsg. v. H. Greeven, 4. Aufl., Göttingen 1961 (= FRLANT 60),
S. 120—162.
[9] EvTh 10 (1950/51), 1—15.

Thesen[10] zur lukanischen Theologie sind bahnbrechend und werden später durch Lohse[11] und Conzelmann[12] weitergeführt. Der Preis aber, der für diese Erkenntnis gezahlt wird, ist die nachhaltig wirkende Belastung dieser Theologie mit dem Odium des „Paulinismus" als einer Verfälschung, zumindest einer Entstellung oder erbaulichen Aufweichung der „echten" paulinischen Theologie[13].

Die Anfechtbarkeit der Voraussetzung Vielhauers gerade in diesem Punkt, daß die Paulusreden der Apostelgeschichte als eine theologische Charakterisierung des Paulus gemeint seien, daß also Lukas in diesen Reden *sein Verständnis der paulinischen Theologie* wiedergebe, wurde vorerst nicht erkannt. Nicht unschuldig daran war ein Aufsatz von G. Harbsmeier[14], der die noch unausdiskutierten Thesen Vielhauers einseitig pointierend übernahm[15] und sie sogleich

[10] „Das Objekt des göttlichen Handelns ist das ganze Menschengeschlecht, und dieses Handeln wird als eine Heilsgeschichte verstanden, deren Anfang die Schöpfung, deren Ende die Apokatastasis und deren Mitte die evangelische Geschichte als *Stadium* auf dem Heilsweg ist" (aaO., S. 15).

[11] E. Lohse, Lukas als Theologe der Heilsgeschichte, in: EvTh 14 (1954), 256—275. (Dieser Aufsatz geht auf die „Paulinismus"-Frage nicht ein.)

[12] H. Conzelmann, Die Mitte der Zeit. Studien zur Theologie des Lukas (= BHTh 17), Tübingen 1954. (Zitiert wird die 5. Aufl. 1964.)

[13] Bei Conzelmann werden die Pauschalbegriffe „Paulinismus" und „Frühkatholizismus" (vgl. S. 125 A 5, 137, 170 A 1) im abwertenden Sinn auf die lukanische Theologie bezogen. Vgl. ferner R. Bultmann, Theologie des Neuen Testaments, 3. Aufl., Tübingen 1958, S. 469 f.; E. Käsemann, Paulus und der Frühkatholizismus, in: ZThK 60 (1963), 75—89; auch in: Exegetische Versuche und Besinnungen II, 2. Aufl., Göttingen 1965, S. 239—252; behutsamer Haenchen, Komm., S. 46, 81 ff. — Käsemann bemüht sich allerdings bereits um die Frage, inwiefern die im nachpaulinischen Traditionsbereich begegnenden „frühkatholischen" Ideen als durch Paulus und seine Theologie vorbereitete Anschauungen verstanden werden müssen; vgl. auch W. Eltester, Lukas und Paulus, in: Eranion (Fs. H. Hommel), Tübingen 1961, S. 1—17. Im Anschluß an Käsemann will P. Borgen, Von Paulus zu Lukas. Beobachtungen zur Stellung der Theologie der Lukasschriften, in: StTh 20 (1966), 140—157, nachweisen, daß die theologische Grundidee des Lukas, sein Verständnis der Heilsgeschichte, ihren traditionsgeschichtlichen Hintergrund in Rö 9—11; 15; 1 Kor 15,1—11 habe. Borgen tendiert also beim Vergleich Lukas—Paulus zu einer Auffassung, die als Gegenposition zu der von Ph. Vielhauer konzipiert ist (vgl. aaO., S. 140 f.). Er steht damit unter den skandinavischen Exegeten nicht allein da; vgl. noch J. Munck, Paulus und die Heilsgeschichte, Kopenhagen 1954 (= Acta Iutlandica, Aarskrift for Aarhus Universitet XXVI, 1); J. Jervell, Zur Frage der Traditionsgrundlage der Apostelgeschichte, in: StTh 16 (1962), 25—41.

[14] G. Harbsmeier, Unsere Predigt im Spiegel der Apostelgeschichte, in: EvTh 10 (1950/51), 352—368.

[15] „Zwischen Paulus und den Acta besteht ein Unterschied in der Substanz, im Glauben — ja nicht nur Lehrunterschiede, sondern Glaubensunterschiede" (aaO., S. 352).

in ihren pastoralen und kirchenpolitischen Konsequenzen diskutierte[16]. So kam es, daß die einsetzende Diskussion über den lukanischen „Paulinismus" zuerst auf die exegetischen Ausgangspunkte wenig Bezug nahm[17]. Erst als bereits die entscheidenden Beiträge zur Erforschung der Theologie des lukanischen Gesamtwerks[18] abseits von dieser Grundsatzdebatte entstanden bzw. veröffentlicht waren, gelang es Bauernfeind in einem zweiten Vorstoß[19], die Problematik der exegetischen Voraussetzungen des Vielhauer'schen Aufsatzes zu erkennen.

Bauernfeind weist auf die Unhaltbarkeit der Hypothese hin, Lukas wolle in seinem Geschichtswerk Paulus theologisch charakterisieren. Die Paulusreden der Acta sind seiner Meinung nach von Lukas nicht als Wiedergabe der paulinischen Theologie gemeint — etwa als Interpretation der Theologie der Paulinen —, sondern von Lukas allein in der Absicht komponiert, seine Vorstellung von der Missionspredigt der Kirche in ihren frühen Stadien wiederzugeben[20]. Dabei komme es Lukas darauf an, ein möglichst einheitliches Gesamtbild der Mission zu geben, das auf theologische Differenzierungen zwischen den einzelnen Missionaren — etwa Petrus und Paulus — verzichte. Dies sei aber nicht daher zu erklären, daß hier ein Paulinist alle kirchlichen Repräsentanten dem einzig akzeptierten Vorbild Paulus angleiche, sondern daher, daß Lukas sämtliche Missionsreden ohne Rücksicht auf den Redner im Hinblick auf die jeweils vorausgesetzte Hörerschaft der Predigt konzipiere[21]. Damit widerspricht Bauernfeind der von Vielhauer im Anschluß an Dibelius vertretenen Auffassung, die Predigten der Apostelgeschichte seien als verbindliche Predigt-Muster[22] (und zwar — wie Vielhauer

---

[16] Harbsmeiers Forderungen laufen auf eine Kritik des Schriftkanons hinaus. Seines Erachtens hat sich der Glaube zwischen Paulus und Lukas zu entscheiden, wenn er nicht zwei Herren dienen will. Die Parole „Paulus oder Lukas" wirkte nachhaltig.

[17] Vgl. W. Andersen, Die Autorität der apostolischen Zeugnisse, in: EvTh 12 (1952/53), 467—481; H. Diem, Die Einheit der Schrift, in: EvTh 13 (1953), 385—405; O. Bauernfeind, Vom historischen zum lukanischen Paulus, in: EvTh 13 (1953), 347—353. (Der Titel dieser Arbeit verspricht mehr, als der Aufsatz hält.)

[18] Vgl. Anm. 11 und 12.

[19] O. Bauernfeind, Zur Frage nach der Entscheidung zwischen Paulus und Lukas, in: ZSTh 23 (1954), 59—88, bes. S. 73 ff.

[20] Vgl. aaO., bes. S. 84 f.

[21] „Die Apostelgeschichte... unterscheidet... scharf zwischen Predigthörern, die so oder so Synagogenluft atmen, und solchen, die von ihr bisher unberührt geblieben sind. Es ist also mit einem sehr bemerkbaren Einfluß der im Zusammenhang der Erzählung vorausgesetzten Predigtsituation auf die Gestaltung der AG-Predigten zu rechnen" (aaO., S. 80 f.; vgl. auch S. 84 f.).

[22] Vgl. Dibelius, Die Reden der Apostelgeschichte, S. 33.

über Dibelius hinausgehend[23] voraussetzt — Muster paulinistischer
Provenienz und damit verbindliche Zusammenfassungen der paulinischen Theologie) zu verstehen. Nach Bauernfeind sind die Paulusreden weder verbindliche Verkündigungs-Paradigmata noch Zeugnisse paulinistischen Denkens, sondern Elemente der lukanischen
Geschichtsdarstellung, die nach Möglichkeit der je vorausgesetzten
„altertümlichen' Situation gerecht werden"[24] sollen, also gerade
nicht „verbindlich" im Sinne einer paradigmatischen Aktualisierung
des paulinischen Kerygmas sind[25].
Damit erweist sich das theologische „Paulinismus"-Problem, wie
Vielhauer es bestimmt, als unsachgemäße Verquickung zweier Fragen: nach der lukanischen Theologie (ihrer spezifischen Ausprägung
und ihrem theologiegeschichtlichen Ort u. a. im Verhältnis zur paulinischen Theologie) und nach der Rolle der Paulusfigur in der
Apostelgeschichte (d. h. der Paulusfigur als einem Element in der
literarischen Artikulation der lukanischen Theologie). Die genaue
Unterscheidung und Zuordnung dieser Aspekte machen deutlich,
worin das eigentliche Rätsel des „Paulinismus" der Apostelgeschichte
besteht: daß ein Theologe der dritten christlichen Generation, der
offensichtlich nur indirekte Beziehungen zum großen Heidenapostel
Paulus hat, diesem eine Schlüsselstellung in seinem Geschichtswerk
zuweist, ohne selbst eine deutlich erkennbare theologische Affinität
zu zeigen.
Wenn die Frage nach dem lukanischen Paulusbild kritisch exakt
gestellt werden soll, wird man besser nicht den Begriff des „lukanischen Paulinismus" zum Angelpunkt der Untersuchung machen[26].

---

[23] Der für diesen Zusammenhang entscheidende Teil des Aufsatzes (S. 77—88)
setzt sich unmittelbar mit dem oben (S. 3 A 8) genannten Beitrag Dibelius'
auseinander, macht allerdings dabei nicht deutlich, daß Dibelius der Absicht
Vielhauers, die Paulusreden als Dokumente des lukanischen „Paulinismus"
auszuwerten, zwar entgegenkommt, selbst aber keineswegs die als Verkün-
digungsmuster verstandenen Acta-Reden als „paulinistisch" beurteilt. Ein
unabgeschlossener Aufsatz, an dem Dibelius 1951 arbeitete, zeigt, daß er das
Paulusverständnis des Lukas gerade nicht von den Paulusreden her aufzu-
rollen gedachte, daß er im Paulusbild der Apg also nicht primär den *Theologen* Paulus charakterisiert sah. (Vgl. M. Dibelius, Paulus in der Apostelgeschichte, in: Aufsätze zur Apostelgeschichte, S. 175—180.)
[24] AaO., S. 83.
[25] Auf die einzelnen Argumente B.s braucht hier nicht näher eingegangen zu
werden. Seine Einschätzung der Acta-Reden als darstellerischer Elemente lukanischer Geschichtsschreibung ist durch die Untersuchung U. Wilckens', Die
Missionsreden der Apostelgeschichte. Form- und traditionsgeschichtliche Untersuchungen, 2. Aufl., Neukirchen 1963 (= WMANT 5), im Prinzip bestätigt
worden.
[26] Vgl. Bauernfeind, Zur Frage..., S. 76. Im übrigen liegt B. nichts daran, die

Lukas ist kein „Paulinist" im Sinne der Vielhauer'schen Frage-stellung. Er hat weder die Absicht noch wahrscheinlich die Möglich-keit, die Theologie des Paulus — aus der eigenen Erinnerung oder den Paulusbriefen schöpfend — irgendwie wiederzugeben. Die Frage nach dem Verhältnis der lukanischen zur paulinischen Theo-logie, speziell der in die lukanische Paulusfigur investierten Theo-logie zu den authentischen theologischen Äußerungen des Paulus der Briefe über seine eigene heilsgeschichtliche Rolle, wird deshalb in dieser Arbeit nicht im Vordergrund stehen. Es wird vielmehr in erster Linie um die durch die „Paulinismus"-Diskussion mehr be-hinderte als vorangetriebene Erforschung der Bedeutung der Paulus-figur als eines Elements lukanischer Darstellung gehen. Die sichere Kenntnis der Funktion der Paulusfigur innerhalb der Figuren-konstellationen und Geschehensabläufe, die Lukas in seinem Doppel-werk darstellt, wird möglicherweise auch darüber Aufschluß geben, ob und in welchem Sinne die Frage nach einem lukanischen „Pauli-nismus" sinnvoll ist.

Aus diesen Überlegungen ergeben sich Konsequenzen methodischer Art: Da der unmittelbare Vergleich lukanischer und paulinischer Texte sich als schwierig und letztlich unergiebig erweist, muß die historisch-kritische Erforschung der lukanischen Konzeption der Paulusfigur zunächst völlig vom authentischen Selbstverständnis des historischen Paulus absehen. Solange nicht sicher feststeht, ob und gegebenenfalls in welchem Maße es überhaupt traditionsgeschicht-liche Verbindungslinien gibt, die vom authentischen zum lukanischen Verständnis der geschichtlichen Rolle des Paulus führen, wird man die Ansatzpunkte historisch-kritischer Beurteilung der lukanischen Paulusfigur *bei Lukas selbst* ausfindig zu machen haben.

Dabei geht es nicht um den Nachweis der Verläßlichkeit (oder Unzuverlässigkeit) bestimmter Angaben über Daten der Biographie des Paulus. Man braucht nur die sicher „verläßliche" Notiz über die Flucht des Paulus aus Damaskus (Apg 9, 23—25) mit der ent-sprechenden authentischen Aussage (2 Kor 11, 32 f.) zu vergleichen, um zu erkennen, daß der Weg zur kritischen Beurteilung der luka-nischen Paulusfigur nicht über einen möglichst umfassenden Katalog „verläßlicher" Details des lukanischen Paulusbildes führt, so als

uns beschäftigende Fragestellung weiter zu präzisieren, sondern er versucht, gegen Vielhauer zu klären, in welchem Verhältnis die (archaisierenden) Acta-Reden zur lukanischen Theologie stehen und in welchem Sinne sie schließlich doch noch einen Teilaspekt liefern für einen Vergleich der lukanischen Theo-logie mit der der Paulinen (vgl. aaO., S. 87). Die Frage nach der Relevanz der Paulusreden für die theologische Beschreibung der lukanischen Paulus-figur bleibt dabei unberührt.

ergäbe sich aus einer gewissen Menge von Fakteninformationen
zwangsläufig eine bestimmte Deutung. Das lukanische Verständnis
der geschichtlichen Rolle des Paulus läßt sich nicht als Summe seiner
Detailkenntnisse über das Leben des Paulus erklären, sondern die
Tatsache, daß Lukas über Einzelheiten aus dem Leben des Paulus
berichtet, und die Art, wie er dabei vorgeht, setzen ein bestimmtes
Urteil über die geschichtliche Bedeutung des Paulus bereits voraus.
Es wird also bei der Frage nach dem lukanischen Paulusbild darauf
ankommen, das in der literarischen Behandlung von „Informationen" wirksame Paulusverständnis zu erheben. Dies aber ist nur
möglich, wenn die Eigenart dieser „Informationen", wie sie Lukas
vorliegen, bekannt ist. Die Materialien, auf die Lukas seine Pauluskonzeption gründet, sind möglicherweise ja nicht alle von der Art
der Damaskus-Episode, die dem Informationsempfänger kaum ein
bestimmtes Paulusverständnis aufzwingt, sondern es könnten sich
unter den lukanischen Paulus-„Informationen" auch solche finden,
die bereits ein bestimmtes Paulusverständnis enthalten, womöglich
reflektieren. Solange darüber keine Klarheit besteht, läßt sich über
das lukanische Paulusbild nichts Sicheres ausmachen, weil dann un-
entschieden bleiben muß, ob die im vorliegenden Text der Apostelgeschichte erkennbaren Hauptlinien der Paulus-Darstellung überhaupt als lukanisch gelten können, ob also die feststellbaren Divergenzen gegenüber vergleichbaren authentischen Paulustexten lukanische Tendenzen deutlich machen, oder ob die vordergründig ins
Auge fallenden Charakteristika des Paulusbildes der Apostelgeschichte in Wirklichkeit das Resultat eines Interpretationsprozes-
ses sind, in dem sich lukanische Tendenzen mit vorlukanischen
überschnitten haben. Im zweiten Fall würden sich die Differenzen
zwischen dem authentischen Selbstverständnis des Paulus und dem
Paulusbild, das der vorliegende Text der Apostelgeschichte dem
unkritischen Leser vorstellt, ganz unterschiedlich beurteilen lassen —
je nach dem Ergebnis der Traditionsanalyse. Es könnte sich herausstellen, daß diese Unterschiede nicht von Lukas verursacht oder
verschärft worden sind, sondern vorlukanischen Traditionsschichten
angehören, welche Lukas — vielleicht gar nicht so unpaulinisch —
auf seine Weise aufgegriffen und gestaltet hat; es könnte sich aber
auch der erste Eindruck bestätigen, daß die Richtung der lukanischen Interpretation der Paulusfigur vom authentischen Selbstverständnis des Paulus wegführt.
Daß diese Frage bisher ungeklärt ist, liegt an der Unsicherheit der
bisherigen Forschung in der Beurteilung der Traditionslage der
Apostelgeschichte im allgemeinen und der Paulusstoffe im besonderen. Anders als im Bereich der Synoptikerexegese ist in der Acta-

Forschung auf die literarkritische Periode[27] keine ausgeprägte formgeschichtliche gefolgt[28]. Die Darstellung der Bekehrung des Saulus in der Apostelgeschichte z. B. ist, von einigen Hinweisen bei Dibelius abgesehen[29], in formgeschichtlicher Hinsicht nie untersucht worden.

Daß man die Frage nach dem lukanischen Paulusbild nicht stellen kann, ohne diese Lücke zu schließen, zeigt die oben (S. 1) erwähnte Untersuchung von G. Klein. Klein formuliert zusammenfassend zum Befund des lukanischen Paulusbildes: „Die Darstellung des Juden Paulus ist bestimmt von einer Tendenz zur Nivellierung, die des Verfolgers von einer zur Perhorreszierung, die des Bekehrten von einer zur Mediatisierung, die des Kirchenmannes einerseits von einer zur Subordinierung unter die vorgeordnete, anderseits von einer zur Superordinierung über die nachgeordnete Tradition und ihre Träger" (aaO., S. 202). Kennzeichnend für die Aussagestruktur dieses Satzes, den Klein als „Fazit aus der Analyse des lukanischen Paulusbildes" (ebd.) deklariert, ist das Wort „Tendenz". Es besagt, daß Klein diese Thesen nicht nur auf den vordergrün-

---

[27] Den Stand der Forschung faßt Dupont zusammen: J. Dupont, Le sources du livre des Actes. Etat de la question, Brügge 1960.

[28] Der Grund dafür ist, daß man allgemein für eine Traditionsbildung über die Apostel und die apostolische Frühzeit angesichts der Naherwartung des Urchristentums keinen Raum sah. Entsprechend behutsam sind die ersten Vorstöße in Richtung einer formgeschichtlichen Betrachtungsweise der Apostelgeschichte. Vgl. M. Dibelius, Stilkritisches zur Apostelgeschichte, in: Eucharisтеrion. Studien zur Religion und Literatur d. A. u. N. T. (Fs. H. Gunkel), hrsg. von H. Schmidt, Bd. 2: Zur Religion und Literatur d. N. T., Göttingen 1923, S. 27—49; auch in: Aufsätze zur Apostelgeschichte, S. 9—28. (Vgl. auch Anm. 29). — Von den neueren Beiträgen zur Acta-Forschung verdienen in diesem Zusammenhang eine besondere Erwähnung: die bereits genannte (vgl. Anm. 25) Arbeit von U. Wilckens und die Versuche G. Schilles, innerhalb der Apostelgeschichte Gründungstraditionen zu bestimmen und auszuwerten (vgl. G. Schille, Anfänge der Kirche, Erwägungen zur apostolischen Frühgeschichte, München 1966 [= BEvTh 43]). Die Arbeitsweise Haenchens läßt sich nicht mit einem Methodenbegriff kennzeichnen; bei der Frage nach der Traditionsbasis der Apostelgeschichte geht er jedenfalls nicht von der Gattung der Einzeltraditionen, sondern von der Kompositionsweise des Redaktors aus; vgl. E. Haenchen, Tradition und Komposition in der Apostelgeschichte, in: ZThK 52 (1955), 205—225; auch in: Gott und Mensch. Ges. Aufs., Tübingen 1965, S. 206—226.

[29] Vgl. M. Dibelius, Zur Formgeschichte des Neuen Testaments (außerhalb der Evangelien), in: ThR, N. F. 3 (1931), 207—242, hier: S. 233 ff. Die Saulustradition wird als Personallegende eingeschätzt. Eine entsprechende Andeutung findet sich bereits in dem oben (Anm. 21) genannten Aufsatz (in: Aufsätze zur Apostelgeschichte, S. 16). — Haenchen, Tradition und Komposition, behandelt zwar auch die Saulustradition, jedoch nicht unter formgeschichtlichem Aspekt (vgl. aaO., in: Gott und Mensch, S. 211—219).

digen Befund der Paulusdarstellung in der Apostelgeschichte bezieht, sondern damit die *Richtung* zu treffen behauptet, in welche Lukas mit seinem Paulusbild „tendiert". Die Formulierungen legen also die Vorstellung nahe, daß Lukas diese Tendenzen an einem ihm vorgegebenen Stoff, bzw. gegenüber einer andersartigen Deutung der Figur des Paulus artikuliert und durchgesetzt hat.

Das von Klein formulierte „Fazit" impliziert also eine bestimmte Antwort auf die Frage nach der Traditionsbasis des lukanischen Paulusbildes. Hier aber zeigen sich in der Argumentation Kleins erhebliche Lücken: Klein hat nicht versucht, mit der Traditionsfrage literar- und formkritisch am Befund der Apostelgeschichte selbst anzusetzen. Dazu ein aufschlußreiches Beispiel: Bei der Frage, ob es eine „Saulus"tradition[30] gegeben habe, zieht Klein paulinisches, deuteropaulinisches und nachlukanisches Material verschiedener Herkunft zum Vergleich heran, um festzustellen: „Von gemeinchristlicher vor-, neben- oder nachlukanischer „Saulus"tradition findet sich hier keine Spur" (aaO., S. 142). „Das aus der Apostelgeschichte entnommene ‚Saulus‘bild wird ... in quantitativ durchweg verkürzter, qualitativ z. T. eher gemilderter Form übernommen" (ebd.), was ihn zu dem Urteil führt, das lukanische Saulusbild sei nicht vulgärchristlich, sondern spezifisch lukanisch (vgl. ebd., S. 143). Abgesehen davon, daß Klein damit die breite Skala möglicher Klassifizierungen zwischen „vulgärchristlich" und „spezifisch lukanisch" überspringt, ist gegen diesen Beweis einzuwenden, daß er für den Aufweis von Traditionen von vornherein nur das Kriterium *äußerer* Bezeugung veranschlagt, eine Voraussetzung, die in der Synoptikerexegese längst überholt ist (und war).

Klein setzt durchweg voraus, daß der Befund der Apostelgeschichte die lukanischen Vorstellungen über Paulus und seine geschichtliche Rolle dokumentiere. Wenn aber die lukanischen Aussage-„Tendenzen" nicht als an einer von Lukas benutzten Vorlage redaktionell zur Geltung gebracht vorgestellt werden, wieso sind sie dann überhaupt „Tendenzen"? Gegenüber welchem anderen Paulusbild bedeutet das lukanische eine Nivellierung, Perhorreszierung, Mediatisierung und Relativierung im Sinne der Einordnung in die apostolische Sukzession? Klein gibt darauf keine *direkte* Antwort, läßt aber keinen Zweifel daran, wie er sie sich vorstellt: Da die vier genannten Tendenzen — mit Ausnahme der letzten (vgl. aaO., S. 202) — „ohne Analogien im nachapostolischen Schrifttum" und

---

[30] Bezeichnend ist, daß Klein mit dem Wort „Saulus"tradition nicht etwa eine selbständige Einzeltradition (Legende, Novelle o. ä.) meint, sondern den Topos des wütenden Verfolgers in seiner Anwendung auf Paulus. Das Wort „Tradition" ist hier also nicht im Sinne der Formgeschichte gebraucht.

folglich „unzweifelhaft originäre Produkte der lukanischen Ge-
schichtsinterpretation" seien (aaO., S. 202), werden sie unmittelbar
am Befund der Paulinen gemessen[31], wobei Klein annimmt, Lukas
habe diese gekannt, also bewußt ein anderes Paulusbild dem authentischen der Paulinen entgegengestellt (vgl. aaO., S. 189—192).
Damit steht Klein methodisch und in seiner Fragestellung grundsätzlich auf der Seite Vielhauers: Beide versuchen, theologische Aussagen des Lukas an entsprechenden des Paulus zu messen, wobei
Vielhauer nach der lukanischen Wiedergabe der paulinischen Botschaft, Klein dagegen nach der lukanischen Interpretation des apostolischen Selbstverständnisses des Paulus sucht. Vielhauer kommt
zu dem Ergebnis, daß die lukanische Wiedergabe der Theologie
des Paulus keinen einzigen spezifisch paulinischen Gedanken ent-
halte; Klein dagegen stellt fest, daß die lukanische Darstellung des
Paulus das Produkt einer „reflektierten Befangenheit" (aaO., S. 202)
des Lukas sei, womit der festgestellten theologischen Diskrepanz
zwischen Paulus und Lukas eine Motivation der lukanischen „Tendenzen" hinzugefügt wird.
Die Konsequenz aus diesen Überlegungen ist klar: Es gilt, die Ergebnisse der Diskussion um den lukanischen Paulinismus auf dem
speziellen Sektor der Frage nach dem lukanischen Paulusbild zu
respektieren, indem die Frage nach dem Maß, an dem die lukanische

---

[31] Dazu einige Beispiele: Apg 22,3; 26,4 f. kann man nur dann als „Nivellierung"
der jüdischen Vergangenheit des Paulus verstehen, wenn man Gal 1,14 als
Maßstab nimmt; wenn man die lukanischen Formulierungen dagegen isoliert
betrachtet, kann man sie wohl nur als Hervorhebung der Figur des Paulus
deuten (vgl. κατὰ ἀκρίβειαν, ζηλωτής Apg 22,3; κατὰ τὴν ἀκριβεστάτην
αἵρεσιν, Φαρισαῖος Apg 26,5). — Die Rolle des Ananias als des wunder-
tätigen Boten des Kyrios kann nur dann auf eine „Mediatisierung" des bekehrten Paulus hindeuten, wenn man als Maßstab das οὐκ ἀπ' ἀνθρώπων
οὐδὲ δι' ἀνθρώπου von Gal 1,1 danebenhält. Für sich genommen, ist das, was
Ananias sagt und tut, rechtlich irrelevant im Hinblick auf die amtliche Stellung des Paulus in der Kirche. — Die Verbrüderungsszene Apg 9,27 f. erscheint nur dann als „subordinatorisch", wenn man die Bestätigung des paulinischen Apostolats an dieser Stelle erwartet und deshalb vermißt. Die Szene
besagt ja an sich nichts über den Rang des Paulus in der Hierarchie, sondern
konkretisiert den wunderbaren Rollenwechsel des einstigen Verfolgers (Schema:
Mißtrauen der ehemaligen Feinde: V 26; Verbrüderung: V 27 f.; Auseinandersetzung mit den ehemaligen Freunden und jetzigen Feinden: V 29). — Lediglich die „Perhorreszierung" scheint unmittelbar am Befund der Apostelgeschichte (Apg 8,3; 9,1 f.) abgelesen zu sein. Sie ist aber für das Gesamt-
verständnis der Paulusfigur nicht ausschlaggebend; denn „schlechthin konstitutiv" ist für Klein „die Idee der Mediatisierung" (aaO., S. 158). Im übrigen
wird aber auch hier die in äußeren Details blassere Formulierung Gal 1,13 die
Folie bilden, auf der Klein zu seiner Feststellung einer lukanischen „Tendenz"
kommt.

Paulusdarstellung ihrer „Tendenz" nach zu messen ist, als Frage
nach der Traditionsbasis des Paulusbildes der Apostelgeschichte in
die Interpretation der lukanischen Texte integriert wird. Dies soll
im folgenden versucht werden.

Die Untersuchung konzentriert sich dabei auf den für das lukanische
Paulusbild grundlegenden Text, den Bericht über die Bekehrung
des Saulus im 9. Kapitel der Apostelgeschichte. Seine Bedeutung
wird nicht allein durch die Tatsache unterstrichen, daß Lukas auf
diesen Stoff an zwei weiteren Stellen (Kap. 22; 26) zurückgreift; die
Analyse dieses Textes verspricht vielmehr auch deshalb einen Ein-
blick in das lukanische Verständnis der Paulusfigur, weil darin in
programmatischer Weise ein Paulusbild entworfen wird (vgl. bes.
Apg 9, 13—16).

Im Interesse möglichst sachgemäßer Auslegung wird der Text nicht
von einer vorher fixierten Fragestellung thematischer Art her ange-
gangen, sondern der Gang der Untersuchung soll dem Schematis-
mus der an synoptischen Texten bewährten exegetischen Methoden
folgen. Entsprechend ist das Thema formuliert. Erst der Verlauf
der Analyse wird zeigen, welche Aspekte für das lukanische Verständnis der Paulusfigur bestimmend sind und welchen Stellenwert
die Frage nach dem Paulusbild für Lukas selbst hat.

Erster Hauptteil

DIE SAULUSTRADITION

§ 1 LITERARKRITISCHE ANALYSEN

Die literarkritischen Analysen, die im folgenden angestellt werden, knüpfen an die These von Dibelius an, es handle sich bei der Geschichte von der Bekehrung des Saulus um eine geformte Einzelüberlieferung (vgl. Aufsätze zur Apostelgeschichte, S. 16). Sie dienen der Absicht, innerhalb des uns vorliegenden kanonischen Textes denjenigen Zustand der Saulustradition zu eruieren, der als Ausgangspunkt der Stoffgeschichte zu gelten hat und der die Grundlage einer formgeschichtlichen Einordnung der Tradition und ihrer redigierten Fassungen darstellt. Die Untersuchungen werden also vor allem um die Abgrenzung der Traditionseinheit gegenüber dem lukanischen Kontext und um die Diagnostizierung von Schichten innerhalb der Tradition bemüht sein.

Dazu ist ein vorbereitender Schritt notwendig: Es ist zu klären, in welcher der drei von Lukas dargebotenen Fassungen der Saulustradition die literarkritische Analyse ansetzen muß, um den traditionsgeschichtlichen Ausgangspunkt zu erreichen.

I. Zum Abhängigkeitsverhältnis zwischen den drei Varianten der Saulustradition in der Apostelgeschichte

Die Tatsache, daß Lukas über die Bekehrung des Saulus drei voneinander abweichende Versionen[1] darbietet, hat vor allem die

---

[1] Die auffälligsten Divergenzen sind:

1. Die Reisebegleiter des Saulus partizipieren an der Christusepiphanie vor Damaskus in verschiedenem Maße. Nach Apg 9,7 hören sie die Stimme, sehen aber niemand; nach 22,9 sehen sie das Licht, hören aber die Stimme nicht; in der dritten Version werden die Begleiter nach der Epiphanie nicht als Zeugen erwähnt, haben aber nach 26,13 f. Anteil an der Lichterscheinung und fallen zusammen mit Saulus zu Boden.

2. Der Dialog zwischen dem Kyrios und Saulus ist in Kap. 22 gegenüber der ersten Version lediglich um die Frage: „Was soll ich tun?" erweitert. Demgegenüber weicht die dritte Fassung insofern stark ab, als dort der eigentliche Inhalt des Erscheinungsgesprächs die Berufung des Saulus ist (vgl. 26,16b—18), während die beiden ersten Varianten Saulus nach Damaskus verweisen.

3. In der dritten Version fehlt die gesamte Ananias-Episode. Die zweite Fassung verzichtet auf die Vision des Ananias und nimmt verschiedene Veränderungen auch in den erzählenden Partien des zweiten Teils der Geschichte vor.

4. Die Sendung des Saulus wird 9,15 f. als Wort des Kyrios an Ananias, 22,14 f. als Wort des Ananias an Saulus, 26,16—18 dagegen als Wort des Kyrios unmittelbar an Saulus formuliert. Auch inhaltlich sind Unterschiede festzustellen, auf die hier noch nicht einzugehen ist.

Literarkritik herausgefordert[2]. Die Hypothese, Lukas verarbeite hier mehrere Quellen, wurde in verschiedenen Variationen vertreten, zumeist aber in Form einer Zwei-Quellen-Theorie. So wurde z. B. mit einer historisch glaubwürdigen und mit einer legendarischen (und deshalb unglaubwürdigen) Quelle gerechnet[3]; oder man glaubte, zwischen einer paulinischen und einer nicht-paulinischen Quelle unterscheiden zu können[4]. Jedenfalls wurden die von Lukas dargebotenen Versionen als Kompilationen aus verschiedenen Grundberichten betrachtet, wobei der literarische Formwille des „Kompilators" Lukas mehr[5] oder weniger[6] unbeachtet blieb.

Von allen Quellenscheidungs-Hypothesen verdient die von E. Hirsch am meisten Beachtung. Nach Hirsch liegt Apg 9 eine damaszenische Gemeindetradition zugrunde; Apg 26 gibt den authentischen Bericht des Paulus wieder; Apg 22 stellt einen lukanischen Harmonisierungsversuch der beiden „mit schlichter Treue" (S. 309) überlieferten Originalberichte dar.

Diese Hypothese kann sich, was immer an ihr zu kritisieren sein mag, auf einige gewichtige Einzelargumente stützen, die eine Auseinandersetzung nötig machen:

1. Zwischen den Versionen in Kap. 9 und Kap. 26 bestehen die auffälligsten Unterschiede, während die Version in Apg 22 sich dagegen wie eine mittlere Position ausnimmt.

Dieser These kann man zustimmen, wenn man sie auf die Darstellung des äußeren Geschehensablaufes bezieht. In Apg 9,1 ff. z. B. ist Ananias die zweitwichtigste (irdische) Figur; in Apg 26 kommt Ananias überhaupt nicht vor; in Apg 22 ist die Rolle des Ananias durch den Wegfall seiner Vision reduziert. Ein ähnliches Verhältnis besteht hinsichtlich der Gestaltung der

---

[2] Einen guten Überblick gibt G. Lohfink, Paulus vor Damaskus. Arbeitsweisen der neueren Bibelwissenschaft, dargestellt an den Texten Apg 9,1—19; 22,3—21; 26,9—18, Stuttgart 1965 (= StBSt 4), S. 28 ff.

[3] So vor allem F. Spitta, Die Apostelgeschichte, ihre Quellen und deren geschichtlicher Wert, Halle 1891, S. 270—277; auch J. Jüngst, Die Quellen der Apostelgeschichte, Gotha 1895, S. 83 ff.; 223 ff.

[4] Vgl. H. H. Wendt, Die Apostelgeschichte, Meyers Komm. III, 9. Aufl., Göttingen 1913, S. 166 ff.; E. Hirsch, Die drei Berichte der Apostelgeschichte über die Bekehrung des Paulus, in: ZNW 28 (1929), 305—312.

[5] Spitta, Jüngst; aber auch Hirsch, der Apg 22,3—21 als lukanischen Ausgleichsversuch zwischen der Ortstradition von Damaskus (9,1—19) und dem paulinischen Bericht (26,9—18) ansieht.

[6] Mit stärkerer Bearbeitung der Quellen durch Lukas rechnen außer Wendt auch K. Lake, The conversion of Paul and the events immediately following it, in: The beginnings of Christianity, ed. Jackson—Lake, Bd. 5, London 1933, S. 188—195, hier: S. 190 f. und É. Trocmé, Le „Livre des Actes" et l'histoire, Paris 1957, S. 174—179.

Wirkung der Vision vor Damaskus auf Saulus und seine Begleiter: Im 9. Kapitel hat das himmlische Licht die Kraft, Saulus
zu blenden; nach Kap. 26 hat die Vision keine solche Wirkung;
nach Kap. 22 wird zwar Saulus geblendet, nicht aber seine Begleiter, obschon sie hier — anders als in Kap. 9 — Augenzeugen
der Lichterscheinung sind.
2. Die Fassung in Kap. 9 enthält Elemente einer Lokaltradition. In
Apg 26 fehlen diese ganz.
Man kann den Lokalnotizen in Apg 9,11 wegen des allzu be-
rühmten Namens der Straße mißtrauen (vgl. Haenchen, Komm.,
S. 272 A 1), darf dabei jedoch nicht übersehen, daß sie erzählerisch nicht notwendig sind. Es scheint also ein eigenes Anliegen
zu sein, die Ortsbindung der Tradition zum Ausdruck zu bringen.
Deshalb ist auch die — sicher in dieser Form übertriebene —
Behauptung Hirschs, die Version in Apg 9 sei ganz aus der
Perspektive der Christen in Damaskus formuliert, sie verstehe
die Vorgänge vor Damaskus als „reines Strafgericht" an Saulus
(307) bzw. allein unter dem Aspekt der „Bewahrung der Gemeinde vor der drohenden Verfolgung" (ebd.), nicht ohne weiteres schon deshalb zu verwerfen, weil sich in Apg 9 (bes.
VV. 15 f. 17) auch solche Elemente finden, die sich dieser These
nicht einfügen lassen (gegen Haenchen, Komm., S. 275 f.).
3. Die Berufung des Saulus zum Weltmissionar erscheint in Apg 26
als nicht durch Menschen vermitteltes Offenbarungsgeschehen.
Dies entspricht am ehesten — nämlich im Vergleich mit den
beiden anderen Versionen, die dem paulinischen Apostolatsanspruch zu widersprechen scheinen — dem paulinischen Verständnis des Damaskusereignisses.
Man braucht die Hypothese Hirschs nicht zu unterschreiben[7],
wenn man ihr in diesen Punkten beipflichtet. Das Gefälle zwischen
den drei Versionen der Saulus-Bekehrung beruht in der Tat auf
theologischen Differenzen; es genügt nicht, von Variationsbedürf-
nis[8] oder Steigerungsprinzip[9] zu sprechen, als sei das Verhältnis
der Varianten zueinander allein aus der schriftstellerischen Absicht
des Lukas heraus verständlich zu machen[10].

[7] Wenn Lukas die Damaszener Gemeindetradition, wie Hirsch behauptet, „mit
schlichter Treue" (S. 309) wiedergegeben hätte, wäre nicht zu erklären, wieso
die erste Version andeutungsweise (vgl. 9,17) auf den Offenbarungscharakter
des Damaskusereignisses reflektiert, also ein spezifisches Theologumenon des
„paulinischen" Berichts enthält.
[8] Gegen Haenchen, Tradition und Komposition, S. 211 A 2; Lohfink, Paulus vor
Damaskus, S. 81—85.
[9] Gegen Klein, Die Zwölf Apostel, S. 115—127.
[10] Diese den augenblicklichen Stand der Diskussion kennzeichnende Auffassung

Gegen die Zwei-Quellen-Theorien spricht ein grundsätzliches Argument, das Haenchen im Hinblick auf Hirsch so formuliert: „Lukas ist hier im Grunde ein moderner Historiker, welcher zwei beachtliche Quellen besitzt, von denen er keine übergehen will, und dann dem Leser mitteilt, wie er selbst das hinter beiden Quellen liegende Ereignis rekonstruiert. Daß Lukas ... nicht das mindeste Interesse daran hat, seine Gemeinde auf Unterschiede in der Überlieferung aufmerksam zu machen, kommt deswegen nicht zur Geltung" (Komm., S. 274 f.). Man kann dem nur beipflichten, braucht aber deshalb nicht die brauchbaren Ansätze bei Hirsch zu ignorieren. Damit ist die literarkritische Frage allerdings noch nicht gelöst, sondern nur präziser formulierbar geworden: Wenn die Differenzen zwischen den drei Versionen von der Bekehrung des Saulus nicht auf den Einfluß verschiedener Quellen zurückzuführen sind, andererseits auch nicht nur als Ausdruck des lukanischen Stilwillens (Variation, Steigerung) gelten können, sind sie dann nicht als Anzeichen für das sachliche Gefälle zwischen der dem Lukas vorgegebenen Tradition und der lukanischen Interpretation derselben zu beurteilen? Die Frage, die sich im Anschluß an die (gescheiterten) Quellenscheidungs-Versuche stellt, heißt also, wie das Verhältnis von Tradition und Redaktion in diesem besonderen Fall zu bestimmen ist.

Es wäre sicher eine Fehleinschätzung, wenn man die erste Version (Apg 9) als „Tradition", die beiden anderen dagegen als „Redaktionen" bezeichnete[11]. Eine solche Beurteilung würde ebenfalls an dem von Haenchen gegen Hirsch erhobenen Einwand scheitern: Wenn der Schriftsteller Lukas seinen Leser nicht unnötig auf sachliche Differenzen *in* der Überlieferung hinweisen wird, wird er ihn erst recht nicht auf redaktionelle Abweichungen *von* der Überlieferung aufmerksam machen. Man muß vielmehr von vornherein die lukanische Redaktion in allen drei Versionen in Rechnung stellen. Keine der drei Fassungen der Saulustradition kann, wenn man mit

vertritt bereits A. Wikenhauser, Die Wirkung der Christophanie vor Damaskus auf Paulus und seine Begleiter nach den Berichten der Apostelgeschichte, in: Bibl 33 (1952), 313—323; vgl. bes. S. 314. Vgl. ferner Dibelius, Die Reden der Apostelgeschichte, in: Aufsätze zur Apostelgeschichte, S. 136 A 2, 152; Haenchen, Komm., S. 274—277; H. Conzelmann, Die Apostelgeschichte, Tübingen 1963 (= HNT 7), S. 59.

[11] So etwa will es Dibelius, wenn er Apg 9,1 ff. als die „Legende", dagegen die beiden Versionen in Apg 22 und 26 als „ein Werk des Schriftstellers" Lukas bezeichnet (Zur Formgeschichte außerhalb der Evangelien, S. 235). — Bemerkenswert ist seine Stellungnahme zu Hirschs Quellenscheidungsversuch: Hirsch habe den Legendencharakter von Apg 9 richtig erkannt, halte jedoch Apg 26 zu Unrecht für einen paulinischen Bericht (vgl. ebd.).

der aus sachlichem Interesse redigierenden Hand des Lukas rechnet, als die „mit schlichter Treue" dargebotene unberührte Tradition angesehen werden.
Die Ausgangsfrage lautet also nicht, welche der drei Versionen die
Tradition sei, sondern in welcher der drei Versionen die Tradition
am deutlichsten zu erkennen sei, im Bereich welcher der drei Versionen also anzusetzen sei, wenn die literarkritische Analyse mit
größtmöglicher Aussicht auf Erfolg begonnen werden soll.
Die Antwort auf diese Frage ist nicht sehr schwierig, hat aber
weitreichende Konsequenzen, so daß es sinnvoll erscheint, Argumente, Voraussetzungen und Konsequenzen aufzuführen: Die Tradition kann nur im Bereich der ersten lukanischen Version mit
einiger Aussicht auf Erfolg gesucht werden. Dies ergibt sich aus der
Voraussetzung, daß die als Einzelüberlieferung umlaufende Saulustradition nicht die Form einer ἀπολογία (vgl. Apg 22,1; 26,1) gehabt haben dürfte, sondern zu den erzählenden genera litteraria zu
rechnen ist; da dies allein für die Version in Apg 9 zutrifft, hat sie
gegenüber Apg 22,3—21 und Apg 26,9—18 als Grundfassung —
im folgenden: *„Grundbericht"* — zu gelten, weil sie der Tradition
der Gattung nach am nächsten steht.
Bestätigt wird diese Auffassung durch die bereits erwähnte[12] Tatsache, daß sich in Apg 9,11 Elemente einer Ortstradition bzw. der
Ortsbindung der Tradition finden, die in den beiden anderen Fassungen eliminiert sind.
Aus der Einschätzung von Apg 9,1 ff. als Grundbericht folgt eine
entsprechende Einstufung der beiden anderen Versionen: Weil
allein Apg 9,1 ff. als lukanische *Wiedergabe* der Tradition im
Sinne der Darstellung des Geschehens (διήγησις; vgl. Lk 1,1) anzusehen ist, sind die Versionen 22,3 ff. und 26,1 ff. nur als *Wiederaufnahme des Inhalts* der Tradition zu beurteilen. Der Stoff der
Saulustradition wird im Zusammenhang zweier Verteidigungsreden
relativ — nämlich im Vergleich zum Grundbericht — frei verwendet. Die ursprüngliche Form geht bei der Einarbeitung in die
ἀπολογίαι weitgehend verloren. Diesem Formwandel wird im folgenden durch die Bezeichnung *„Redevarianten"* Rechnung getragen.
Die Zweiteilung Grundbericht — Redevarianten basiert wohlgemerkt auf einem die literarische Form betreffenden Klassifizierungs-
aspekt (διήγησις — ἀπολογία). Es soll damit keineswegs der Eindruck erweckt werden, der Grundbericht sei wegen seiner besonderen inhaltlichen Verläßlichkeit gegenüber den Redevarianten her-
vorzuheben. Dagegen wäre einzuwenden, daß das stärkste Gefälle
inhaltlicher Art nicht zwischen Grundbericht und Redevarianten,

---

[12] Vgl. oben S. 16.

sondern zwischen den beiden Redevarianten selbst festzustellen ist. — Andererseits wird man davon ausgehen müssen, daß die Chancen einer stoffgerechten Überlieferung von der Konsistenz der Form abhängen und der Grundbericht deshalb die konservativste Variante darstellt. Die bekannte Tatsache, daß Lukas archaische Formen dort, wo sie nach seiner Meinung am passenden Ort stehen, durchaus schätzt, entspricht dieser Einschätzung des Grundberichts.

Wenn bei der Unterscheidung von Grundbericht und Redevarianten primär auf den Formwandel abgehoben wird, dem der Stoff der Saulustradition bei der Transponierung der Einzelmotive in die Rahmenkonzeption zweier Verteidigungsreden unterworfen wird, so ist damit bereits angedeutet, daß es in der folgenden literarkritischen Analyse der Tradition nicht nur um die Beurteilung einzelner Motive gehen muß, sondern um die Freilegung der ursprünglichen Form (Gattung) der Tradition.

Bei dieser Aufgabe wird der Vergleich mit den lukanischen Redevarianten eine unschätzbare Hilfe insofern sein, als das sachliche Gefälle zwischen Grundbericht und Redevarianten die Bestimmung redaktioneller Elemente im Grundbericht erleichtert. Wenn es richtig ist, daß die Wiederaufnahme des Stoffes der Saulustradition dem Redaktor Lukas mehr Freiheit ließ als die Wiedergabe der Tradition selbst, wenn also die beiden Redevarianten sozusagen lukanischer sind als der Grundbericht, dann könnten die Redevarianten dort, wo sie gemeinsam dem Grundbericht entgegenzustehen scheinen, die lukanischen Interessen verläßlich dokumentieren und damit die Richtung anzeigen, in welche die lukanische Redaktion des Grundberichts tendiert haben muß. Die Redevarianten zeigen die Elongaturen der Linien der lukanischen Redaktion des Grundberichts.

Entsprechend wird im folgenden versucht, unter Beachtung der lukanischen Redevarianten aus dem Grundbericht Apg 9,1 ff. den vorlukanischen Traditionsbestand zu eruieren.

II. Zur ursprünglichen Form der Exposition der Saulustradition

Von Saulus, seiner Verfolgungstätigkeit und seiner christenfeindlichen Einstellung erfährt der Leser des lukanischen Doppelwerks nicht erst im Zusammenhang der Bekehrung des späteren Weltmissionars, sondern bereits im Zusammenhang der Steinigung des Stephanus und der nach lukanischer Darstellung dadurch ausge-

lösten „großen" Verfolgung (Apg 7,58; 8,1 a. 3). Man muß nicht
erst auf Apg 22,20 hinweisen, um zu verdeutlichen, daß die Verknüpfung der Saulus- mit der Stephanustradition auf die lukanische Redaktion zurückgeht[13]. Die Frage ist nur, in welcher Weise
die redaktionelle Gestaltung der kompositorischen Verbindung die
ursprüngliche Exposition der Saulustradition verändert hat.

Das Kompositionsverfahren ist durch die Technik mehrfacher Ver-
klammerung gekennzeichnet:

7,57   Steinigung des Stephanus
        7,58 Erwähnung des Saulus

7,59 f. Sterbegebet des Stephanus[14]
        8,1 a Notiz über die zustimmende Haltung des Saulus
            8,1 b Beginn der „großen" Verfolgung

8,2   Bestattung und Totenklage um Stephanus
        8,3 Verfolgertätigkeit des Saulus
            8,4 Beginn der außer-judäischen Mission.

Die literarkritische Beurteilung dieses Befundes ist dadurch er-
schwert, daß der an die Stephanustradition anknüpfende Erzähl-
faden nicht direkt zur Saulusbekehrung überleitet, sondern zunächst auf die Philippustraditionen hinführt (Apg 8,5—40). Lukas
hat also den Namen des Verfolgers und späteren Missionars Saulus/
Paulus in die Überleitung von der Stephanus- zur Philippusüber-
lieferung eingeflochten. Dadurch wird der Name „Saulus" mit
zwei miteinander korrespondierenden Vorgängen in Verbindung
gebracht, welche durch die Namen „Stephanus" und „Philippus"
signalisiert werden: dem ersten Martyrium infolge der Ablehnung
der christlichen Botschaft durch die Juden in Jerusalem und dem
ersten missionarischen Vorstoß der Christen über das Stammland
der Juden hinaus. Beide Vorgänge bilden zusammen den Anfang
der heilsgeschichtlichen Wende, durch welche die Verkündigung der

---

[13] Vgl. schon Dibelius, Zur Formgeschichte außerhalb der Evangelien, S. 234;
Näheres bei J. Bihler, Die Stephanusgeschichte im Zusammenhang der Apostelgeschichte, München 1963; ders., Der Stephanusbericht (Apg 6,8—15; 7,54—8,2),
in: BZ, N. F. 3 (1959), 252—270; H. W. Surkau, Martyrien in jüdischer und
frühchristlicher Zeit, Göttingen 1938 (= FRLANT 54), S. 105 ff.; Haenchen,
Komm., S. 243 f., S. 244—250 passim; Conzelmann. Komm., S. 51—53.
[14] 7,59a greift 7,57 fin. dublettenhaft wieder auf. Der Einschub 7,58 wird dadurch
formal verdeutlicht.

Herrschaft Gottes von den Juden zu den Heiden übergeht[15]. Der Name „Saulus" wird bewußt an der Stelle erwähnt, an der Lukas zum erstenmal im Rahmen der Apostelgeschichte die in Apg 1,8 angekündigte Bewegung der Mission von Jerusalem bis zu den Enden der Erde deutlich als ein ambivalentes Geschehen, als „Fortschreiten" und „Weggehen" des Evangeliums und als kontinuierlichen Ablösungsprozeß des Christentums von seiner jüdischen Basis kennzeichnet.

Die Nennung des Saulus in Apg 7,58; 8,1.3 geschieht also höchst absichtsvoll und überlegt. Man ist daher zunächst geneigt, die Formulierungen in 7,58; 8,1 a. 3 als redaktionelle Bildungen anzusehen, zumal feststeht, daß die als Einzelüberlieferung umlaufende Saulustradition nicht mit 7,58 begonnen haben kann.

Andererseits kann auch Apg 9,1 nicht als ursprüngliche Exposition der Saulusgeschichte gelten. Die Partikel ἔτι stellt die Verbindung zwischen 9,1 und 8,1 b. 3 her, ist also jedenfalls redaktionell. Lukas bringt dadurch das Unternehmen des Saulus gegen die Christen in Damaskus mit der „großen" Verfolgung in Jerusalem in eine zeitliche Abfolge. Die Wendung „immer noch Drohung und Mord schnaubend" enthält die Vorstellung, daß Saulus „noch nach Abschluß der jerusalemischen Verfolgung" (Haenchen, Komm. z. St.) von finsteren Plänen gegen die Christen erfüllt ist und sich deshalb vom Hohenpriester zum Vorgehen gegen die Christen in Damaskus bevollmächtigen läßt[16].

Die durch ἔτι hergestellte unmittelbare Verknüpfung der Jerusalemer Christenverfolgung mit der in Damaskus geplanten läßt sich nun nicht einfach dadurch aus der Exposition der Damaskus-Perikope eliminieren, daß man die zeitlich verknüpfende Partikel

[15] Vgl. R. Pesch, Die Vision des Stephanus. Apg 7,55—56 im Rahmen der Apostelgeschichte, Stuttgart o. J. [1966] (= StBSt 12), S. 38 und Anm. 108, 109. Ungenau ist jedoch seine These, Stephanus verkörpere das „von den Juden", Paulus das „zu den Heiden" (vgl. ebd.). Die hier dem Paulus zugewiesene Rolle gebührt zumindest an dieser Stelle dem Philippus. Es wird sich darüber hinaus zeigen, daß die missionarische Rolle des Paulus nicht durch das „zu den Heiden" allein hinreichend gekennzeichnet ist; vgl. im zweiten Hauptteil § 4 I,2.

[16] Apg 22,4 f. belegt diese Interpretation: V. 4 bezieht sich auf die Verfolgung in Jerusalem, da sie von Jerusalemer Instanzen bezeugt werden kann (V. 5a); dem steht das Damaskus-Unternehmen als geplante zweite Phase der Christenverfolgung gegenüber (V. 5b). Die Künstlichkeit dieser These scheint Lukas selbst empfunden zu haben, da er sie in der dritten Fassung dahin modifiziert, daß das Vorgehen gegen die Damaszener Christen nicht die einzige Aktion dieser Art außerhalb Jerusalems gewesen sei (vgl. Apg 26,11 f.); denn auch nach lukanischer Darstellung können die Christen nicht alle nach Damaskus geflohen sein; vgl. den Potentialis in Vers 9,2.

ἔτι streicht. Der sachliche Zusammenhang wird dadurch nicht völlig aufgehoben. Zunächst ist das Schreiben zu erwähnen, durch das der Verfolger zum Vorgehen gegen die Gemeinde in Damaskus bevollmächtigt wird: der Aussteller ist der Hohepriester in Jerusalem[17]. Sodann wird als Ziel der Aktion die Überführung der gefangenen Christen von Damaskus nach Jerusalem genannt (9,2; vgl. 22,5). Das ἔτι ist demnach die zeitlich präzisierende Wiedergabe eines nicht erst durch diese Partikel hergestellten sachlichen Zusammenhangs zwischen Apg 9,1 und 8,1 b.3. Wenn man 8,1 b.3 für rein lukanisch halten wollte, müßte man also auch 9,1 f. dem Redaktor zuweisen; wenn man dagegen 9,1 f. grundsätzlich als vorlukanisch einstuft, muß man auch 8,1 b.3 zur Tradition rechnen[18].

Welche Entscheidung diese Alternative erfordert, ist klar: Die Saulustradition würde, wenn man auch 9,1 f. dem Redaktor vorbehielte, ohne Exposition beginnen. Das Motiv des Sich-Näherns (9,3) führt bereits auf einen Höhepunkt hin, gehört also nicht in die Exposition[19]. Es impliziert zudem sachlich die Vorstellung, daß sich der Verfolger von einem Punkt außerhalb von Damaskus in Richtung auf diese Stadt in Bewegung befindet. In Entsprechung zu 9,3 heißt es V. 6 εἰς τὴν πόλιν bzw. V. 8 εἰς Δαμασκόν. Der Weg des Saulus erscheint als „Reise"[20]. Dies deutet darauf hin, daß schon die vorlukanische Fassung der Exposition der Saulusgeschichte das Reise-Motiv enthalten hat und folglich auch den Ausgangspunkt des Unternehmens gegen die Christen in Damaskus bezeichnet haben könnte: Jerusalem. (Ein anderer Ort kommt wegen des Vollmachtschreibens des Hohenpriesters nicht in Betracht.)

Man sträubt sich zunächst dagegen, zusammen mit den genannten

[17] Die Redevarianten stellen den Sachverhalt jedesmal etwas anders dar. Nach 22,5b hat das „Presbyterium" zusammen mit dem Hohenpriester die Vollmacht erteilt; nach 26,9—11 hätten „die Hohenpriester" (vgl. 9,14) den Saulus bereits am Beginn der „großen" Verfolgung in Jerusalem mit einer Generalvollmacht für „alle Synagogen" (26,11) ausgestattet. Die darin zum Ausdruck kommende Unsicherheit des Lukas in der Beurteilung der Einzelheiten spricht eher dafür, daß ihm das Briefmotiv in der für ihn schwer zu interpretierenden Form, d. h. in fester Zuordnung zu jüdischen Zentralbehörden in Jerusalem, *vorgegeben* war.

[18] Es geht hier wohlgemerkt vorerst nur um die Abgrenzung des inhaltlichen Umfangs der Tradition. Daß Apg 8,1.3; 9,1 f. lukanisch überarbeitet sind, ist so oder so selbstverständlich.

[19] Vgl. Apg 10,9. Zur formkritischen Einordnung vgl. unten, S. 68.

[20] Vgl. πορεύεσθαι (V. 3), συνοδεύοντες (V. 7). Die Wörter können im Zusammenhang mit den genannten Wendungen nur im Sinne einer Reise verstanden werden, auch wenn dasselbe Wort πορεύεσθαι in den VV. 11.15 in anderer Bedeutung verwendet ist.

Motiven auch den Topos Jerusalem mit zur Tradition rechnen zu sollen, weil bekanntlich eine Polizeiaktion von der in Apg 9,1 f. gemeinten Art auf Anordnung jüdischer Instanzen außerhalb Judäas nicht im Bereich des historisch Möglichen liegt[21]. Die Frage ist nur, ob das Kriterium des historisch Wahrscheinlichen zur Unterscheidung zwischen lukanischer Redaktion und vorlukanischer Tradition geeignet ist. Wenn man historisch Unwahrscheinliches dem — anerkanntermaßen auf diesem Felde nicht umfassend informierten — Redaktor Lukas zuweist, setzt man zugleich voraus, daß die damaszenische Ortsüberlieferung über die Bekehrung des Christenverfolgers Saulus nur solche Angaben hätte enthalten können, die dessen Kompetenzen in einer juristisch einwandfreien Weise dargestellt hätten. Das ist jedoch keineswegs sicher. Die Unwahrscheinlichkeit der Darstellung beginnt ja nicht erst beim Jerusalem-Topos, sondern schon das Vollmachtschreiben als solches ist in Verbindung mit dem Reise-Motiv schwer zu erklären, da es von einer Behörde außerhalb von Damaskus ausgestellt worden wäre, die eine Christenverfolgung durch synagogale Exekutivorgane in Damaskus angeordnet hätte. Welche Instanz sollte das gewesen sein? Man müßte also, wenn man mit dem Kriterium der historischen Wahrscheinlichkeit arbeiten wollte, mit der Ursprünglichkeit des Jerusalem-Topos auch die des Brief-Motivs in Frage ziehen; das aber ist nicht möglich[22].

Man wird also bei der Rekonstruktion der ursprünglichen Exposition der Saulustradition davon auszugehen haben, daß die redaktionelle Verknüpfung der Saulustradition mit der „großen" Verfolgung im Anschluß an das Martyrium des Stephanus von Lukas nicht völlig ohne Anhaltspunkte im Stoff der Saulusgeschichte bewerkstelligt worden ist. Die Frage ist jetzt, wo diese Anhaltspunkte zu suchen sind.

Haenchen hat darauf hingewiesen, daß das Saulusbild in Apg 7,58; 8,1 a sich von dem in 8,3 erheblich unterscheidet[23]. Während Saulus nach 7,58; 8,1 a lediglich sympathisierender Zuschauer ist — die „große" Verfolgung scheint nicht sein Werk zu sein —, erscheint er 8,3 unvermittelt als eigentlicher Widersacher der Christen.

---

[21] Zur politisch-rechtlichen Seite vgl. Haenchen, Komm., S. 268 A 4 (S. 268 f.). Zudem sei darauf hingewiesen, daß der Weg des Verfolgers mitten durch das Ursprungsland der christlichen Mission, Galiläa, geführt hätte. Die Verknüpfung des Jerusalem-Topos mit der Saulustradition scheint also von der Hand eines Mannes zu stammen, der über die geographischen Gegebenheiten Palästinas so wenig wußte wie (nach Conzelmann, Mitte, S. 60—62) Lukas.

[22] Vgl. die oben, S. 21 f. angedeuteten weiteren Motivzusammenhänge und die formgeschichtliche Beurteilung des Brief-Motivs unten, S. 68.

[23] Vgl. Haenchen, Komm., S. 248 f.

Haenchen formuliert treffend: „E r i s t d i e V e r f o l g u n g" (aaO., S. 249). Dieser Bruch in der Darstellung (vgl. ebd.) kann darauf zurückzuführen sein, daß Apg 8,3 bereits Tradition verarbeitet, während 7,58; 8,1 a rein redaktionelle Bildungen sind.

Für diesen Abgrenzungsvorschlag spricht auch der Befund der Redevarianten. Während sie in den Expositionen nicht auf das Stephanusmartyrium verweisen, heben sie beide in Übereinstimmung mit Apg 8,3 heraus, daß Saulus bereits vor dem geplanten Vorgehen gegen die Christen in Damaskus als *notorischer* Christenverfolger in Erscheinung getreten ist (vgl. 22,4; 26,9 ff.). Besonders die Rede vor Agrippa macht deutlich sichtbar, daß für Lukas mit der Pauschalnotiz über die christenfeindliche Tätigkeit des Saulus die Bekehrungsgeschichte *anfängt*[24].

Über die ursprüngliche Fassung dieser Notiz läßt sich kaum mit Sicherheit urteilen. Es könnte sein, daß sie das Wort διώκειν als terminus technicus für Christenverfolgung enthalten hat, da es in Apg 9,4 (τί με διώκεις) in einer bereits abgewandelten Bedeutung[25] wieder auftaucht. Der terminus διωγμός in 8,1 wäre dann vom Redaktor von der Exposition der Saulusgeschichte her konzipiert. Eine Rekonstruktion des ursprünglichen Wortlauts scheint jedoch nicht mehr möglich zu sein.

Über den Inhalt der Exposition gibt der Vers 8,3 in der vorliegenden Fassung immer noch recht gut Aufschluß: ἐλυμαίνετο τὴν ἐκκλησίαν ist eine Wendung, die losgelöst vom lukanischen Kontext besagt, Saulus habe sich dauernd und wiederholt (Impf.) als Feind der Kirche als des eschatologischen Volkes Gottes (ἐκκλησία) gezeigt, ohne daß dabei gesagt wäre, gegen welche Gemeinden sich im einzelnen die feindlichen Maßnahmen richteten. Im lukanischen Kontext gelesen, bedeutet freilich derselbe Ausdruck etwas völlig anderes: Saulus habe den *Versuch* unternommen, die *Urgemeinde* zu vernichten. Lukas hat also in der Tradition eine pauschale Kennzeichnung des Saulus als notorischen Verfolgers der Kirche vorgefunden und in seinem Sinn völlig konsequent[26] als An-

---

[24] Man beachte den Einschnitt zwischen 26,8 und 9. Zur Beurteilung von 22,3; 26,4 vgl. unten, Abschnitt V, 2. Bereits an dieser Stelle sei vermerkt, daß 22,3; 26,4 nicht auf 7,58; 8,1a als Traditionsbasis zurückgeführt werden können. Das Verhältnis der drei Versionen zueinander legt also nahe, 7,58; 8,1a nicht zur Saulustradition zu ziehen.

[25] Die Frage des himmlischen Kyrios *interpretiert* bereits die Verfolgung der Christen als Verfolgung ihres Herrn; ohne eine vorherige Verwendung von διώκειν in der gewöhnlichen Bedeutung steht diese Formulierung recht unvermittelt da.

[26] Anlaß der Umdeutung der Pauschalnotiz ist das Wort ἐκκλησία. Es bezeichnet bei Lukas niemals die Gesamtkirche — mit einer Ausnahme: Apg 9,31; man

gabe über eine bestimmte Verfolgung durch Saulus gelesen und ausgestaltet[27].

Als Ergebnis ist festzuhalten:

1. Die Verknüpfung der Saulustradition mit der Überleitung von der Stephanus- zu den Philippustraditionen (Apg 7,58; 8,1 a. 3) ist redaktionell.
2. Die Formulierung dieser Verknüpfung verarbeitet in 8,3 bereits das Wortmaterial der Exposition der Saulustradition. 7,58; 8,1 a sind dagegen rein lukanische Bildungen.
3. Die ursprüngliche Fassung der Exposition ist im Wortlaut nicht wiederzugewinnen.
4. Über den Inhalt der ursprünglichen Exposition geben die VV. 8,3; 9,1 f. Aufschluß. Die Exposition enthielt wenigstens folgende Elemente:
   a) Saulus als notorischer Verfolger der ἐκκλησία;
   b) seine Absicht, die Christen in Damaskus zu verfolgen;
   c) seine Bevollmächtigung zum Vorgehen gegen die Gemeinde in Damaskus durch einen Brief der Zentralbehörde an die Synagogen. (Näheres dazu unten S. 93—95.)

III. Elemente einer vorlukanischen Redaktion

Im Innern der Saulustradition gibt vor allem der Vers 9,12 Anlaß zu literarkritischen Überlegungen[28]. In den folgenden beiden Abschnitten geht es darum, zunächst den ursprünglichen Bestand der

beachte aber die nähere Festlegung des Begriffs durch Nennung der Kirchenregionen! —, sondern bezieht sich immer auf Einzelgemeinden, auch wenn der Begriff absolut gebraucht wird (vgl. Apg 11,26; 12,1. 5; 14,23. 27; 15,3. 4. 41; 16,5; 18,22; 20,17. 28). Im übrigen wird dem Wort ἐκκλησία bei der Verwendung des Begriffs im universalen Sinn das Adjektiv ὅλη beigegeben (Apg 5,11); vgl. aber die Verwendung von ὅλη ἡ ἐκκλησία i. S. von „die ganze Gemeinde" Apg 15,22 — ein Beweis dafür, daß das universale ἐκκλησία nicht lukanisch ist. Generell gilt also für Lukas, daß ἐκκλησία eine Gemeinde bezeichnet und folglich der Ausdruck ἐλυμαίνετο τὴν ἐκκλησίαν eine bestimmte Christenverfolgung meint. Nach lukanischer Darstellung der Anfänge der Kirche in Jerusalem ist klar, daß nur die Verfolgung der Jerusalemer Urgemeinde gemeint sein kann.

[27] Vgl. 8,1 als lukanische Interpretation zu 8,3: ἐκκλησία wird spezifiziert als ἡ ἐκκλησία ἡ ἐν Ἰεροσολύμοις. Damit ist die gemeinte Verfolgung als „erste" Christenverfolgung überhaupt ein διωγμὸς μέγας, was bei Lukas nicht als apokalyptisches, sondern als Ur-Geschehen am Ursprung der Kirche zu verstehen ist.

[28] Unsicherheit kennzeichnet schon den Befund der Textüberlieferung. Die Lesart ἄνδρα ἐν ὁράματι, geboten von B C 1[60] cop bo ms, ist gegenüber ἐν ὁράματι ἄνδρα als lectio difficilior zu bevorzugen.

Tradition gegenüber senkundären Erweiterungen abzugrenzen und im Anschluß daran die literarkritisch als sekundär erweisbaren Elemente theologisch näher zu kennzeichnen.

1. Apg 9,13—16 als sekundäre Erweiterung

A. Wikenhauser hat in einer speziellen Studie[29] die Ursprünglichkeit des rätselhaften Verses 9,12 zu beweisen versucht, indem er, frühere Bemühungen der Forschung[30] aufgreifend, das Motiv der Doppelvision als einen Topos zu erweisen suchte. Die von ihm zusammengetragenen „religionsgeschichtlichen Parallelen" reichen aus, um den Verdacht, Apg 9,12 sei erbaulicher Wildwuchs und als solcher sekundär, zu entkräften.

Andererseits findet sich unter dem von ihm angeführten Material kein Beleg für die Ineinanderschachtelung zweier korrespondierender Träume oder Visionen. Zum Aufweis der Ursprünglichkeit von 9,12 genügt es nicht, die Gebräuchlichkeit des Motivs des Doppeltraums im Bereich hellenistischer Erzählkunst zu belegen, solange der Befund dem fraglichen Vers gerade in dem auffälligen Punkt nicht entspricht, daß die eine Vision nicht nur der anderen inhaltlich entspricht, sondern als Vision deren Inhalt ausmacht. Der Terminus „Doppeltraum" reicht nicht aus, um diesen Unterschied sichtbar zu machen; man könnte im Blick auf das religionsgeschichtliche Material von „korrespondierenden Visionen" sprechen und müßte demgegenüber Apg 9,12 als „Vision in einer Vision" (= Visionsgespräch über eine Vision) bezeichnen. Conzelmann, der diese Besonderheit registriert („Das ist die manierierte Weiterentwicklung des Motivs der Doppelvision"; Komm. zu 9,10), zieht daraus keine Schlüsse bezüglich der Ursprünglichkeit, während Lohfink folgern zu können meint, der Vers sei dem Endredaktor zuzuweisen[31].

Die Diskussion führt nicht weiter, wenn man die fragliche Stelle

---

[29] A. Wikenhauser, Doppelträume, in: Bibl 29 (1948) 100—111.

[30] P. Wendland, Die urchristlichen Literaturformen, 2./3. Aufl., Tübingen 1912, S. 327 f.; E. Preuschen, Die Apostelgeschichte, Tübingen 1912, S. 58; F. Smend, Untersuchungen zu den Acta-Darstellungen von der Bekehrung des Paulus, in: Angelos 1 (1925) 34—45, hier S. 37 f.; F. Pfitzer, in: E. Hennecke, Neutestamentliche Apokryphen, 2. Aufl., Tübingen 1924, S. 169; R. Söder, Die apokryphen Apostelgeschichten und die romanhafte Literatur der Antike, Stuttgart 1932, S. 171 ff. Hinzuweisen ist ferner auf K. Kerenyi, Die griechisch-orientalische Romanliteratur in religionsgeschichtlicher Beleuchtung, Tübingen 1927, 2. Aufl. Darmstadt 1962.

[31] „Schon diese Ineinanderschiebung des Geschehens weist auf die gestaltende Tätigkeit des Lukas hin . . . Durch den Kunstgriff, daß Christus selbst berichtet, was unterdessen mit Paulus geschieht, kann Lukas vermeiden, den Ort der Handlung und die Perspektive der Erzählung wechseln zu müssen" (Pau-

immer nur isoliert untersucht. Der unmittelbare Kontext macht in
literarkritischer Hinsicht ebenfalls einige Schwierigkeiten; und es
dürfte schwerfallen, diese mit der hohen literarischen Geschicklich-
keit des Lukas zu erklären:
Seine These, es bestehe „kein Anlaß, mit einzelnen Kritikern Apg
9,12 als Interpolation zu betrachten" (aaO., S. 111), begründet
Wikenhauser (außer mit dem Nachweis der Toposhaftigkeit des
Doppeltraum-Motivs) durch die Behauptung, der Vers sei erzähltechnisch unentbehrlich, „da Ananias darüber belehrt sein mußte,
daß Saulus von seinem Kommen und seiner Aufgabe unterrichtet
war" (ebd.). Das ist teilweise richtig, wirft aber die weitere Frage
auf, weshalb denn nach dieser Mitteilung des Kyrios, die den Auftrag des Ananias hinreichend begründet, dieser noch einen ängstlichen Einwand macht (9, 13 f.), der zudem in einer Form ent-
kräftet wird, die auf die aktuelle Situation gar keine Rücksicht
nimmt. (Vgl. 9,15 f.; daß Saulus selbst zum Leidenszeugnis berufen ist, bedeutet nicht, daß er Ananias in diesem Augenblick
freundlich empfangen wird.) In dieser Hinsicht wäre der Schluß
von V. 11 (ἰδοῦ γὰρ προσεύχεται) als Beschwichtigung des ängstlichen
Boten besser geeignet als V. 15 f. Es ergibt sich daraus, daß Wiken-
hausers Argumentation auch insofern zu präzisieren ist, als die er-
zählökonomische Funktion von V. 12 im jetzigen Zusammenhang
unklar ist. Dies unterstützt indessen seine Hauptthese. Denn wenn
V. 12 von der Hand des Redaktors interpoliert oder absichtsvoll
gestaltet wäre, so hätte dieser seinen eigenen Erzählzusammenhang
gestört (gegen Lohfink). Das Umgekehrte ist viel wahrscheinlicher:
V. 12 wurde bei einem späteren Eingriff in den Wortlaut der Tradition überformt und verlor dabei seine ursprüngliche erzählerische Funktion.
Einen (fast) störungsfreien Erzählverlauf bekommt man, wenn man
voraussetzt, daß in der ursprünglichen Gestalt des Berichts Ananias
als unbedingt gehorsamer Jünger auf die Weisung des Kyrios hin
sofort den Weg zum Haus des Judas antritt. Das Visionsgespräch[32]
würde dann mit dem begründenden Hinweis γὰρ προσεύχεται zu
Ende sein. Der anschließende V. 12 wäre als erzählender Text
aufzufassen, der angibt, was geschieht, während sich Ananias dem
Haus nähert[33]. Daran schlösse sich sachlich der in der jetzigen Form

lus vor Damaskus, S. 64; vgl. auch Haenchen, Komm., S. 276). Allerdings
kann Lohfink nicht ausschließen, daß nicht auch schon die Tradition so
geschickt verfahren ist. Lohfink scheint jeglichen Formwillen dem Redaktor
vorbehalten zu wollen.
[32] Zur Form des Visionsgesprächs s. u., S. 76 f.
[33] Sinngemäß mag ursprünglich etwa dagestanden haben: „Da machte sich A.
auf" (vgl. V. 17), und „während" er sich dem Hause „näherte" (vgl. Apg 10,9

stilistisch schwerfällige Vers 17 an[34]. Anders ausgedrückt: Die Verse 13—16 würden sich als Einschub erweisen. Diese Auffassung wird gestützt durch den Dublettencharakter der Verse 15 f. gegenüber V. 11:

V. 11	VV. 15 f.
ὁ δὲ κύριος πρὸς αὐτόν·	εἶπεν δὲ πρὸς αὐτὸν ὁ κύριος·
ἀναστὰς πορεύθητι . . .	πορεύου . . .
ἰδοῦ γάρ . . .	ἐγὼ γάρ . . .

Der Bearbeiter hat demnach zu der ersten Weisung des Kyrios einen Einwand des Ananias und eine zweite Weisung in formaler Entsprechung zur ersten hinzugefügt. Der Einschub ist am Schema Vergangenheit — Zukunft ausgerichtet. Die Gegenfrage des Ananias zeigt, welche Rolle Saulus bisher gespielt hat; die zweite Weisung des Kyrios spricht die zukünftige Rolle Sauls als eines leidenden Zeugen aus. Diese Verse stellen eine theologische Motivierung des Geschehens dar. Die Bekehrung Sauls wird auf göttliche Erwählung (ἐκλογή) zurückgeführt. Diese Interpretation[35] geht über die ursprüngliche Begründung des Sendungsauftrags — nämlich mit dem Hinweis auf die rechte Disposition[36] des Saulus (vgl. V. 11 fin.) — hinaus. Damit wird erklärlich, daß auch die bestätigende Doppelvision dem Bearbeiter unwichtig wurde, so daß er sie in gekürzter Form[37] zur ursprünglichen Auftragsmotivation zog. Der Grund für die Erweiterung des Erscheinungsgesprächs ist also ein Interesse an der Rolle des Saulus als Christ[38]. Dies kann verschieden interpretiert werden. Man kann vermuten, daß Saulus nach seiner Bekehrung, als die Tradition entstand, noch keine bedeutende Stellung in der Kirche (in einer Gemeinde oder als Mis-

als Hinführung auf die Petrus-Vision 10,11—16), kam über Saulus eine ἔκστασις (vgl. 10,10). Καὶ εἶδεν (vgl. 10,11 καὶ θεωρεῖ) ἄνδρα ἐν ὁράματι ʽΑνανίαν ὀνόματι κτλ. So wäre auch die Namensnennung, die als Inhalt der Ananias-Vision überflüssig ist, erzählerisch sinnvoll. Sie dient zur Bestätigung des Ananias bei Saulus, nicht aber zur Beruhigung des Ananias.

[34] Zur ursprünglichen Gestalt vgl. formal Apg 10,17; für die Saulustradition müßte man allerdings mit einer knapperen Form rechnen.

[35] Näheres s. Abschnitt 2.

[36] Näheres s. Abschnitt § 2 III.

[37] Genauer: in Analogie zum Schluß; vgl. die Formulierung von V. 18, die allerdings derart stark lukanisch überformt ist, daß hier eine nähere Analyse noch nicht zweckmäßig ist.

[38] Die Gegenfrage des Ananias rekapituliert inhaltlich die Exposition und bringt also über Saulus keine zusätzlichen Hinweise. (Auch dies spricht für den sekundären Charakter der Stelle!)

sionar) innehatte, so daß die Tradition lediglich auf seine frühere
Rolle als Verfolger hinweisen konnte; erst nachdem Saulus eine
christliche Autorität geworden war, hätte man die Tradition entsprechend ergänzt. Gegen eine solche Annahme spricht jedoch
zweierlei: 1. Es ist unwahrscheinlich, daß man eine Tradition
ändert, nur um sie „auf den neuesten Stand" zu bringen. 2. Der
Inhalt der Verse 15 f. geht nicht auf die Missionserfolge des Saulus
ein, sondern spricht ihm als seine zukünftige Rolle das „Tragen"
des „Namens" Jesu zu. Deshalb empfiehlt sich eine andere Erklärung: Der „Fall Saulus" konnte außerhalb der Gemeinde, die
unmittelbar von der Verfolgung durch Saulus bedroht war, überall
dort von Interesse sein, wo andere Gemeinden ähnliche Verfolgungen befürchteten oder erleiden mußten, wie sie Saulus in Damaskus
hatte durchführen wollen. Die Reflexion über die zukünftige Rolle
des Saulus als eines leidenden Zeugen in 9,15 f. aktualisiert die
Saulustradition im Hinblick auf die Situation verfolgter Gemeinden, die in der Bekehrungsgeschichte eines ehemaligen Verfolgers
Ermutigung zum Durchhalten ihrer schwierigen Lage suchen.
(Eine solche aktualisierende Überarbeitung setzt nicht notwendig
voraus, daß die zu ermutigenden Christen den ehemaligen Verfolger persönlich oder als apostolische Autorität kennen.)
Bevor diese These näher entfaltet wird (s. Abschnitt 2), ist das Ergebnis in literarkritischer Hinsicht zu präzisieren: Wie bereits die
inhaltlichen Hinweise vermuten lassen[39], kommt für die erste Redaktion der Saulustradition nicht der Verfasser des lukanischen
Doppelwerks in Betracht. Der Einschub muß vorlukanisch sein. Die
literarkritische Begründung dieser These ergibt sich aus dem Vergleich des Grundberichts mit den Redevarianten. Der Befund ergibt, daß sich Lukas für die sekundären Interpretamente in 9,15 f.
stark interessiert, aber einen anderen Sinn aus den Formulierungen
herausliest:
Daß Lukas an Apg 9,15 f. inhaltlich besonderes Interesse hat, ergibt sich daraus, daß die entsprechenden Verse in beiden Redevarianten einen hervorragenden Platz einnehmen; Lukas setzt die
Aussagen über die künftige Rolle des Saulus jeweils an das Ende
des Redeteils, dessen Traditionsgrundlage die Saulusgeschichte ist,
so daß die christliche Berufung als das eigentliche Ziel des Vorgangs der Bekehrung bzw. seiner literarischen Gestaltung erscheint.
Dies wird noch dadurch unterstrichen, daß Lukas in beiden Redevarianten die traditionelle Einordnung dieser Verse im Rahmen

---

[39] Daß für Lukas die Rolle des bekehrten Saulus primär als die eines tätigen
Missionars zu bestimmen ist — also anders, als es Apg 9,15 f. geschieht —,
ergibt sich aus der weiteren Darstellung der Apostelgeschichte deutlich.

des Visionsgesprächs zwischen dem Kyrios und Ananias aufgibt
und damit die ursprüngliche Erzählform nicht unwesentlich verändert[40]. Daß Lukas nicht als erster Redaktor der Saulustradition
(d. h. als Verfasser von Apg 9,15 f.) in Betracht kommt, ergibt sich
vor allem daraus, daß er in den Redevarianten das Leidensmotiv
der Verse 9,15 f. nicht wieder aufnimmt, obwohl es ohne Schwierigkeiten im Zusammenhang einer Verteidigungsrede vor Gericht
hätte untergebracht werden können. Die Verteidigungsreden des
lukanischen Paulus reflektieren einen aktivischen Zeugen- und
Zeugnisbegriff, der sich nicht primär auf das apologetische Bekenntnis vor Gericht, sondern auf die missionarische Tätigkeit des
Saulus/Paulus bezieht (vgl. 22,15; 26,16 b).
Gegen diese Auffassung läßt sich einwenden, daß zumindest die
Verse 9,13 f. aus verschiedenen Gründen dem Endredaktor Lukas
zuzuweisen sind. Hinzuweisen ist einmal auf die Wortwahl, die
im negativen Sinne charakteristisch lukanisch ist, sofern sie die
starken Ausdrücke von 8,3 und 9,1 abschwächt (vgl. ὅσα κακά . . .
ἐποίησεν gegenüber ἐλυμαίνετο, σύρων, ἐμπέων ἀπειλῆς καὶ φόνου).
Daß es sich um eine lukanische Tendenz handelt, ergibt sich aus
der Beobachtung, daß die Expositionen der lukanischen Redevarianten ähnlich verfahren: Während nach 9,1 von tatsächlich ausge-
führten Mordtaten des Saulus gesprochen werden muß (vgl. Haenchen, Komm., S. 268 A 1), mildert Lukas mit 22,4 diese Aussage,
indem er das Stichwort φόνος durch den metaphorisch verblaßten
Ausdruck ἄχρι θανάτου (vgl. 1 Clem 4,9) umschreibt und durch
δεσμεύων καὶ παραδιδούς interpretiert. — In der dritten Version ist
zunächst auf die Wendung πολλὰ ἐναντία πρᾶξαι (26,9) hinzuweisen,
die an die Formulierung in 9,13 unmittelbar anzuknüpfen scheint.
Sodann kann auch hier eine den Tatbestand abschwächende Formu-
lierungstendenz beobachtet werden, sofern Saulus hier (26,9—11)
nicht Mord, sondern Mitwirkung an Todesurteilen (vgl. 26,10)
nachgesagt wird. (Daß diese Motivverschiebung nicht als bloße Mil-
derung zu verstehen ist, wird noch zu erörtern sein; vgl. unten,
S. 116—118).
Ein zweiter Grund, Apg 9,13 f. als lukanisch zu betrachten, ist die
Tatsache, daß Lukas auch sonst, besonders an wichtigen Einschnit-
ten seiner Darstellung, mit polar aufgebauten geographischen
Schemata arbeitet, um seine Kompositionsprinzipien durchsichtig zu
machen; vgl. bes. Lk 23,5; Apg 10,37—39 für die Wirksamkeit

---

[40] Vgl. in Kap. 22 die Umstellung der Heilungsnotiz vor die Berufungsworte
(22,13 gegenüber 14 f.). Die Streichung des Heilungsmotivs samt der Figur
des Ananias in Kap. 26 ist die konsequente Fortführung dieser Bearbeitungs-
tendenz.

Jesu, Apg 1,8 für die Wirksamkeit der christlichen Verkündiger der Botschaft — eine Formulierung, die zum Ende der Apostelgeschichte hin mit zunehmender Deutlichkeit polar interpretiert wird (vgl. 19,21; 20,22—24; 23,11). Um ein Schema dieser Art handelt es sich auch bei den geographischen Angaben in Apg 9,13 f.[41].

Dieser Befund macht eine Differenzierung nötig: Der Einschub des vorlukanischen Redaktors ist vom Endredaktor Lukas einer nochmaligen Überarbeitung unterzogen worden, wobei insbesondere die Verse 13 f. der vorliegenden Fassung maßgeblich geändert worden sind, so daß in ihnen die lukanischen Züge dominieren, während in 9,15 f. die vorlukanische Schicht gut sichtbar zutage liegt[42]. Aufbauprinzip der Verse 13 und 14 ist das Gegenüber von Jerusalem und Damaskus, besonders betont durch unmittelbare Nachbarschaft der geographischen Angaben Ἰερουσαλήμ (13) und καὶ ὧδε (14). Zwar ist damit zu rechnen, daß der Jerusalem-Topos in der Tradition einen Anhalt hat[43]; daß er aber dermaßen betont und in einer nicht zu übersehenden Deutlichkeit gestaltet wird, läßt sich im Rahmen des vorlukanischen Motivbestandes nicht als sinnvoll und notwendig erklären, sondern dürfte auf die Absicht des Lukas zurückgehen, an dieser Stelle *seine* Auffassung von der historischen Ereignisfolge zu rekapitulieren. In der vorliegenden Form entsprechen die Verse jedenfalls in deutlicher Weise dem auf den lukanischen Eingriff zurückgehenden kompositorischen Entsprechungsverhältnis von Apg 8,1.3 und 9,1 f. Daß Lukas an dieser Stelle eingreift, unterstreicht sein Engagement bezüglich der These, Saulus habe die Urgemeinde in Jerusalem verfolgt, beweist andererseits nicht, daß die Tradition an dieser Stelle zu der Frage einer „großen Verfolgung" in Jerusalem durch Saulus Angaben enthielt.

Als Ergebnis ist demnach festzuhalten: Die von Lukas dargebotene Form des Grundberichts Apg 9,1 ff. zeigt Spuren einer *vorlukani-*

---

[41] Zur Lukanizität solcher Formeln wie Lk 23,5 und Apg 10,37—39 und zu ihrer Relevanz für das Verständnis der lukanischen Redaktionsprinzipien vgl. W. C. Robinson jr., Der Weg des Herrn. Studien zur Geschichte und Eschatologie im Lukas-Evangelium. Ein Gespräch mit Hans Conzelmann, Hamburg 1964 (= Theologische Forschung 36), S. 30—36.

[42] Daß die Lukanizität der Verse 13 f. nicht gegen den vorlukanischen Ursprung der Verse 15 f. spricht, ist keine methodisch abwegige Behauptung. Klein äußert sich in anderem Zusammenhang grundsätzlich zu dieser Frage und betont, „daß der Nachweis von Lukanismen für sich allein zur Entscheidung von Traditions- und Quellenfragen im lukanischen Doppelwerk nicht zureicht, sondern durch eine Analyse der Motive ergänzt werden muß" (G. Klein, Die Berufung des Petrus, in: ZNW 58 [1967] 1—39, hier: S. 14; auch in: G. Klein, Rekonstruktion und Interpretation. Ges. Aufs. z. NT, München 1969 [= BEvTh 50] 11—48, hier: S. 23.

[43] Vgl. oben, S. 21—23.

schen Redaktion. Es ist also vom literarkritischen Standpunkt mit wenigstens[44] *drei Stadien* der Entwicklung der Saulustradition zu rechnen.

2. Σκεῦος ἐκλογῆς und die damit zusammenhängenden
Vorstellungen in Apg 9,15 f.

Da das Hauptinteresse in der weiteren Darstellung der *lukanischen* Redaktion gewidmet sein wird, erscheint es sinnvoll, bereits an dieser Stelle die *vorlukanische* Redaktion im Anschluß an das letzte literarkritische Ergebnis auch inhaltlich näher zu beschreiben, zumal die Klärung des Vorstellungshintergrunds dieser entscheidenden Textstelle sowohl die Berechtigung als auch die Tragweite der Unterscheidung zweier Redaktionen der Saulustradition sichtbar machen kann.

Übereinstimmung herrscht darüber, daß der Ausdruck σκεῦος ἐκλογῆς in Apg 9,15 mit „ein auserwähltes Werkzeug" zu übersetzen ist[45]. Der hebraisierende Genitiv wird dabei als gen. qual. verstanden (sinngemäß: σκ. ἐκλεκτόν). Man bevorzugt die Übersetzung „Werkzeug" (statt „Gefäß") wegen der im folgenden nachdrücklich betonten Dienstbestimmung (τοῦ βαστάσαι κτλ.). Das Wort ἐκλογῆς kennzeichnet dann die Funktion des Paulus als etwas „Besonderes": „Paulus hat die ἐκλογή zu seinen apostolischen Aufgaben vor Völkern, Königen, Söhnen Israels" (Schrenk, aaO., S. 184). Dieses Programm werde von Lukas in seiner Darstellung der Wirksamkeit des Paulus Punkt für Punkt erfüllt (vgl. Conzelmann, Komm. z. St.)[46]. Anscheinend um die Lukanizität des Semitismus σκεῦος ἐκλογῆς zu erklären, behauptet Haenchen (Komm., S. 273 A 2; vgl. Conzelmann, Komm. z. St.), es handle sich um eine an die LXX angelehnte Prägung, also um einen „Septuagintismus". Diese Interpretation enthält verschiedene Ungenauigkeiten. Zunächst ist gegen Haenchen und Conzelmann zu betonen, daß σκεῦος ἐκλογῆς kein Septuagintismus ist. Die angeführten Stellen (Ps 7,14 LXX: σκεύη θανάτου: Jer 50 [LXX 27], 25: σκεύη ὀργῆς) kommen schon. deshalb nicht als terminologische Parallelen in Betracht, weil σκεῦος hier nicht metaphorisch verwendet wird; gemeint sind in

[44] Die Möglichkeit, daß die Damaskus-Geschichte noch in anderen Versionen kursiert haben könnte, braucht uns nicht zu beschäftigen.
[45] Vgl. die Kommentare; ferner ThW IV, 183 f. (Schrenk, s. v. ἐκλογή); ThW VII, 365 (Maurer, s. v. σκεῦος); Bauer[5], 481 (s. v. ἐκλογή), 1494 (s. v. σκεῦος).
[46] Gemeint sind vor allem die Reden des Paulus vor Heiden (Apg 17,22 ff.), Juden (13,16 ff.; 22,1 ff.; 28,17 ff.) und vor Agrippa II. (26,1 ff.; vgl. auch 27,24 den Hinweis auf den Kaiser); so Maurer, aaO., S. 365 A 45.

beiden Fällen „Waffen"[47]. Sodann läßt sich im Sprachgebrauch der
LXX das für den Inhalt der Wendung ausschlaggebende Wort
ἐκλογῆς in keiner formal mit Apg 9,15 vergleichbaren Genitiv-
Verbindung nachweisen, noch mehr: ἐκλογή kommt in den Teilen
der LXX, welche zum hebräischen Kanon gehören, überhaupt nicht
vor, dagegen spärlich bei Aquila, Symmachus und Theodotion (vgl.
Schrenk, aaO., S. 182). Damit fällt die Möglichkeit, in 9,15 einen
Septuagintismus zu sehen, der der lukanischen Redaktion zugewiesen werden dürfte.

Zweitens zwingt die auf σκεῦος ἐκλογῆς folgende Dienstbestimmung
nicht zu der Übersetzung „Werkzeug"; eine Zweckangabe paßt
auch zu „Gefäß". Vor allem ist darauf hinzuweisen, daß das im
NT an verschiedenen Stellen aufgegriffene alttestamentliche
Töpfergleichnis in einigen seiner Varianten die Zweckangabe als
Topos enthält: Am deutlichsten ist Weish 15,7 mit der Unterscheidung von „anständigen" und „unanständigen" Zweckbestimmun-
gen; zu beachten ist aber auch Jer 18,3—6, sofern hier die Gefäße
nach Brauchbarkeit oder Unbrauchbarkeit eingeteilt werden; ferner
Sir 33,13. Unter den neutestamentlichen Varianten des Töpfergleichnisses enthalten Rö 9,20 f. und 2 Tim 2,20 f. den Topos der
Zweckangabe. Es besteht also durchaus die Möglichkeit, σκεῦος in
Apg 9,15 durch „Gefäß" zu übersetzen[48], falls dies im Kontext
einen besseren Sinn ergibt. Läßt man so σκεῦος als gleichnishafte
Bezeichnung für einen Menschen gelten, so rückt der Ausdruck
σκεῦος ἐκλογῆς terminologisch und sachlich in die Nachbarschaft
von σκεύη ἐλέους (Rö 9,23).

Die deutliche formale Ähnlichkeit der Ausdrücke σκεύη ἐλέους und
σκεῦος ἐκλογῆς ist wohl nur deshalb bisher unerörtert geblieben,
weil man eine sachliche Parallelität von vornherein für ausgeschlossen hielt, da das lukanische Verständnis von σκεῦος ἐκλογῆς anschei-

---

[47] Daß Haenchen überhaupt diese Stellen als vergleichbar heranzieht, hängt
damit zusammen, daß in Rö 9,19 ff. in einer Form auf die Jer 50,25 angespielt wird, die σκεῦος gegen den Sinn des alttestamentlichen Kontextes als
gleichnishafte Bezeichnung für einen Menschen gebraucht (Rö 9,22 σκεύη
ὀργῆς . . . [εἰς] ἀπώλειαν als Bezeichnung für Menschen, die unter dem Zorn
Gottes stehen). Man kann daraus aber nicht entnehmen, daß Jer 50,25 auch
sonst in dieser Weise zitierbar war. Maßgeblich für den Sinn in Rö 9,22 ist
der paulinische Kontext, der σκεῦος bereits vorher unter Anspielung auf das
alttestamentliche Töpfergleichnis als Bezeichnung für Menschen gebraucht
(9,21).
[48] Conzelmann (Komm. z. St.) weist auf Pseud-Clem Rec III 49 hin, wo Simon
Magus als „vas (!) electionis maligno" bezeichnet wird. Hier kommt bestäti-
gend hinzu, daß der Ausdruck in Verbindung mit einem dat. commodi deutlich auf eine Dienstbestimmung abhebt (vgl. μοι in Apg 9,15) und dabei eindeutig ein „Gefäß" meint.

nend nur die übliche Übersetzung „(aus-)erwähltes Werkzeug" rechtfertigt. Da der Ausdruck aber vorlukanisch ist[49], muß sein Inhalt ohne Rücksicht darauf, was Lukas darunter verstand, bestimmt werden. Sieht man von der programmatischen Bedeutung von Apg 9,15 f. für die lukanische Darstellung der Paulusfigur ab, so spricht nichts dagegen, die Formulierung in Rö 9,23 als nächste terminologische und sachliche Parallele zur Erhebung des ursprünglichen Sinnes von σκεῦος ἐκλογῆς heranzuziehen.

Die Parallelität erstreckt sich auf folgende Punkte:

1. σκεῦος ist in beiden Fällen eine gleichnishafte Bezeichnung (aus dem Bereich der Topik des Töpfergleichnisses);
2. σκεῦος bezeichnet einen Menschen;
3. σκεῦος bezeichnet einen Menschen hinsichtlich seiner Beziehung zu Gott;
4. der Mensch wird als σκεῦος bezeichnet, sofern seine Beziehung zu Gott ausschließlich durch ein Handeln Gottes bestimmt ist;
5. der beigefügte Genitiv gibt an, was für ein Handeln Gottes das Gottesverhältnis bestimmt;
6. die beigefügte Zweckangabe kennzeichnet das Handeln Gottes als einen positiv oder negativ qualifizierenden Akt (vgl. Rö 9,21).

Sinnspitze des Töpfergleichnisses, wie es z. B. Rö 9,19 ff. gestaltet ist, ist die Freiheit des Töpfers, seine Gefäße zu gestalten, wie er will, zu anständigen oder unanständigen Zwecken. Es wird gedeutet auf Gottes Zürnen und Gottes Erbarmen und steht im Zusammenhang der Erörterung des Verhältnisses von Freiheit und Gerechtigkeit im Handeln Gottes an seinem Volk (9,6 ff.). Dieses Handeln Gottes wird 9,11 formal bestimmt als ἡ κατ᾽ ἐκλογὴν πρόθεσις τοῦ θεοῦ („die nach dem Prinzip der Wahl verfahrende Vorausbestimmung Gottes"). Mit dieser Formulierung wiederum wird an 8,28 angeknüpft: τοῖς κατὰ πρόθεσιν κλητοῖς („den gemäß Vorausbestimmung Berufenen"). Da diese Stichwortverbindung mit der Terminologie von Apg 9,15 klare Berührungspunkte zeigt, wird man sie zur inhaltlichen Interpretation von σκεῦος ἐκλογῆς heranziehen dürfen:

ἐκλογή ist in Rö 9,11 formale Kennzeichnung des Handelns Gottes an Menschen, das konkret immer entweder Erbarmen oder Zürnen, Annahme oder Verwerfung bedeutet. ἐκλογή wird im negativen Sinn als μισεῖν (9,13), σκληρύνειν (9,18), καταρτίζειν εἰς ἀπώλειαν (9,22), im positiven Sinn dagegen als καλεῖν (8,28.30 mit δικαιοῦν

---

[49] Vgl. außer der semitisierenden sprachlichen Form die sachliche Verschiedenheit von Apg 9,15 f. gegenüber 22,15; 26,16; vgl. oben S. 29 f.

und δοξάζειν; 9,12. 24. 25⁵⁰), ἀγαπᾶν (9,13.25), ἐλεεῖν (9,15 neben
οἰκτίρειν; 9,16. 18) und προετοιμάζειν εἰς δόξαν (9,23) konkretisiert.
Demnach läßt sich der gleichnishafte Ausdruck σκεύη ἐλέους verstehen als Bezeichnung für Menschen, die die nach dem Prinzip
der Wahl verfahrende Vorherbestimmung Gottes konkret als die
κλῆσις erfahren haben, die ein Erweis freier Gnade und liebenden
Erbarmens Gottes ist.

In Apg 9,15 ist ἐκλογή keine formale⁵¹ Kennzeichnung des Handelns
Gottes an dem „Gefäß", das der Mensch in Gottes Hand ist, sondern steht für die konkrete positive Entscheidung Gottes in einem
einzelnen Fall, d. h. bezeichnet Saulus als einen von Gott Angenommenen (ἐκλεκτός)⁵². Die in dem Wort ἐκλογή (ἐκλέγεσθαι) implizierte Struktur des „Entweder so oder so" erweist sich im Kontext
der Saulustradition als sinnvoll, da ja Saulus als Feind der Kirche
eingeführt wird, also als einer, von dem anscheinend schon feststeht, daß er ein Verworfener (σκεῦος ὀργῆς) ist⁵³.

Ursprünglich enthält der Ausdruck σκεῦος ἐκλογῆς also keinerlei
Hinweise auf eine spätere amtliche (oder überhaupt „besondere")
Funktion des Saulus in der Kirche, sondern besagt lediglich, daß
der notorische Feind der Kirche von Gott dazu bestimmt ist, selbst
ein Christ zu werden. Freilich wird Lukas die Sache bereits anders
gesehen haben, obschon auch ihm noch klar war, daß das Gleich-
niswort σκεῦος den Gedanken der Vorherbestimmung durch Gott
impliziert; denn er interpretiert durchaus dem ursprünglichen Sinn
entsprechend die Wendung durch προεχειρίσατό σε (Apg 22,14; vgl.
26,16). Die eigentliche Sinnverschiebung entsteht dadurch, daß
Lukas ἐκλογή als Aussonderung zu einem Dienst (der Zeugen-

---

⁵⁰ Aus dem καλεῖν in 9,7.26 läßt sich kaum der technische Sinn von κλῆσις
entnehmen.
⁵¹ Zwar wird ἐκλογή im Römerbrief nur im formalen Sinn gebraucht (vgl. noch
Rö 11,5. 7. 28), in 1 Thes 1,4 aber auch im positiv qualifizierenden. Wichtig für
die Deutung von ἐκλογή im positiv qualifizierenden Sinn ist auch 2 Petr 1,10:
κλῆσιν καὶ ἐκλογήν kann als Hendiadyoin aufgefaßt werden („Berufung als
Erwählung").
⁵² Im NT hat das Wort ἐκλογή nirgends die Funktion, etwas als „erlesen" zu
kennzeichnen (Qualitätsbezeichnung). Schon deshalb muß die herkömmliche
Übersetzung „(aus-)erwähltes Werkzeug" scheitern.
⁵³ Zu beachten ist ferner die Beziehung zwischen ἐκλογή und ἀγαπᾶν (vgl. Rö
9,13.25; 11,28; 1 Thes 1,4). Der Ausdruck σκ. ἐκλογῆς könnte demnach den
Gedanken enthalten, daß der notorische Feind Gottes von Gott in freier
Gnade geliebt wird. Hierzu ist vor allem Rö 11,28 als Bestätigung zu zitie-
ren; hier heißt es von den Juden, sie seien κατὰ μὲν τὸ εὐαγγέλιον ἐχθροί . . .,
κατὰ δὲ τὴν ἐκλογὴν ἀγαπητοί, womit auf die gegenwärtige Konfliktsituation
und ihre schließliche Lösung durch die Rettung des ganzen Israel abgehoben
wird; die Analogie zu Apg 9,13—16 ist deutlich.

schaft; vgl. 22,15; 26,16 f.) versteht, was terminologisch daher zu erklären ist, daß Lukas das Wort ἐκλέγεσθαι mit Vorliebe auf die „Auswahl" von Amtsträgern und Abgeordneten bezieht (vgl. Apg 1,24; 6,5; 15,22. 25; Lk 6,13 gegenüber mkn ποιεῖν: Mk 3,14)[54]. Die vorgeschlagene Übersetzung „erwähltes Gefäß" und die Interpretation dieser gleichnishaften Chiffre im Sinne der „Gnadenwahl"[55] präjudiziert keine Entscheidung über den Inhalt der im folgenden genannten Dienstbestimmung. Im Gegenteil läßt die allgemeine und umfassende Bedeutung von ἐκλογή für die Interpretation der folgenden Wendungen einen viel größeren Spielraum, als dies bei der herkömmlichen Übersetzung der Fall ist. Geht man nämlich von der engen Bedeutung von σκ. ἐκλογῆς, („aus-)erwähltes Werkzeug", aus, so ist man gezwungen, die Wendung τοῦ βαστάσαι τὸ ὄνομά μου ἐνώπιον κτλ. auf die missionarische Tätigkeit des Paulus zu beziehen und folgendermaßen zu übersetzen: „Ein auserwähltes Werkzeug..., meinen Namen zu tragen vor Völker und Könige und die Söhne Israels"[56]. Damit dürfte zwar das lukanische Verständnis der Stelle getroffen sein (vgl. etwa Apg 20,21), kaum aber ihr ursprünglicher Sinn. βαστάζειν τὸ ὄνομα ist sachlich etwa gleichbedeutend mit ἔχειν τὸ ὄνομα[57]; der so bezeichnete „Träger des Namens" bekennt sich als „Christ"[58]. Entsprechend muß ἐνώπιον als Ortsangabe auf die Frage „wo", nicht als

---

[54] Im Sinne der „Gnadenwahl" gebraucht Lukas ἐκλέγεσθαι nur einmal (Apg 13,17), und zwar archaisierend im Zusammenhang eines Geschichtsaufrisses. Vgl. auch Apg 15,7, wo ἐξελέξατο — ebenfalls archaisierend gebraucht — etwa den Sinn von ἐκλόγησεν hat. Die eigentliche Wortbedeutung von ἐκλέγεσθαι ist für Lukas also die oben genannte.

[55] Auf eine nähere Entfaltung des neutestamentlichen Erwählungsgedankens, besonders des damit verbundenen Geschichtsverständnisses, muß hier verzichtet werden. Die ἐκλογή Gottes ereignet sich durch die Verkündigung des Evangeliums und wird manifest als Glaube oder Unglaube der durch das Evangelium angesprochenen Hörer. 'Εκλογή bezeichnet, wenn es nicht formal, sondern konkret im positiven Sinn gebraucht wird, das qualifizierende eschatologische Handeln Gottes durch das Evangelium, dagegen nicht die durch die Botschaft bzw. durch deren Annahme bewirkte neue Qualität des Menschen. Wenn der Glaubende ἐκλεκτός genannt wird, dann nicht, sofern er zu einer Elite zählt, sondern sofern er das endzeitliche Handeln Gottes als κλῆσις an sich erfahren und positiv beantwortet hat.

[56] So übersetzt Haenchen, Komm., S. 267. Er befindet sich damit sachlich in Übereinstimmung mit fast allen Übersetzern dieser Stelle. Eine Ausnahme: Conzelmann, Komm., S. 58; ihm folgt Lohfink, Paulus vor Damaskus, S. 83.

[57] Vgl. ThW I, 597 (Büchsel, s. v. βαστάζω).

[58] Ob die Vorstellung vom „Tragen" des „Namens" zusammenhängt mit der Bezeichnung der Gläubigen als Χριστιανοί (vgl. Apg 11,26; 26,28), muß wegen der fehlenden terminologischen Verwandtschaft dieser Stellen mit Apg 9,15 offen bleiben. Immerhin gibt es im NT außerhalb des lukanischen Doppel-

Bezeichnung der Richtung „wohin" verstanden werden[59]. Richtig übersetzt Conzelmann: „. . . meinen Namen vor Völkern und Königen und den Kindern Israel zu tragen" (Komm., S. 58). Fraglich bleibt nur, wie sich diese Fassung mit seiner Übersetzung von σκεῦος ἐκλογῆς vertragen soll.
Lohfink sieht hier anscheinend keinerlei Widerspruch, wenn er betont, es sei nicht gemeint, daß Saulus den Namen Jesu zu den Heiden und Juden bringen, sondern daß er ihn öffentlich vor Heiden und Juden bekennen solle[60]. Eine ausgleichende Formulierung versucht Schrenk, aaO., S. 184: „Paulus hat die ἐκλογή zu seinen apostolischen Aufgaben vor Völkern, Königen, Söhnen Israels." Dabei wird zwar die richtige Übersetzung von ἐνώπιον gerettet, aber kaum der Inhalt von βαστάζειν τὸ ὄνομα adäquat wiedergegeben, es sei denn, man würde aus Apg 9,15 die überfrachtete Vorstellung herauslesen, daß sich die missionarische Aktivität des Paulus vor Völkern und Königen und Söhnen Israels als einer feindlichen Zeugenkulisse des Bekenntnisses zu Christus abspielt. Es stellt sich damit heraus, daß eine unvoreingenommene Interpretation von τοῦ βαστάσαι κτλ. die Auslegung von σκεῦος ἐκλογῆς im Sinne der „Gnadenwahl" bzw. κλῆσις bestätigt: Die christliche Berufung des Saulus ist seine „Erwählung" zum „Tragen des Namens".
Bevor wir diese Linie weiterverfolgen und den Zusammenhang dieser Vorstellungen mit dem Motiv des Leidenmüssens (V. 16) erörtern, sollen einige literarkritische Überlegungen angefügt werden, welche ohne die inhaltliche Analyse nicht einsichtig gewesen wären und deshalb hier nachzutragen sind:
Apg 9,15 enthält einige sprachliche Unebenheiten, die sich daraus erklären lassen, daß Lukas den Text in seinem Sinn überarbeitet hat. Es wurde bereits angedeutet (vgl. oben, S. 36), daß Lukas βαστάζειν τὸ ὄνομα auf die missionarische Wirksamkeit des Paulus bezieht[61]. Die Angabe ἐνώπιον [τῶν] ἐθνῶν τε καὶ βασιλέων υἱῶν τε

werks einen Text, der eine solche Interpretation stützen könnte (vgl. 1 Petr 4,16 mit ausdrücklicher ὄνομα-Terminologie; zu weiteren Beziehungen zwischen 1 Petr und der vorlukanischen Redaktion vgl. unten, S. 41 A 69.
[59] Lohfink, aaO., S. 83 A 189, stellt fest, daß ἐνώπιον in den lukanischen Schriften mit wenigen Ausnahmen (Lk 5,18; Apg 6,6; 10,30) den „Ort, wo" bezeichnet (31 mal). Diese Statistik beweist allerdings nichts, da das Wort in Apg 9,15 nicht lukanischer Herkunft sein dürfte.
[60] Vgl. aaO., S. 83; ders., „Meinen Namen zu tragen . . ." (Apg. 9,15), in: BZ 10 (1966) 108—115.
[61] Daß dabei das „konfessorische" Element nicht ganz verloren geht, betont mit Recht Lohfink; vgl. Paulus vor Damaskus, S. 83 f. Lukas stellt die Wirksamkeit des Missionars Paulus so dar, daß Verfolgungen und Leiden stets als

ʼΙσραήλ bezeichnet folglich nach lukanischer Auffassung die Adressaten der Missionspredigt, nicht die Bekenntnis-Öffentlichkeit. Macht man sich diese Sinnverschiebung klar, so erkennt man:

1. Der Artikel τῶν vor ἐθνῶν ist für den vorlukanischen Zusammenhang unwesentlich, nicht aber für Lukas. Nach Lukas kommt der Tatsache, daß Paulus „sowohl" vor Heiden „als auch" vor Juden als Missionar gepredigt hat, große Bedeutung zu. Deshalb genügt ihm nicht, daß im Text das Wort „Völker" dasteht, sondern er setzt den Artikel, damit der prägnante Sinn „die Heidenvölker" gegenüber „Söhne Israel" gesichert ist[62]. Er nimmt dafür eine formale Unebenheit in Kauf[63], die die meisten Handschriften als Fehler empfunden und wieder eliminiert haben[64].

2. Die Anordnung der drei Glieder: „Heiden"völker — Könige — Israel ist unlogisch; es sind zwei Distinktionen miteinander kombiniert:
   a) Völker und Völkerrepräsentanten;
   b) Heiden und Juden.

   Da die Verschiebung von „Völker" nach „Heidenvölker" auf Lukas zurückgeht, erklärt sich das letzte Glied, „Söhne Israel", am zwanglosesten als lukanischer Zusatz. Erst so entsteht das missionstheologische „Programm", das nach Meinung Conzel-

---

Konsequenzen des missionarischen Engagements mit der Aktivität der Verkündigung verbunden sind: vgl. Apg 9,23—25. 29; 13,50; 14,2. 5. 19; 16,19—24; 18,12 f. Allerdings muß man — anders als Lohfink, aaO., S. 84 A 190 — unterscheiden zwischen solchen Begleiterscheinungen missionarischer Aktivität und dem Erleiden von „Fesseln und Drangsalen" im Zusammenhang des gegen Paulus geführten Prozesses (vgl. dazu programmatisch Apg 20,18—21 gegenüber 22—25). Auch wenn Paulus in seinen Verteidigungsreden vor Gericht für den Glauben wirbt, so ist hier doch die quasi-missionarische Aktivität eher eine Begleiterscheinung dessen, was Lukas ἀπολογία nennt (Apg 22,1; 25,16; vgl. Lk 12,11; 21,14; Apg 24,10; 25,8; 26,1. 2. 24); das Verhältnis von Engagement und Leiden ist hier also etwa umgekehrt.

[62] Ἔθνος kann für Lukas auch das jüdische Volk bezeichnen (Lk 7,5; 23,2; Apg 10,22; 24,2. 17; 26,4; 28,19). Im Plural bedeutet es allerdings bei Lukas auch ohne Artikel meistens „Heiden(völker)", kommt aber in dieser Form fast nur in alttestamentlichen Zitaten und Anspielungen vor (Ausnahmen: Lk 21,24; Apg 15,23; 22,21). In Apg 21,11 bezeichnet ἔθνη ohne Artikel die römische Justiz (vgl. eindeutiger Apg 28,17: τῶν Ῥωμαίων). Gewöhnlich setzt Lukas also bei ἔθνη den Artikel (außer in alttestamentlich beeinflußten Formulierungen 28 mal). Daß er Apg 9,15 auf den Artikel nicht verzichten konnte, ergibt sich aus den unter 2. angestellten Überlegungen.

[63] Der Artikel fehlt bei „Könige" und „Söhne Israel", obwohl zumindest der letzte Ausdruck nicht weniger Bestimmtes bezeichnet.

[64] Die Bezeugung durch B C * ist spärlich, aber gewichtig; dies ist zweifellos die lectio difficilior.

manns in der weiteren Darstellung der Apostelgeschichte „Punkt
für Punkt durchgeführt" wird[65].
Demnach ist als vorlukanischer Textbestand folgender Wortlaut
vorauszusetzen: . . . * τοῦ βαστάσαι τὸ ὄνομά μου ἐνώπιον ἐθνῶν καὶ
βασιλέων. Die Wendung hat formelhaften Charakter[66]. „Völker
und Könige" ist keine Aufzählung verschiedener Personengruppen,
sondern ein Hendiadyoin zur Kennzeichnung des Öffentlichkeits-
charakters des Bekenntnisses zu Jesus. Der „Träger des Namens"
ist als ein ἐκλεκτός (vgl. ἐκλογῆς) gegenüber seiner Umwelt expo-
niert. Bekenntnis bedeutet Anderssein; dieses führt zur Konfrontation. Das Wort βασιλέων deutet an, daß das Exponiertsein des
Christen sich zuspitzen kann bis zur Prozeßsituation.
Diese Interpretation von σκεῦος ἐκλογῆς und βαστάσαι τὸ ὄνομα hat
keine Schwierigkeiten mit der logischen Verknüpfung von V. 9,16
mit den voraufgehenden Versen. Der Anschluß mit γάρ kann nicht
überraschen; denn das Element des Leidens ist sachlich bereits in
βαστάσαι impliziert[67]. „Da 9,16 eine Begründung für 9,15 sein soll,

---

[65] Conzelmann, Komm. z. St. In Wirklichkeit entspricht die lukanische Darstellung keineswegs exakt dieser Formulierung. Bezieht man die drei Angaben auf die Adressaten der paulinischen Missionspredigt, so ist das mittlere
Glied überflüssig; bezieht man sie auf das Publikum der Prozeßreden, so ist
das erste Glied überflüssig und das zweite ungenau, da es eigentlich nur auf
Agrippa II. gedeutet werden kann, während die römische Justiz unerwähnt
bliebe. — Die lukanische Tendenz geht eindeutig auf die erstgenannte Be-
zugsmöglichkeit.
[66] Lohfink läßt es als möglich gelten, daß hinter der Formulierung von Apg
9,15 f. der Traditionskomplex Lk 21,12 ff. steht; vgl. aaO., S. 83 A 189. Richtig
an dieser Vermutung ist, daß Lk 21,12, noch deutlicher aber die Vorlage Mk
13,9 ebenfalls formelhaft von der Öffentlichkeit des Bekenntnisses spricht.
Besonders der Ausdruck ἐπὶ ἡγεμόνων καὶ βασιλέων (Mk 13,9) erinnert an
ἐνώπιον ἐθνῶν καὶ βασιλέων, ist aber stärker auf die forensische Situation
zugespitzt. Gegen Lohfink ist zu betonen, daß es nicht denkbar ist, daß Lukas
die Formulierung von Apg 9,15 in Anlehnung an Mk 13,9 ff. getroffen hat.
Dagegen spricht, daß die für Apg 9,15 nachgewiesene lukanische Tendenz, die
ursprünglich auf die öffentliche Bekenntnissituation bezogene Formulierung
so zu erweitern, daß sie sich primär auf die missionarische Aktivität des Bekennenden bezieht, in Lk 21,12 ff. fehlt. Dies erkennt man daran, daß Lukas
Mk 13,10 — den Ausblick auf die Völkermission — tilgt. Folglich ist μαρτύριον
an dieser Stelle (Lk 21,13) auf die werbende Wirkung der ἀπολογία (ἀπολο-
γηθῆναι; Lk 21,14) zu beziehen, nicht auf missionarische Aktivität (κηρυχθῆναι
Mk 13,10). Man wird also nicht mehr behaupten können, als daß die in Apg
9,15 erschließbare Tradition Ähnlichkeit hat mit der in Mk 13,9; Abhängigkeit ist ausgeschlossen.
[67] Gegen Büchsel (ThW I,597). Daß Büchsel sich dagegen ausspricht, das „Tragen" in 9,15 von einer Last zu verstehen, erklärt sich allein daraus, daß er
den gesamten Vers auf den „Dienst des Missionars" (ebd.) deutet. Auf Apk 2,3
(ἐβάστασας διὰ τὸ ὄνομά μου) geht B. überhaupt nicht ein. Neben ὑπομονὴν

wird das βαστάσαι τὸ ὄνομά μου offenbar erst durch das ὑπὲρ τοῦ ὀνόματός μου παθεῖν ermöglicht. Das παθεῖν bezieht sich mithin nicht auf Folgeerscheinungen des βαστάσαι, sondern umgekehrt gilt nur der als ‚Träger' des Namens Jesu, der für diesen Namen ‚leidet'"[68]. In der logischen Verknüpfung von Apg 9,15 und 16 dokumentiert sich demnach ein konfessorisches Grundverständnis christlicher Existenz. Da andererseits feststeht, daß das „Leiden" nicht zum „Tragen des Namens" hinzukommt, sondern im „Tragen des Namens" vor der Öffentlichkeit besteht, kann das παθεῖν nicht vom Tod des Martyrers verstanden werden. Das „Leiden" besteht im Aushalten der Differenz zur Umwelt und der Feindseligkeit, die der auffällige christliche „Wandel" sich von seiten der übrigen Menschen zuzieht. Dieses Verständnis der christlichen „Erwählung" erweist sich als das Ethos einer kognitiven Minderheit, als „Diasporafrömmigkeit".

Ein solches Verständnis der christlichen Existenz ist ganz sicher nicht für den Redaktor Lukas vorauszusetzen. Wir stoßen hier auf sehr starke Spannungen zwischen der lukanischen Endredaktion und der ihr vorgegebenen Fassung der Saulustradition. Über diesen Sachverhalt könnte zunächst die Tatsache hinwegtäuschen, daß die Formulierung von Apg 9,16 auf den ersten Blick einen durchaus lukanischen Eindruck macht. Da die Beurteilung des Verses 16 weitreichende Konsequenzen für das Verständnis des lukanischen Paulusbildes hat, ist auf diesen Punkt etwas genauer einzugehen: Für lukanische Herkunft des Verses 9,16 könnten folgende Gründe angeführt werden: Das Verb ὑποδείκνυμι kommt im NT außerhalb der lukanischen Schriften nur noch bei Matthäus (Mt 3,7) vor; bei Lukas insgesamt fünfmal (Lk 3,7; 6,47; 12,5; Apg 9,16; 20,35). Das quantifizierende Pronomen ὅσα entspricht durchaus lukanischem Stil (vgl. 9,13: ὅσα κακά . . . ἐποίησεν und die dieser Stelle

ἔχειν kann diese Formulierung überhaupt nicht anders als vom Bekennerleiden verstanden werden. (Im übrigen soll damit nicht behauptet werden, daß zwischen den beiden Wendungen ein unmittelbarer terminologischer Zusammenhang besteht; das absolute βαστάζειν διά enthält den Leidensgedanken sicherlich deutlicher als βαστάζειν mit Akkusativobjekt, sofern an eine Ausnahmesituation gedacht ist, während Apg 9,15 f. sich primär auf das dauernde Exponiertsein des Christen gegenüber seiner Umwelt bezieht.)

[68] ThW V, 918 (Michaelis, s. v. πάσχω). Leider übernimmt auch Michaelis die herkömmliche Deutung von σκεῦος ἐκλογῆς und fährt so unnötigerweise fort: „9,16 meint δεῖ demnach nicht die Unausweichlichkeit der Folge- und Begleiterscheinungen, ohne die der apostolische Dienst nicht zu denken ist, sondern das Gesetz, daß erst das παθεῖν den Apostel als σκεῦος ἐκλογῆς legitimiert" (ebd.; es folgen Hinweise auf die „Apostelleiden" — S. 918 f. —, und dies, obwohl M. im folgenden selbst eingesteht, daß auch Paulus das Wort πάσχειν (παθεῖν) nicht auf die Apostelleiden anwendet; vgl. S. 919).

korrespondierende Formulierung δεῖν πολλὰ ἐναντία πρᾶξαι, Apg 26,9). Wendungen mit ὑπὲρ τοῦ ὀνόματος u. ä. sind bei Lukas häufig anzutreffen (vgl. bes. Apg 5,41; 15,26; 21,13 — Stellen, die sich auf das missionarische Engagement „für den Namen" Jesu beziehen). Schließlich ist die Verbindung von δεῖ mit παθεῖν charakteristisch für die lukanische Christologie (programmatisch: Lk 24,26); ferner ist δεῖ als Ausdruck göttlicher Fügung für Lukas geläufig, auch außerhalb christologischer Aussagen (vgl. bes. Lk 12,12; Apg 14,22; 19,21; 23,11; 25,10; 27,24 — die Häufigkeit des Vorkommens im Zusammenhang des Prozesses gegen Paulus ist zu beachten). Dies alles scheint für lukanische Herkunft von Vers 16 zu sprechen. Man sollte sich aber nicht täuschen lassen: Aus all diesen Hinweisen folgt lediglich, daß Lukas Apg 9,16 stilistisch überarbeitet haben könnte. Daß dieser Vers terminologisch und sachlich nicht lukanisch ist, ergibt sich einmal aus sprachlichen Gründen: Die Verbindung von δεῖ und παθεῖν wird von Lukas sonst für christologische Aussagen reserviert; eine Übertragung auf das Leiden der Christen findet sich bei Lukas nirgends[69]. Der Ausdruck

---

[69] Dies ist zu betonen gegenüber F. Schütz, Der leidende Christus. Die angefochtene Gemeinde und das Christuskerygma der lukanischen Schriften, Stuttgart 1969 (= BWANT V, 9), S. 105—112. In Lk 13,2 bezieht sich πάσχειν auf einen tödlichen Unfall; eine Parallele zu Apg 9,16 liegt also nicht vor. Ähnlich verhält es sich mit Apg 28,5. Positive Belege für die Übertragung dieser Terminologie auf das Leiden der Christen bietet außer Phil 1,29 besonders der 1. Petrusbrief (vgl. 2,19 f.; 3,14.17; 4,1 [!]. 15 f. [!]. 19; 5,10); πάσχειν ὡς Χριστιανός (vgl. 4,15 f.) gibt genau den Inhalt von Apg 9,15 f. wieder. Die für den 1. Petrusbrief charakteristische Parallelisierung von Leidens-Christologie und Leidens-Paränese (vgl. 4,1.12 f.) ist unlukanisch. In diesem Zusammenhang ist ferner zu beachten, daß Lukas Verfolgungen nicht primär als Schicksal der Gemeinden, sondern der verkündigenden Zeugen beschreibt (vgl. Apg 4,1 ff; 5,17 ff; 13,50 gegenüber 13,48.52; 14,2 ff.19; 16,19 ff.; 17,5 ff.; 13 f.; 18,12 ff.; 19,23 ff.). Kleinere Ausnahmen von dieser Regel zeigen meistens den Einfluß von Tradition (vgl. 17,7a; 18,17). Die große Ausnahme scheint die Ausweitung der Verfolgung gegen Stephanus zum διωγμὸς μέγας gegen die Gemeinde in Jerusalem (Apg 8,1.3) zu sein. Hier ist allerdings auf zwei Punkte hinzuweisen: 1. Das Wort ἐκκλησία in 8,1.3 beruht auf Tradition (vgl. oben, S. 24). 2. Die Versprengten werden allesamt zu Verkündigern des Evangeliums (8,4).
Apg 12,1 f. sagt Lukas allerdings im Zusammenhang der Verfolgung von Aposteln, hier sei Herodes gegen „einige von der ἐκκλησία" vorgegangen. Aber es trifft nur „einige" (vgl. auch Lk 21,16 gegenüber Mk 13,12); als ganze kann die Gemeinde hoffen, daß ihr nichts geschieht (vgl. Lk 21,18). Vgl. Sch. Brown, Apostasy and perseverance in the theology of Luke, Rom 1969 (= Analecta Biblica 36), S. 49; vgl. ferner unten, S. 200 A 158.
Das Leiden ὑπὲρ τοῦ ὀνόματος ist also für Lukas keineswegs identisch mit dem öffentlichen Glaubenszeugnis der Gemeinde. Schütz, der dies (aaO., S. 105 ff.) zeigen möchte, beruft sich S. 109 f. zu Unrecht auf Apg 9,16.

παθεῖν ὑπέρ (διά) kommt sonst bei Lukas nicht noch einmal vor[70]. Sodann muß in diesem Zusammenhang an die Tatsache erinnert werden, daß das Leidensmotiv — also das dominierende Motiv von 9,15 f. — in den Redevarianten konsequent getilgt ist (vgl. 22,14 f.; 26,16b—18)[71]. Dies ist besonders auffällig, da das „Leidenmüssen" durchaus in das lukanische Paulusbild hineingehört[72]. Man darf daraus folgern, daß die Bestimmung der Rolle des bekehrten Saulus als eines leidenden Bekenners des Namens nicht lukanisch ist. Wenn dagegen Lukas das Leidensmotiv in Apg 9,16 übernimmt, dann nicht, um Paulus als Bekenner zu kennzeichnen, sondern um anzukündigen, daß der besondere missionarische Auftrag des Paulus (vgl. 9,15) ihm in besonders hohem Maß Verfolgung und Leiden (V. 16) einbringen wird.

Es stellt sich also heraus, daß die literarkritisch als vorlukanischer Einschub erkannten Verse Apg 9,15 f. eine theologische Konzeption erkennen lassen, die sich mit dem lukanischen Verständnis der Paulusfigur nicht deckt und deren Terminologie Lukas anscheinend bereits nicht mehr klar verständlich war. Die lukanische Toleranz gegenüber der Terminologie in Apg 9,15 f. erklärt sich wahrscheinlich daher, daß Lukas sie als der erzählerisch vorausgesetzten urtümlichen Situation durchaus entsprechend empfand, wobei freilich ferner die Bedingung erfüllt sein mußte, daß die semitisierenden Wendungen sich einer lukanischen Interpretation nicht widersetzten. Das Überraschende an der vorlukanischen Interpretation der Saulustradition ist, daß der Redaktor auf die amtliche Funktion des bedeutendsten Heidenmissionars keinerlei Gewicht zu legen scheint. Saulus ist ein „Erwählter", so, wie alle Christen gegenüber allen anderen Menschen „Erwählte" sind. Nicht er wird als ein besonderer Christ, sondern das Christsein wird als etwas Besonderes dargestellt. Allerdings gilt im Verständnis der vorlukanischen Redaktion die Erwählung des ehemaligen Verfolgers der Christen zum leidenden Bekenner als ein exemplarischer Fall von ἐκλογή. Das Exemplarische seines Falles besteht in dem außerordentlich scharfen Gegensatz zwischen seiner früheren Existenz als Feind und Verfolger des eschatologischen Volkes Gottes und seiner späteren als „Träger" des „Namens". Aus dem Feind wird ein Bruder und Mitberufener; aus dem Verfolger wird ein Verfolgter. So paßt sich der vorlukanische Einschub in den Duktus der Tradition ein[73].

---

[70] Positive Belege: Phil 1,29; 2 Thes 1,5; 2 Tim 1,12; 1 Petr 2,19; 3,14.
[71] Vgl. oben, S. 30   [72] Vgl. oben, S. 37 A 61.
[73] Dies hat Lohfink gut herausgearbeitet (vgl. aaO., S. 84), allerdings in der Meinung, damit die lukanische Aussage zu fassen.

Daß die vorlukanische Redaktion im Gegensatz zur lukanischen nicht auf die bedeutende missionarische Rolle des ehemaligen Verfolgers Saulus als Inhalt seiner Erwählung abhebt, hängt nicht etwa damit zusammen, daß der erste Bearbeiter von der apostolischen Tätigkeit des Paulus nichts weiß oder gar ihr gegenüber nicht unbefangen urteilt, sondern daß die erste Redaktion aus paränetischem Interesse erfolgt. Der vorlukanische Interpret der Bekehrung des Saulus redigiert die Tradition nicht ad maiorem Pauli gloriam[74], sondern zur Stärkung einer verfolgten Minderheit. So erklärt es sich, daß nicht über Amt und Apostolat, sondern über das Exponiertsein der bekennenden Gemeinde gegenüber ihrer „Welt" reflektiert wird.

IV. Der Schluß der Saulustradition und seine redaktionellen Gestaltungen

Die Abgrenzung der Saulustradition vom lukanischen Kontext erfordert eine Entscheidung darüber, ob in der lukanischen Überleitung zum folgenden Abschnitt, d. h. in den Versen Apg 9,19b—22, Elemente der Saulustradition verarbeitet sind oder nicht. Im zweiten Fall müßte V. 19a als ursprünglicher Schluß interpretiert werden.

Für beide Möglichkeiten lassen sich Gründe anführen. Vers 21 hat die Form eines Chorschlusses, käme also als traditionelle Abschlußform durchaus in Betracht. Zwar ist die Formulierung nichts weiter als eine Rekapitulation der Exposition, könnte also lukanisch sein; doch deutet andererseits die Tatsache, daß dieser Chorschluß zu seinem unmittelbaren Kontext in gewisser Spannung steht, darauf hin, daß Lukas hier ein vorgegebenes Element für seine Gestaltung übernimmt. VV. 19b. 20 und 22 umschließen V. 21 ähnlich wie VV. 8,1.3 den V. 8,2. In beiden Fällen beginnt der überleitende Satz mit ἐγένετο δέ + Zeitangabe; dann folgt der zum Schluß des vorhergehenden Abschnitts gehörende eingeschachtelte Satz; dann wird der neue Zusammenhang fortgesetzt, in beiden Fällen mit Σαῦλος δέ . . . Bei der Beurteilung dieses Befundes ist jedoch zu beachten, daß die Spannung nicht dadurch entsteht, daß V. 21 zwischen V. 20 und V. 22 trennt, sondern umgekehrt dadurch, daß V. 22 dublettenhaft den Inhalt der VV. 19b.20 wiederaufnimmt.

---

[74] Die erste Redaktion ist sicher noch zu Lebzeiten des Paulus erfolgt. Man sieht in diesem Fall, unter welchen Bedingungen eine „Legendenbildung" zu Lebzeiten des „Helden" möglich gewesen ist.

Der Dublettencharakter des — sicher lukanischen — V. 22 spricht dafür, daß es für den ganzen Abschnitt 19b—21 eine Vorlage gegeben hat.

Für die andere Möglichkeit spricht vor allem, daß die literarische Form von V. 19a dem voraufgehenden Zusammenhang besser entspricht als ein Chorschluß nach Art des V. 21. Einmal ist darauf hinzuweisen, daß die Wendung καὶ λαβὼν τροφὴν ἐνίσχυσεν in deutlicher Entsprechung zu V. 9 steht und somit die Lösung der literarischen Spannung herbeiführt. Zum andern ist der in den VV. 18. 19a vorherrschende knappe und gleichzeitig naive verbale Reihungsstil dem übrigen Erzählgefälle besser angepaßt als der wortreich korrespondierende Stil von V. 21.

Eine exakte Interpretation wird beide Argumente berücksichtigen müssen. Die Lösung ergibt sich, wenn man die Möglichkeit in Erwägung zieht, den Chorschluß der vorlukanischen Redaktion der Saulustradition zuzuweisen. Sachlich korrespondiert V. 21 ja nicht allein der Exposition, sondern auch deutlich der Gegenfrage des Ananias (V. 13 f.). Nur muß auch im Hinblick auf V. 21 zugestanden werden: Lukas hat hier ebenso wie in V. 13 f. eingegriffen, um den Jerusalem-Topos herauszukehren. Sicherstes Kriterium für eine vorlukanische Schicht hinter Apg 9,21 ist das bis dahin bei Lukas nirgends gebrauchte Verb πορθεῖν, das im NT sonst nur noch Gal 1,13.23 begegnet, und zwar wiederum im Zusammenhang der einstigen Verfolgertätigkeit des Saulus/Paulus. (Auf die Relevanz dieses Befundes wird näher einzugehen sein; vgl. Abschnitt V.)

Geht man also von der Voraussetzung aus, daß auch im Schlußteil der Saulustradition drei Überlieferungsschichten zu unterscheiden sind, so ergeben sich weitere Aufschlüsse über das Kompositionsverfahren des Lukas an dieser Stelle: Lukas hat den ursprünglichen Schluß (19a) akzeptiert und den sekundären Chorschluß zu einer von der Bekehrung des Saulus abgehobenen Phase in dessen Leben ausgestaltet. Dies zeigt sich deutlich an der Zeitangabe in V. 19b, durch welche die Vorstellung erweckt wird, Saulus habe einige Zeit die Gemeinde von Damaskus als Stützpunkt für eigene missionarische Bemühungen benutzt. In dieser Form führt die Notiz nicht zu einem Abschluß des voraufgehenden Erzählzusammenhangs, sondern leitet im Gegenteil eine steigernde Erzählfigur ein (vgl. V. 22: μᾶλλον ἐνεδυναμοῦτο), die wiederum eine Gegenbewegung auslöst (vgl. VV. 23 ff.). Der Vorgang bekommt dadurch Eigengewicht. Lukas verfährt also mit den beiden ihm vorgegebenen Schlüssen periodisierend, indem er sie verschiedenen Phasen des Lebens des Paulus zuordnet.

Aufgrund dieser formalen Kennzeichnung der lukanischen Kompositionstechnik lassen sich weitere Anhaltspunkte für die Bestimmung vorlukanischer Elemente im Chorschluß gewinnen: Zu der periodisierenden Gestaltungsweise des Lukas steht die Wendung καὶ εὐθέως (V. 20) in Spannung. Zwar ist es kein Widerspruch, wenn etwas, das mehrere Tage dauert, „sogleich" nach den voraufgehenden Ereignissen beginnt. Hier aber geht dem εὐθέως die Zeitangabe über die Dauer des Aufenthalts des Saulus bei den „Brüdern" in Damaskus vorauf (V. 19b); die umgekehrte Reihenfolge wäre zwangloser. Das εὐθέως dürfte daher vorlukanisch sein. Es könnte in formaler Entsprechung zum ursprünglichen Schluß der Tradition (καὶ εὐθέως ἀπέπεσαν V. 18) den Anfang des vorlukanischen Chorschlusses gebildet haben.

Zum vorlukanischen Bestand ist weiter der sonst in der Apostelgeschichte nicht gebrauchte Titel „Sohn Gottes" in V. 20 zu rechnen. Dies Hoheitsprädikat ist schon deshalb an dieser Stelle dem Redaktor Lukas nicht zuzutrauen, weil es für dessen Verständnis zu wenig auf das Synagogenpublikum zugeschnitten ist. Nur an einer einzigen Stelle der Apostelgeschichte entwickelt Lukas in einer Apostelpredigt (Apg 13,16 ff.) vor Juden eine υἱός-Christologie (vgl. VV. 32—37), bezeichnenderweise aber in einer archaisierenden messianologischen Form in Anlehnung an Ps 2, wobei zudem der Titel ὁ υἱὸς τοῦ θεοῦ nicht begegnet. Daß Lukas in Apg 9,20 den Sohn-Gottes-Titel in Anlehnung an das paulinische Kerygma gewählt habe[75], ist eine überflüssige These.

Man wird aber nicht allein den Titel, sondern die ganze Wendung οὗτός ἐστιν ὁ υἱὸς τοῦ θεοῦ als vorlukanisch zu betrachten haben. Dies ergibt sich aus der Spannung zwischen dem Terminus κηρύσσειν und dem bekenntnishaften Charakter dieser Formulierung. Zunächst zur lukanischen Sicht: Der gesamte Ausdruck ἐν ταῖς συναγωγαῖς ἐκήρυσσεν τὸν Ἰησοῦν entspricht in allen Punkten[76] dem lukanischen Verständnis der christlichen Rolle des Paulus als eines aktiven Missionars, nicht aber dem Verständnis von ἐκλογή in der vorlukanischen Redaktion. Das Anknüpfen der Mission beim Synagogenpublikum gehört zu den stereotypen Zügen der lukanischen Darstellung der Verkündigung außerhalb Judäas[77]. Über

---

[75] Vgl. W. Bousset, Kyrios Christos. Geschichte des Christusglaubens von den Anfängen des Christentums bis Irenäus, 5. Aufl., Göttingen 1965 (= FRLANT 21) 181.

[76] Der Ausdruck κηρύσσειν τὸν Ἰησοῦν ist durch Apg 19,13 als lukanisch belegt. Allerdings hätte man hier κηρύσσειν τὸν Χριστόν erwarten können (in Entsprechung zum Hoheitstitel von V. 22; vgl. zum gesamten Ausdruck Apg 8,5). Vgl. dazu Anm. 79 auf der folgenden Seite.

[77] Näheres unten, § 4 / I, 2b. Bereits Lk 4,44 taucht das Motiv auf.

die lukanische Herkunft dieser Elemente kann also kein Zweifel bestehen. — Dem κηρύσσειν müßte, wenn auch der ὅτι-Satz lukanisch wäre, eine kerygmatische Formel folgen; tatsächlich folgt aber eine Bekenntnisformel[78]. Wichtig ist, daß das Bekenntnis zu Jesus als dem Sohn Gottes als Inhalt der Taufhomologie begegnet[79]. Der ὅτι-Satz entspricht also inhaltlich dem vorlukanischen ἐκλογή-Verständnis; er korrespondiert, wenn man den folgenden Vers hinzuzieht, auch dem vorlukanischen Sinn von βαστάσαι τὸ ὄνομα in 9,15, da das Staunen der πάντες den Öffentlichkeitscharakter (vgl. * ἐνώπιον ἐθνῶν καὶ βασιλέων) des Bekenntnisses dokumentiert. Von daher läßt sich mit einiger Sicherheit annehmen, daß das lukanische κηρύσσειν ein vorlukanisches ὁμολογεῖν (oder einen entsprechenden Ausdruck)[80] verdrängt hat.

Mit diesem Ergebnis hängt die Beurteilung der Herkunft der Einschübe im ursprünglichen Schluß der Saulustradition zusammen. In V. 17 fin. ist das καὶ πλησθῇς πνεύματος ἁγίου ohne Schwierigkeit als lukanischer Zusatz zu erkennen; die Frage ist nur, ob ihm auch das καὶ ἀναστὰς ἐβαπτίσθη in V. 18 zuzuschreiben ist, wie Dibelius, Aufsätze zur Apostelgeschichte, S. 27 A 3, annimmt. Da die vorlukanische Redaktion auf das Taufbekenntnis anspielt, wäre ihr auch eine Taufnotiz zuzutrauen, so daß ἐβαπτίσθη als vorlukanisch

---

[78] Vgl. Mk 15,39; Apg 8,37 (westl. Text); 1 Jo 4,15; 5,5. (Näheres bei F. Hahn, Christologische Hoheitstitel. Ihre Geschichte im frühen Christentum, Göttingen 1963 [= FRLANT 83] 317 A 3 [S. 317 f.].)

[79] Vgl. Hebr 4,14; 6,4—6; 10,19 ff; Apg 8,37; 1 Jo 5,5 f. Vgl. G. Bornkamm, Das Bekenntnis im Hebräerbrief, in: Studien zu Antike und Christentum. Ges. Aufs. II, München 1959 (= BEvTh 28) 188—203, bes. S. 189—192. Nach Bornkamm sind die Worte Ἰησοῦν τὸν υἱὸν τοῦ θεοῦ in Hebr 4,14 die formelhafte Wiedergabe des Inhalts des Taufbekenntnisses (vgl. ebd., S. 190). Wenn Ἰησοῦν in Apg 9,20 demnach vorlukanisch wäre, erklärte sich damit die oben (Anm. 76) erwähnte Besonderheit gegenüber Apg 8,5.

[80] Man muß die Möglichkeit im Auge behalten, daß in der aktualisierenden Interpretation der Saulusgeschichte durch den vorlukanischen Redaktor nicht der term. techn. ὁμολογεῖν, sondern ein anderer Ausdruck gewählt wurde, der sich nicht primär auf das Taufbekenntnis der Liturgie, sondern auf das Durchhalten des Taufbekenntnisses im Alltag bezog. Als ein solches Äquivalent von ὁμολογεῖν kommt z. B. das ἐξαγγέλλειν von 1 Petr 2,9 in Betracht. Es heißt dort: „Ihr aber seid ein auserwähltes Geschlecht (γένος ἐκλεκτόν) . . ., damit ihr die Großtaten dessen verkündet (ἐξαγγείλητε), der euch aus Finsternis berufen hat (τοῦ καλέσαντος) . . ." Hier wird das Bekenntnis, das dem Erwähltsein durch Gottes Berufung entspricht, der Formulierung nach in die Nähe der Verkündigung (εὐαγγελίζειν) gerückt. Freilich ist ἐξαγγείλητε hier in 1 Petr 2,9 LXX-Zitat und würde sich zudem nicht gut in Apg 9,20 einfügen. Soviel ist jedoch zu erkennen, daß das lukanische κηρύσσειν möglicherweise auch terminologisch einen Anhaltspunkt in der Tradition gehabt hat.

anzusehen wäre. Indessen scheinen aber beide Zusätze lukanischer Herkunft zu sein. Die vorlukanische Redaktion hebt ja nicht auf die ὁμολογία als Element der Taufliturgie, sondern als Inhalt der dauernd zu realisierenden ἐκλογή im Sinne des Bekenntnisses zu Jesus in der Öffentlichkeit der Welt ab. Daher ist für sie eine Taufnotiz überflüssig. Zudem entspricht die Anordnung der Einschübe durchaus dem lukanischen Verständnis von Taufe und Geistempfang: Taufvollzug und Taufgnade (Geistempfang) werden hier wie auch sonst gelegentlich bei Lukas (vgl. Apg 8,14 ff.; 10,44 ff.) voneinander abgehoben, nicht etwa in der Absicht, den im gesamten NT festgehaltenen Zusammenhang beider zu lockern[81], sondern im Gegenteil um konkret zu veranschaulichen, was der spezifische Gehalt der christlichen Taufe ist gegenüber der nicht den Geist vermittelnden Wassertaufe des Johannes (vgl. Apg 10,44 ff. gegenüber 11,15 f.; ferner Apg 1,5; 18,25; 19,2 ff.)[82]. Die gelegentliche Lockerung des Zusammenhangs von Taufe und Geistempfang in der erzählerischen Gestaltung dient gerade dazu, den Sachzusammenhang zu reflektieren. Die unnatürliche Reihenfolge ist nicht ein Anzeichen dafür, daß Lukas „hier nicht unbefangen formuliert", wie Klein (aaO., S. 151) annimmt, es sei denn, man verstünde hier Befangenheit im Sinne der Abhängigkeit von der Konzeption der Tradition, welche im Botenwort des Ananias zuerst die Heilung als Gabe des sendenden Kyrios deklariert (V. 17), bevor der Heilungserfolg der mit dem Botenwort gleichzeitigen Heilungsberührung (V. 17) konstatiert wird (V. 18)[83]. Da Lukas die Berührung nicht mit dem Taufakt gleichsetzen konnte, blieb ihm keine andere Möglichkeit der Anordnung. Die Trennung der Taufnotiz von der über den Geistempfang und die Umkehrung der chronologischen Reihenfolge beider läßt sich also am besten aus lukanischen Prämissen erklären.

[81] Gegen E. Schweizer, Die Bekehrung des Apollos. Ag. 18,24—26, in: EvTh 15 (1955) 247—254, hier: S. 253 A. 23. Gegen ältere Verfechter einer solchen Auffassung wendet sich E. Käsemann, Die Johannesjünger in Ephesus, in: ZThK 49 (1952) 144—154, auch in: Exegetische Versuche und Besinnungen I, 5. Aufl., Göttingen 1967, S. 158—168, hier: S. 165 A 34.

[82] So auch Käsemann, aaO., der darüber hinaus nachweisen möchte, daß die gelegentliche Distinktion von Taufe und Taufgnade Bestandteil einer Una-Sancta-Konzeption sei, da sie immer dazu diene, christliche Sonderentwicklungen oder Randgruppen in die Kirche zu integrieren. So richtig diese Beobachtung ist, bewahrheitet sie dennoch nicht die Käsemann'sche Interpretation des lukanischen Kirchenverständnisses, die sich mit der Weg-Konzeption des lukanischen Doppelwerks in dieser Form wohl nicht vereinbaren läßt.

[83] Zur formgeschichtlichen Beurteilung des Motivzusammenhangs von Berührung, Wort und Heilungserfolg vgl. unten, S. 85 f.

Es ergibt sich damit hinsichtlich der literarischen Schichten am Schluß der Saulustradition insgesamt folgendes Bild:

1. Die Saulustradition schließt ursprünglich mit Apg 9,19a.
2. Der vorlukanische Redaktor fügt entsprechend seiner paränetisch aktualisierenden Absicht einen zweiten Schluß hinzu, welcher das sofortige (εὐθέως) Publikwerden (ἐξίσταντο δὲ πάντες) der wunderbaren Bekehrung des einstigen Verfolgers zum Inhalt hat (V. 20 f.).
3. Lukas übernimmt den ursprünglichen Schluß; den sekundären Schluß baut er aus zu einer besonderen Phase im Leben des Paulus durch Hinzufügung der VV. 19b, 22.
4. Lukas ergänzt den ursprünglichen Schluß durch Notizen über Geistempfang und Taufe.
5. Er gestaltet den sekundären Schluß in seinem Sinn um, indem er das Bekenntnis zu Jesus als dem „Sohn Gottes" als Akt der Verkündigung interpretiert entsprechend seinem Verständnis von ἐκλογή als Aussonderung zum missionarischen Dienst.

V. Apg 9,1—22 parr. im Verhältnis zu Gal 1,13 f.23 f.

Die literarkritische Analyse soll abgeschlossen werden mit einer Gegenüberstellung der Saulustradition und ihrer Redaktionen mit den authentischen Aussagen des Paulus über seine Bekehrung, besonders denen des Galaterbriefes. Diese Konfrontation soll unter streng literarkritischen Gesichtspunkten durchgeführt werden. Es geht also nicht um den Versuch, Übereinstimmungen und Differenzen der verschiedenen Texte in der Absicht zu diskutieren, dem historisch Wahrscheinlichen auf die Spur zu kommen[84], sondern es soll überprüft werden, ob es zwischen Apg 9 parr und Gal 1 literarische Beziehungen gibt.

Dem ersten Anschein nach ist die Frage klar zu verneinen. Zwischen Gal 1 und Apg 9 gibt es derart schneidende Widersprüche, daß die Vorstellung der direkten Abhängigkeit eines dieser Texte vom andern von vornherein undiskutabel ist. Jedoch gibt es noch andere Arten literarischer Beziehungen als die direkte Abhängigkeit. Eine solche ist z. B. die von G. Klein behauptete „reflektierte Befangenheit" gegenüber Paulus, die Lukas genötigt habe, seine Kenntnis der Paulusbriefe generell bei der Charakterisierung des Paulus und folglich auch speziell bei der Gestaltung von Apg 9 zu

---

[84] Vgl. die übersichtliche Darstellung, die H. Schlier in seinem Galater-Kommentar (Meyers Komm. VII, 13. Aufl., Göttingen 1965) 103—117 bietet; dort auch die wichtigste Literatur zum Verhältnis Apg — Gal 1,2 [S. 117].

unterdrücken[85]. Zwischen diesen Möglichkeiten mögen noch manche andere liegen, wie etwa die indirekte Abhängigkeit, voneinander unabhängige Bezugnahme auf einen dritten Text usw. Ob die Möglichkeit literarischer Beziehungen zwischen Apg 9 und Gal 1 diskutabel ist oder nicht, hängt nicht vom Umfang[86], sondern von der Art der Übereinstimmungen zwischen beiden Texten ab. Sachliche Übereinstimmungen lassen sich als Folge sachlich zuverlässiger Berichterstattung erklären, solche im Wortmaterial und in der literarischen Formgebung dagegen vielleicht nur als Indizien literarischen Zusammenhanges. Das muß in jedem Fall überprüft werden. Die inhaltliche Bestandsaufnahme ergibt, daß es positive Entsprechungen zwischen der Saulustradition und dem Galaterbrief an zwei Stellen gibt: Gal 1,13 f zeigt Berührungspunkte mit der Exposition der Saulustradition, Gal 1,23 f mit dem Chorschluß der vorlukanischen Redaktion. Auffällig ist, daß in Gal 1,13 f im Unterschied zum Grundbericht Apg 8,3; 9,1 ff, aber in Übereinstimmung mit den Expositionen der lukanischen Redevarianten, nicht nur die einstige Verfolgertätigkeit, sondern auch als deren Hintergrund der „einstige Wandel" des Saulus „im Judentum" erwähnt wird. Diese Übereinstimmung geht über den Rahmen inhaltlicher Konformität bereits hinaus; sie scheint der These Kleins über die unterdrückte Kenntnis der Paulusbriefe bei Lukas entgegenzukommen. Die folgenden Analysen sollen zeigen, wie es damit steht.

1. Der vorlukanische Chorschluß und Gal 1,23 f.

An erster Stelle sei die Beziehung zwischen dem Chorschluß und Gal 1,23 f diskutiert, weil hier bereits geklärt ist, daß der Chorschluß grundsätzlich zum Bereich der Saulustradition in ihrem vorlukanischen Stadium gehört.

Gal 1,23 f.	Apg 9,20 f
	καὶ εὐθέως ἐν ταῖς συναγωγαῖς ἐκήρυσσεν τὸν Ἰησοῦν, ὅτι οὗτός ἐστιν ὁ υἱὸς τοῦ θεοῦ.
μόνον δὲ ἀκούοντες ἦσαν ὅτι	ἐξίσταντο δὲ πάντες οἱ ἀκούοντες καὶ ἔλεγον·
ὁ διώκων ἡμᾶς ποτε νῦν εὐαγγελίζεται τὴν πίστιν ἥν ποτε ἐπόρθει, καὶ ἐδόξαζον ἐν ἐμοὶ τὸν θεόν.	οὐχ οὗτός ἐστιν ὁ πορθήσας εἰς Ἰερουσαλὴμ τοὺς ἐπικαλουμένους

[85] Vgl. Klein, aaO., S. 189—192, 202; der Ausdruck „reflektierte Befangenheit" findet sich S. 202.
[86] Trotzdem sei, was den Umfang der Übereinstimmungen angeht, darauf hingewiesen, daß diese im Bereich der Saulustradition liegen und daß sich von Apg 9,24 an die Widersprüche zu Gal 1 häufen (vgl. Schlier, aaO., S. 113).

τὸ ὄνομα τοῦτο, καὶ ὧδε εἰς τοῦτο
ἐληλύθει, ἵνα δεδεμένους αὐτοὺς
ἀγάγῃ ἐπὶ τοὺς ἀρχιερεῖς;

Daß beide Texte sehr verschieden sind, braucht nicht erst betont
zu werden; daß sie dennoch Ähnlichkeiten aufweisen, ist gerade
deshalb so auffällig. Das wichtigste[87] Indiz für eine literarische
Beziehung ist das unlukanische[88] Wort πορθήσας in seiner Übereinstimmung mit dem ἐπόρθει des paulinischen Textes. Da das Wort
in seiner Seltenheit[89] auch nicht als paulinisch gelten kann — es
kommt überhaupt nur an den hier zu diskutierenden Stellen Gal
1,13.23; Apg 9,21 vor —, ist die Frage, ob und in welcher Richtung
eine literarische Abhängigkeitsbeziehung in Betracht kommt, auf
dieser schmalen Basis kaum zu lösen.
Um die Textgrundlage des Vergleichs zu erweitern, ist daran zu
erinnern, daß das Wort πορθήσας in Apg 9,21 der vorlukanischen
Überlieferungsschicht angehört[90]. Die fragliche Beziehung ist also
von vornherein nur zwischen der vorlukanischen Redaktion und
dem paulinischen Text zu suchen. Sie kommt für die lukanische
Redaktion nicht in Betracht — im Gegenteil: der starke lukanische
Anteil an der Formulierung von Apg 9,21[91] kann gerade die vordem
vielleicht deutlichere Ähnlichkeit zwischen dem Chorschluß und
Gal 1,23 verwischt haben.
Der wichtigste Unterschied zwischen der vorliegenden Fassung von
Apg 9,21 und Gal 1,23 besteht darin, daß Apg 9,21 mit dem
geographischen Schema Jerusalem—Damaskus operiert, während
Gal 1,23 am Schema einst—jetzt (ποτέ—νῦν) orientiert ist. Nun
steht einerseits fest, daß das geographische Schema lukanischer
Herkunft ist (vgl. oben, S. 30 f.), andererseits aber auch, daß das
Schema einst—jetzt ein Strukturprinzip der vorlukanischen Redaktion ist (vgl. oben, S. 28). Man könnte also vermuten, daß das zeitliche Schema einst—jetzt in der vorlukanischen Redaktion nicht
nur im Einschub * Apg 9,13—16, sondern auch bei der Gestaltung
des Chorschlusses angewandt worden ist. Das vorlukanische (vgl.
oben, S. 45) καὶ εὐθέως weist in die Richtung einer im Zeitschema
formulierten Pointe. Das Schema einst—jetzt kommt im NT nicht

---

[87] Zu beachten ist ferner die formale Ähnlichkeit aufgrund des Zitatcharakters
des Chorschlusses auch in Gal 1,23 (ὅτι als Doppelpunkt; dazu vgl. unten).
Dagegen kann die Übereinstimmung im Wort ἀκούοντες rein zufälliger Art
sein.
[88] Vgl. oben, S. 44.
[89] Vgl. die Belege bei Schlier, Komm., S. 50 A 4.
[90] Vgl. oben, S. 44.
[91] Vgl. oben, S. 45 f. Das Wort πορθήσας fällt aus dem korrespondierenden Stil
heraus.

eben selten vor[92]; die Übereinstimmung zwischen der vorlukanischen Redaktion und Gal 1,23 in der Verwendung dieses Schemas
würde deshalb für sich allein nicht viel besagen. Wenn aber wie
in diesem Fall andere Indizien hinzukommen, sollte man die Hypothese zu Ende führen: Wenn das Schema einst—jetzt dem vorlukanischen Chorschluß zugrunde gelegen hat, kann man die Ähnlichkeit mit Gal 1,23 nicht mehr als nur sachlich, geschweige denn
als zufällig verstehen, sondern man muß mit einer literarischen
Abhängigkeitsbeziehung rechnen. Entweder hat der vorlukanische
Redaktor den Galaterbrief gekannt, oder Paulus hat die vorlukanische oder eine mit dieser überlieferungsgeschichtlich sehr nahe
verwandte Fassung der Saulustradition gekannt. Vom Standpunkt
einer Wahrscheinlichkeitsrechnung ist die zweite Möglichkeit zu
bevorzugen. Wenn es eine Tradition über die Bekehrung des Saulus
vor Damaskus gegeben hat, wenn diese eine bis zu Lukas reichende
Traditionsgeschichte gehabt hat, sollte man die Möglichkeit, daß
auch Paulus davon Kenntnis gehabt hat, nicht zu gering einschätzen.
Daher scheint es angebracht, auf der Seite des paulinischen Textes
nach literarkritischen Indizien zu suchen, die eine Bezugnahme auf
die Saulustradition durch Zitat oder Anspielung erkennen lassen,
um dadurch den Wahrscheinlichkeitsgrad der Hypothese zu prüfen.
Dazu folgende Beobachtungen:

1. Die als „Chorschluß" in Betracht kommende Formulierung in
   Gal 1,23 wird mit ὅτι eingeleitet. Diese Konjunktion kann zur
   Einleitung von direkter oder indirekter Rede verwendet werden.
   Da in der Koine in der indirekten Rede der Modus der direkten
   bevorzugt wird, ist in diesem Fall zunächst offen, ob der Indi-
   kativ im ὅτι-Satz diesen als wörtliche Rede, d. h. als Zitat kennzeichnet oder nicht.

2. Für direkte Rede und damit Zitatcharakter spricht die Verwendung des Pronomens ἡμᾶς im ὅτι-Satz, sofern seine grammatische Form (1. Pers. Pl.) in Spannung zu der des Prädikats im
   Hauptsatz (3. Pers. Pl.) steht. Wäre der ὅτι-Satz als indirekte
   Rede gemeint, wäre ein αὐτούς zu erwarten. Das ὅτι hat also an
   dieser Stelle die Funktion eines Doppelpunkts (vgl. auch Schlier,
   Komm., S. 63 A 5).

---

[92] Vgl. N. A. Dahl, Formgeschichtliche Beobachtungen zur Christusverkündigung
in der Gemeindepredigt, in: Neutestamentliche Studien für Rudolf Bultmann,
Berlin 1954 (= ZNW, Beih. 21), 3—9; hier S. 5 f. Dahl spricht vom „soteriologischen Kontrastschema". Es ist im paränetischen Schrifttum des hellenistischen Judentums beheimatet; vgl. J. Gnilka, Paränetische Traditionen im
Epheserbrief, in: Mélanges bibliques en hommage au R. P. Béda Rigaux,
hrsg. v. A. Descamps und A. de Halleux, Gembloux 1970, 397—410. (Vgl.
auch unten, S. 56—58 mit Anm. 102—104).

3. Der grammatische Wechsel von der 3. zur 1. Pers. Pl. besagt
nach Schlier (Komm. z. St.), daß „unter Zusammenschluß der
Redenden und Hörenden" ἡμᾶς „die Glieder anderer christlicher
Gemeinden" bezeichnet, „die den Gemeinden Judäas die wunderbare Wandlung des Paulus mitteilten" (ebd.)[93]. Schlier erklärt den logischen Wechsel also von der Situation, in der die
Nachricht übermittelt wird. Der Bote wählt die Form ἡμᾶς als
Ausdruck der Solidarität der christlichen Gemeinden. Diese Auffassung ist möglich, aber kompliziert den Sachverhalt unnötig.
Der Text besagt nur, daß die Kirchen in Judäa ein „Zitat"
hörten, in welchem eine mit „wir" bezeichnete Gruppe zu Wort
kam. Daß dies Boten der ehemals von Saulus Verfolgten gewesen sein sollen, geht aus dem Text nicht hervor.
4. Das Imperfekt ἀκούοντες ἦσαν legt vielmehr nahe, bei dem
„Hören" nicht an eine — sinnvollerweise nur je einmal erforderliche — Benachrichtigung judäischer Gemeinden durch ehemals von Saulus verfolgte Christen zu denken, sondern entweder
an einen wiederholbaren Vorgang oder an einen dauernden Zustand. Neben ἤμην ἀγνοούμενος (V. 22) empfiehlt sich letzteres;
man dürfte übersetzen: „Sie wußten nur vom Hören"... Paulus
will ja in beiden Sätzen sagen, ob und wie man ihn in Judäa
kennt.
5. Wenn also einerseits nicht an die Boten-Situation gedacht ist,
andererseits aber ein „Zitat" vorliegt,[94] bleibt als einfachste Erklärung die Auskunft, daß Paulus hier den Text zitiert, der den
Christen in Judäa bekannt war und durch den Paulus ihnen bekannt war. Das ἡμᾶς gehört in das Zitat und hat mit der
Situation der „Hörenden" keinen Zusammenhang.
Der Befund von Gal 1,23 spricht also dafür, daß Paulus die Tradition von seiner Bekehrung kannte und voraussetzte, daß sie in
Judäa verbreitet, aber auch den Adressaten des Briefes in Galatien
geläufig war. Wenn man demnach die Möglichkeit einer literarischen Beziehung zwischen Apg 9,21 und Gal 1,23 akzeptiert, ist
diese auf die paulinische Kenntnis der Saulustradition zurückzuführen, nicht auf die Abhängigkeit des vorlukanischen Redaktors
vom Galaterbrief. Zugleich ist damit gesagt, daß das Zitat in Gal
1,23 nicht ohne weiteres den vorlukanischen Wortlaut von Apg
9,21 wiedergibt, sondern vielleicht nur eine sehr nahestehende
Version.

[93] Etwas anders aaO., S. 49 („Gerüchte").
[94] Vgl. das Urteil von E. Bammel, Gal 1,23, in: ZNW 59 (1968) 108—112, es
handle sich um ein teilweise wörtliches Zitat aus einem nicht näher bekannten Märtyrer-Hymnus.

Die Schwierigkeiten, die einer wörtlichen Übernahme von Gal 1,23 in die vorlukanische Formulierung des Schlusses der Saulustradition entgegenstehen, sind allerdings nicht sehr groß. Es würde sich folgender Wortlaut ergeben:

καὶ εὐθέως [ἐν ταῖς συναγωγαῖς] *ὡμολόγησεν τὸν Ἰησοῦν ὅτι οὗτός ἐστιν ὁ υἱὸς τοῦ θεοῦ. ἐξίσταντο δὲ πάντες οἱ ἀκούοντες καὶ ἔλεγον·
ὁ διώκων ἡμᾶς ποτε
νῦν εὐαγγελίζεται τὴν πίστιν
ἥν ποτε ἐπόρθει.
καὶ ἐδόξαζον [ἐν ἐμοί] τὸν θεόν.

Daß am Ende vom Lobpreis der ἀκούοντες die Rede ist, würde nicht besagen, daß bei dem *ὡμολόγησεν an einen kultischen Bekenntnisakt gedacht wäre. Das δοξάζειν ist die Antwort der „Menge" auf ein Wunder in der Öffentlichkeit; es bedeutet nicht, daß dabei nur Christen zu Wort kommen. Diese Feststellung ist auch wichtig zur Beurteilung der Spannung zwischen dem *ὡμολόγησεν und dem εὐαγγελίζεται. Sie ist der eigentliche Störfaktor bei diesem Rekonstruktionsvorschlag; sie ist allerdings nicht so gravierend, wie es zunächst den Anschein hat: Einmal stellt das Wort πίστις eine Entsprechung zu ὡμολόγησεν her; zum andern entspricht das Wort εὐαγγελίζεται lediglich den Tatsachen, da es den bekehrten Saulus mit dem bekannten Missionar Paulus gleichsetzt. Im Interesse paränetischer Aktualisierung wird aber seine Rolle als Missionar so interpretiert, daß sie für Nicht-Missionare beispielhafte Bedeutung bekommt: als öffentliches Bekenntnis (βαστάσαι τὸ ὄνομα ἐνώπιον κτλ. = öffentliches ὁμολογεῖν), das jedem Christen abverlangt wird[95].

Es ist als Ergebnis festzuhalten:

1. Eine Abhängigkeit des Lukas von Gal 1,23 bei der Gestaltung des Schlusses der Saulusgeschichte ist ausgeschlossen.
2. Es bestehen literarische Beziehungen zwischen dem vorlukanischen Chorschluß und Gal 1,23.
3. Der ὅτι-Satz von Gal 1,23 hat Zitatcharakter.
4. Möglicherweise zitiert Paulus in Gal 1,23 f. den Chorschluß, der hinter der lukanischen Formulierung von Apg 9,21 steht[96].

[95] Es sei auch an die umgekehrte Vorstellung erinnert, nach der das Bekenntnis in der Öffentlichkeit eine Form von Verkündigung ist: 1 Petr 2,9; vgl. oben, Anm. 80.
[96] Eine gewisse Bestätigung der oben aufgestellten Zitat-Hypothese liefert Klein mit einer Überlegung zum Verhältnis von Gal 1,16b zu 1,17 (vgl. aaO., S. 160). Klein führt aus, daß die Formulierung von Gal 1,16 f. mit ihrer Differenzierung (οὐδὲ) der Möglichkeit sofortiger Kontaktaufnahme (εὐθέως

2. Die lukanischen Expositionen und Gal 1,13 f.

Die Erkenntnis, daß die Beziehungen zwischen dem Schluß der Saulustradition und Gal 1,23 f. nicht durch Lukas hergestellt, sondern im Gegenteil durch die Eintragung des geographischen Schemas in Apg 9,21 weitgehend verdeckt worden sind, steckt den Diskussionsrahmen für den folgenden Vergleich zwischen Gal 1,13 f. und den lukanischen Expositionen der Saulustradition ab: Eine direkte Bezugnahme des Lukas auf den Text des Galaterbriefes kommt als Erklärungsmöglichkeit für etwaige Übereinstimmungen nicht ernsthaft in Betracht.

Diese Voraussetzung muß deshalb ausgesprochen werden, weil — wie bereits oben, S. 49 angedeutet — die hier zu erörternden Phänomene nicht nur das Verhältnis zwischen dem Galaterbrief und der Saulustradition, sondern auch das zwischen dem Galaterbrief und den lukanischen Redevarianten berühren.

Um einen einigermaßen gesicherten Ausgangspunkt zu gewinnen, soll zunächst vom paulinischen Text her nach weiteren Spuren einer Bezugnahme auf die Saulustradition gefragt werden.

Wenn man das ἀκούοντες ἦσαν in Gal 1,23 in der oben geforderten Weise versteht („Sie kannten nicht mich persönlich, sondern nur meine Bekehrungsgeschichte"), wird man das ἠκούσατε γάϱ in Gal 1,13 nach Möglichkeit ähnlich verstehen. Allerdings ist von vornherein klar, daß die Hörenden in 1,13 die Adressaten des Briefes und nicht wie in Gal 1,23 die judäischen Gemeinden sind und daß das ὅτι in diesem Fall einen Nebensatz, also kein Zitat einleitet. Es ist demnach nur zu prüfen, ob das ἠκούσατε auf bestimmte Anspielungen im folgenden Text aufmerksam machen soll.

Das scheint der Fall zu sein; und zwar wird vom Vers 13 an das Wortmaterial benutzt, das auch im zitierten Chorschluß begegnet:

V. 13 ἐδίωκον	V. 23 διώκων
ἐπόϱθουν	ἐπόϱθει
V. 15 εὐαγγελίζωμαι[97]	εὐαγγελίζεται

προσαναθέσθαι) gegenüber einer späteren in Jerusalem (ἀνελθεῖν εἰς Ἱεροσόλυμα) dadurch mitbedingt sein könnte, daß man Paulus nicht nur als von Jerusalemer Autoritäten, sondern auch von der damaszenischen Gemeinde abhängig eingeschätzt hätte; für letzteres Urteil habe es „u. U. eine Stütze auch in den mit der Bekehrung gleichzeitigen und unmittelbar an sie anschließenden Vorgängen" — literarisch: in der „Ananiastradition", von der Klein an dieser Stelle einmal spricht — gegeben. Diese gegen W. Schmithals, Die Häretiker in Galatien, in: ZNW 47 (1956) 25—67 (hier: S. 32 A 14) gerichtete Bemerkung kommt der These, Paulus habe die Saulustradition nicht nur gekannt, sondern nehme in Gal 1 sogar ausdrücklich darauf Bezug, von einem anderen Ansatz her entgegen.

[97] Zu Gal 1,15 ist anzumerken: Eine Bezugnahme auf * Apg 9,15 braucht trotz

Man könnte also meinen, in 1,13 werde auf das folgende Zitat des Chorschlusses vorbereitend angespielt. Aber läßt sich die Formulierung in 1,13 als paulinische Wiedergabe des Zitats, soweit es die einstige Verfolgertätigkeit betrifft, verstehen? Paulus hätte dann unnötigerweise in terminologischer Abweichung von seinem sonstigen Sprachgebrauch (vgl. ταῖς ἐκκλησίαις V. 22[98]) den Ausdruck διώκειν τινά bzw. πορθεῖν τὴν πίστιν (vgl. V. 23) mit διώκειν/ πορθεῖν τὴν ἐκκλησίαν τοῦ θεοῦ wiedergegeben, was an dieser Stelle zudem noch den falschen Eindruck erweckt, als seien die ἐκκλησίαι von V. 22 in den ἐκκλησία-Begriff und damit in die Aussage von V. 13 eingeschlossen. Die Schwierigkeit läßt sich beheben, wenn man annimmt, daß V. 13 nicht eine auf den Chorschluß der Saulustradition anspielende, im übrigen aber paulinische Formulierung ist, sondern auf eine andere Stelle der Saulustradition anspielt, an der der Ausdruck διώκειν τὴν ἐκκλησίαν [τοῦ θεοῦ] gestanden haben kann, nämlich auf die Exposition (*Apg 8,1 b.3; vgl. oben, S. 24)[99].

Wenn Paulus in Gal 1,13 mit ἠκούσατε auf bestimmte Kenntnisse der Galater abhebt, beziehen sich diese also nicht nur auf die Tatsache, daß Paulus früher ein „Christenverfolger" war, sondern Paulus setzt anscheinend auch voraus, daß den Galatern der An-

gewisser Anklänge (σκεῦος ἐκλογῆς gegenüber καλέσας; τοῦ βαστάσαι τὸ ὄνομά μου gegenüber ἵνα εὐαγγελίζωμαι αὐτόν; ἐνώπιον ἐθνῶν gegenüber ἐν τοῖς ἔθνεσιν) nicht in Erwägung gezogen zu werden, weniger wegen der sachlichen Unterschiede, die an dieser Stelle nur zu verständlich wären, da sie gegenüber dem allgemeinen Erwählungsverständnis ein apostolisches herausstellen würden, sondern wegen der Anspielungen auf Jer 1,5; Is 49,1, welche die Formulierungen von Gal 1,15 prägen.

[98] Schlier sieht hier eine geschlossene Terminologie: „Ἡ ἐκκλησία τοῦ θεοῦ meint . . . die Kirche als das messianische Gottesvolk in seiner Gesamtheit . . ., das jeweils in der Kirche am Ort anzutreffen ist . . ., so daß es auch ἐκκλησίαι τοῦ θεοῦ gibt, die aber von vornherein in der Einheit stehen, weil sie jeweils die ἐκκλησία repräsentieren . . ." (Komm., S. 49 f.; vgl. ThW III, 502—539 [K. L. Schmidt, s. v. ἐκκλησία]; H. Conzelmann, Der erste Brief an die Korinther, Meyers Komm. V, 11. Aufl., Göttingen 1969, 35 f. [zu 1 Kor 1,2]). Dagegen ist darauf hinzuweisen, daß auch der Singular ἡ ἐκκλησία τοῦ θεοῦ von Paulus in der Regel auf die Einzelgemeinde angewendet wird (1 Kor 1,2; 2 Kor 1,1; 1 Kor 10,32; 11,22), so daß die beiden paulinischen Stellen, die ἐκκλησία τοῦ θεοῦ im Sinne von „Volk Gottes" gebrauchen (außer Gal 1,13 noch 1 Kor 15,9) nicht in den Rahmen der paulinischen Terminologie eingeordnet werden können. Ähnlich ist der einzige Fall zu beurteilen, in dem Paulus ἡ ἐκκλησία (ohne τοῦ θεοῦ) im letztgenannten Sinn gebraucht: Phil 3,6.

[99] Wenn diese Auffassung richtig ist, muß hinter dem lukanischen τὴν ἐκκλησίαν τὴν ἐν Ἱεροσολύμοις (Apg 8,1b) der Ausdruck τὴν ἐκκλησίαν τοῦ θεοῦ gestanden haben. Der von dem in Apg 8,1 vorausgesetzten Stand der Entwicklung her nicht erforderliche Zusatz τὴν ἐν Ἱεροσολύμοις versteht sich dann nicht als Präzisierung, sondern — wie schon oben, Anm. 26 angedeutet — als terminologisch konsequente Umgestaltung eines vorgegebenen Ausdrucks.

spielungscharakter der Formulierungen durchsichtig ist, daß diese
also ebenso wie die ἐκκλησίαι τῆς Ἰουδαίας seine Bekehrungsgeschichte
kennen. Er erinnert sie an seine Vergangenheit in der Sprache der
Tradition. Das gilt nicht nur für Gal 1,13, sondern auch für die
übrigen Stellen in den Paulinen, die auf die einstige Verfolgertätigkeit eingehen: 1 Kor 15,9; Phil 3,6; auch sie weisen den un-
paulinischen ἐκκλησία-Begriff auf und bezeichnen die antichristliche
Aktivität des Paulus als διώκειν τὴν ἐκκλησίαν (τοῦ θεοῦ). Man muß
sich dabei vor Augen halten, daß der Ausdruck in dieser Form im
gesamten NT sonst nicht noch einmal vorkommt.
Paulus scheint sich also über seine eigene Vergangenheit in schriftlicher Form überhaupt nur in Anlehnung an die Sprache der
Saulustradition geäußert zu haben. Die genannten Stellen demonstrieren, daß diese anspielende Bezugnahme sich zum Topos verfestigt hat, bei dem es nicht nur darum geht, an die einstige Verfolgertätigkeit als Faktum zu erinnern, sondern dieses theologisch
zu interpretieren. Dies geschieht dadurch, daß das διώκειν als unmittelbarer Ausdruck des „Eifers" für die „Überlieferungen der
Väter" dargestellt wird (vgl. Gal 1,14; Phil 3,6). Alle drei bisher
erörterten Stellen verfolgen mit ihren Anspielungen auf die
einstige Rolle des Paulus als διώκων τὴν ἐκκλησίαν (τοῦ θεοῦ) die
Absicht, den Kern der Botschaft des paulinischen Evangeliums an
der soteriologischen Erfahrung seines Verkündigers zu bewahrhei-
ten, sei es, daß es dabei mehr um die Verteidigung des apostolischen
Ranges des paulinischen Kerygmas (Gal 1) oder um inhaltliche
Aspekte (1 Kor 15,9; Phil 3,4 b—10) geht.
Die prägnanteste Form erhält der soteriologische Topos in der
Chiffre ἐλάχιστος τῶν ἀποστόλων (1 Kor 15,9), welche den Ausnahme-
charakter[100] des paulinischen Apostolats gegenüber den übrigen
Aposteln hervorkehrt, um ihn als exemplarischen [101] Erweis freier
χάρις Gottes zu kennzeichnen. In einer dieser chiffrierten Gestalt
angelehnten Fassung (ἐμοὶ τῷ ἐλαχιστοτέρῳ πάντων ἁγίων) begegnet
er auch im Bereich des deuteropaulinischen Schrifttums: Eph 3,8.
Der Kontext dieser Stelle [102] zeigt ebenso wie die Formel selbst

---

[100] Vgl. ἔκτρωμα (V. 8); zur Diskussion um den „Paulus abortivus" vgl. Conzelmann, aaO., S. 306 (Literatur Anm. 95).

[101] Der exemplarische Sinn der Aussage ergibt sich aus dem περισσότερον αὐτῶν
πάντων in V. 10, durch welches Paulus nicht sich über die anderen Apostel
stellen, sondern die besondere Deutlichkeit des Prinzips freier Gnade im
Fall seiner eigenen Existenz unterstreichen will: seine Erfolge erweisen die
Wirksamkeit der Gnade Gottes. „Das Subjekt seiner Leistung ist nicht er,
sondern die Gnade" (Conzelmann z. St.).

[102] Der Kontext setzt den Apostolat des Paulus in eine zweifache Beziehung
zu dem „Geheimnis" der Teilhabe der Heiden an der ἐπαγγελία: 1. Paulus

(ἀγίων gegenüber ἀποστόλων in 1 Kor 15,9) die Tendenz zur Akzentuierung des Exemplarischen. Ausläufer dieser Lehrtradition reichen bis in die jüngsten Schichten des Corpus Paulinum (vgl. 1 Tim 1,12—16)[103] und darüber hinaus (vgl. dazu Ign Rom 9,2)[104].

ist der Verkünder dieses Geheimnisses, indem er den Dienst des Evangeliums für die Heiden ausführt. 2. Paulus hat die Offenbarung dieses Geheimnisses an sich selbst erfahren als Berufung in den Dienst des Evangeliums für die Heiden. (Der erste Aspekt bestimmt stärker die Verse 8—12, der zweite die Verse 2—7). Der Zusammenhang ist durch eine Analogie bestimmt, die die οἰκονομία τῆς χάριτος τοῦ θεοῦ bei der Berufung des Paulus und bei der Zulassung der Heiden zur ἐπαγγελία betrifft (vgl. V. 2 im Verhältnis zu V. 9): Während die Heiden einst „Fremdlinge und Beisassen" waren (2,19), war der Apostel der Heiden einst sogar der Verfolger der συμπολῖται τῶν ἁγίων, weshalb er „der Geringste der Heiligen" heißt (3,8). Beide also sind der Apostel und die Adressaten seiner Botschaft, waren einst von der ἐπαγγελία ausgeschlossen; wenn beide nun „Zutritt" (V. 12) haben, so verdanken sie es ein und demselben Prinzip: der οἰκονομία der frei gewährten χάρις Gottes. „Sie [die χάρις] also hat sich diesen Dienst [scil. den Apostolat des Paulus] und dies Evangelium in einem geschaffen und ist in ihnen wirksam" (H. Schlier, Der Brief an die Epheser. Ein Kommentar, 4. Aufl., Düsseldorf 1963, S. 151).
Auf dem Hintergrund dieses Entsprechungsverhältnisses wird das ἐλαχιστοτέρῳ πάντων ἁγίων in 3,8 Bestandteil des soteriologischen Kontrastschemas, von dem oben (S. 51 A 92) die Rede war.

[103] Hier ist die soteriologische Struktur der Aussage besonders deutlich zu fassen: Die Berufung des einstigen „Lästerers, Verfolgers und Frevlers" Paulus in die διακονία wird hier ganz als ein Exempel (πρὸς ὑποτύπωσιν, V. 16) für das „Erbarmen" Gottes über die ἄγνοια der Sünder, deren „Prototyp" (vgl. V. 15 f.) Paulus ist, ausgedeutet. Wie wenig der Verfasser der Past selber den Apostel Paulus in dieser Weise zu sehen gewohnt ist, zeigt der Vergleich mit 2 Tim 1,3 ff., einer Stelle, die trotz mancher Berührungspunkte mit dem soteriologischen Lehrtopos (vgl. VV. 9—12!) Paulus als den immer schon untadeligen Diener Gottes darstellt (V. 3).
[104] Ign Rom 9,2 zeigt, daß sich der Topos sogar von der Figur des Paulus als des einstigen Verfolgers löst. Man wird die Stelle nicht nur als eine Anspielung auf den Text von 1 Kor 15,8 f. verstehen dürfen, weil er auch mit 1 Tim 1,12 ff. einen Berührungspunkt aufweist (vgl. ἀλλ' ἐλέημαι mit ἀλλὰ ἐλεήθην 1 Tim 1,13). Es scheint daher berechtigt, auch Ign Rom 9,2 als Zeugnis für den Topos zu betrachten. (Vgl. noch Ign Trall 13,1; Barn 5,9.) — Als letztes Beispiel sei ein apokrypher Text erwähnt: Ep Ap c. 31 aeth, in welchem die Motive des Lehrtopos (vgl. z. B. den Verweis auf das Judesein, die Beschneidung) mit denen der Saulustradition (z. B. Himmelsstimme, Blendung) verbunden sind; entsprechend wird Saulus einerseits (gemäß der Saulustradition) „auserwähltes Gefäß", andererseits (gemäß dem Lehrtopos) „der Letzte der Letzten" genannt. Dieser Text gilt als von der Darstellung der Apostelgeschichte abhängig (vgl. die Stellenverweise bei Duensing in: Hennecke—Schneemelcher, Neutestamentliche Apokryphen I, 3. Aufl., Tübingen 1959, S. 144; C. Schmidt, Gespräche Jesu mit seinen Jüngern nach der Auferstehung. Ein katholisch-apostolisches Sendschreiben des 2. Jahrhunderts, Leipzig 1919 [= TU 43], S. 186; Klein, aaO., S. 141). Diese Einschätzung dürfte falsch sein, und zwar sowohl hinsichtlich der Saulustradition als auch

Diese zwangsläufig bruchstückhafte Skizze will zunächst nicht mehr, als das Bestehen einer an die Verfolgerfigur der Saulustradition anknüpfende Lehrtradition zeigen, welche von Paulus selbst ausgeht und eine Entwicklung erfährt, welche ihre Spuren im gesamten Bereich paulinistischer Überlieferung hinterläßt, so daß man voraussetzen darf, daß im nachpaulinischen Christentum die Saulustradition nicht ohne die daran anknüpfende Lehrtradition überliefert worden ist. Es ist ja sicher kein Zufall, daß der paulinistische Lehrtopos vom „geringsten der Apostel" tendentielle Affinität zur vorlukanischen Redaktion der Saulustradition aufweist.

Von der Basis dieser Voraussetzung aus ist das Verhältnis der lukanischen Expositionen zu den paulinischen Formulierungen in Gal 1,13 f.; 1 Kor 15,9; Phil 3,6 zu beurteilen[105]. Es läßt sich kaum bestreiten, daß es hier eine über bloße sachliche Übereinstimmungen hinausgehende literarische Beziehung gibt. Dabei kommt es auf folgende Dinge entscheidend an: Erstens beziehen sich die Übereinstimmungen im Wortlaut nicht nur auf den Bereich der Saulustradition[106]; zweitens gibt es zwischen Gal 1,13 f. und Apg 22

hinsichtlich des darauf anspielenden Lehrtopos. Es fällt nämlich auf, daß die dem Verfasser der Ep Ap bekannte Fassung der Saulustradition eine von Lukas unabhängige Spätform ist, die noch Berührungspunkte mit der vorlukanischen Gestaltung aufweist: „Darauf wird man ihn hassen und in die Hand seines Feindes ausliefern, und er wird vor sterblichen [Hss. AU + und vergänglichen] Königen bekennen, und die Vollendung des Bekenntnisses zu mir wird über ihn kommen . . ." (nach Duensing, aaO.). In dieselbe Richtung deutet auch die Tatsache, daß im 33. Kapitel in Übereinstimmung mit der ursprünglichen Fassung der Saulustradition und entgegen der lukanischen Interpretation vorausgesetzt wird, daß der Plan zur Vernichtung der Kirche in Damaskus nicht die Fortsetzung einer voraufgehenden Serie von Verfolgungsaktionen des Saulus gewesen ist. Nach der Darstellung der Ep Ap kommt Saulus auf seinem Weg nach Damaskus von Cilicien. Zur vorlukanischen Tradition dürfte auch das Motiv der „Abwendung" in der Ankündigung des Auferstandenen gehören. „Jenen Mann aber werde ich abwenden, daß er nicht hingeht und den bösen Plan vollbringt . . ." (nach Duensing, aaO., S. 145). (Zur Einordnung des Motivs der „Abwendung" vgl. § 2, II.) Was die dem Topos zugeordneten Motive angeht, ist eine Abhängigkeit der Ep Ap von Lukas wegen der Wendung „der Letzte der Letzten wird Prediger für die Heiden werden" auszuschließen. Diese Ausdrucksweise ist unlukanisch. Sie setzt einen anderen Zugang zum paulinistischen Topos voraus. Die Stelle ist als ganze deshalb von besonderem Interesse, weil sie den Fortbestand der Nachbarschaft der Saulustradition und des davon abgeleiteten soteriologischen Lehrtopos vom „Letzten der Apostel" bezeugt. (Zu den Anspielungen auf den Lehrtopos im 2. Kapitel der Actus Vercellenses vgl. unten, S. 171 f.)

[105] Vgl. zum folgenden die beigefügte Synopse (Beilage II).
[106] Zum Bereich der Saulustradition zählen alle Elemente, die sich auf die Ver-

einerseits und Gal 1,13 f. und Apg 26 andererseits Übereinstimmungen, welche nicht zwischen Apg 22 und Apg 26 bestehen, nämlich:

ζηλωτὴς ὑπάρχων	—	ζηλωτὴς ὑπάρχων
(Gal 1,14)		(Apg 22,3)
ἐν τῷ ἔθνει μου	—	ἐν τῷ γένει μου
(Gal 1,14)		(Apg 26,4)
περισσοτέρως	—	περισσῶς
(Gal 1,14)		(Apg 26,11 b);

drittens ist zu beachten, daß die wörtlichen Entsprechungen in einigen Fällen nicht zugleich sachliche Übereinstimmung anzeigen[107]. Dies alles deutet darauf hin, daß zwischen den lukanischen und den paulinischen Texten nicht nur eine gemeinsame inhaltliche Vorstellung, sondern darüber hinaus ein Lukas vorgegebener Sprachgebrauch vermittelt, eben der des paulinistischen Lehrtopos, der seinen Ausgangspunkt bei Paulus selbst hat.

Je nach dem, wie eng man den Zusammenhang zwischen der Überlieferung der Saulustradition und der des paulinistischen Lehrtopos einschätzt, fällt die nähere Bestimmung der literarischen Beziehung zwischen den lukanischen Expositionen und Gal 1,13 f. aus. Nimmt man einen sehr festen Zusammenhang an, kann man den Befund damit erklären, daß bereits Paulus auf eine erweiterte Fassung der Exposition der Saulustradition anspielt. Dies ist jedoch unwahrscheinlich; denn Lukas hätte dann in seinem Grundbericht auf das für das Verständnis der Saulusfigur höchst bedeutsame ζῆλος-Motiv verzichtet, es sei denn, man wollte es in dem sehr viel schwächeren[108] ἦν συνευδοκῶν in Apg 8,1 a entdecken. In Wirklichkeit scheint der Fall anders zu liegen: Das vergleichsweise schwache συνευδοκῶν in Apg 8,1 a hat Lukas gesetzt, um

---

folgertätigkeit beziehen; sie gruppieren sich um das Verbum διώκειν (Gal 1,13; 1 Kor 15,9; Phil 3,6 gegenüber Apg 22,4; 26,11 trotz redaktionellen Kontexts). Zum Bereich des Lehrtopos gehören die Elemente, die sich auf den „einstigen Wandel im Judentum" beziehen; sie gruppieren sich um das Stichwort „Eifer" (ζῆλος/ζηλωτής) (Gal 1,14; Phil 3,6 gegenüber Apg 22,3; sachlich auch Apg 26,5 f.).

[107] Dies gilt vor allem für Apg 26,11, wo ἐδίωκον und (das lukanische Hapaxlegomenon) περισσῶς in einem anderen Sinnzusammenhang stehen als in Gal 1,13 f. Dies ist ein klares Indiz für indirekte literarische Beziehung.

[108] Das συνευδοκεῖν ist insofern schwächer als das ζηλωτὴς ὑπάρχων, als sich der „Eifer" in eigenen Taten konkretisiert, während das συνευδοκεῖν die Haltung gegenüber den Taten anderer bezeichnet. Unter einem anderen Gesichtswinkel kann man das συνευδοκεῖν allerdings auch als akzentuierende Hervorhebung der Gesinnung — im Unterschied zum bloßen Handeln — verstehen. Letzteres scheint Lukas zu beabsichtigen; vgl. Apg 22,20.

überhaupt wenigstens andeutungsweise auf den „einstigen Wandel" des Saulus „im Judentum" anspielen zu können; die Saulustradition selbst enthielt kein ζῆλος-Motiv in dieser Ausprägung. Deshalb empfiehlt sich eine andere Deutung der literarischen Beziehung der Redevarianten zu Gal 1,13 f., die davon ausgeht, daß der Hinweis auf den einstigen Wandel des Saulus im Judentum, der die einstige Verfolgertätigkeit des Saulus als Ausdruck sarkischen Gesetzeseifers interpretierte, nicht notwendig an der Saulustradition (als Zusatz zur Exposition) haftete, sondern als Topos selbständig tradiert wurde, wobei die sachliche Nähe zur Saulustradition selbstverständlich kein Geheimnis war, weil das Verfolgungsmotiv Bestandteil des verselbständigten Topos blieb. Dieser Beurteilung legen auch die übrigen paulinischen Stellen (1 Kor 15,9; Phil 3,6) nahe, in denen der Topos in zwei ganz verschiedenen Ausprägungen von formelhafter Prägnanz, losgelöst von weiteren Assoziationen an die Saulustradition, begegnet.

Dies Ergebnis besagt im Hinblick auf die lukanische Gestaltung der Saulustradition in den Redevarianten, daß es zwar Lukas gewesen ist, der das ζῆλος-Motiv in die Exposition der ihm vorliegenden Fassung eingetragen hat, daß er dabei jedoch auf einen ihm vorgegebenen, auf die Saulustradition anspielenden theologischen Topos zurückgreifen konnte. Die Exegese des lukanischen Befundes wird dies berücksichtigen müssen. Man kann das lukanische Verständnis der einstigen Rolle des Saulus im Judentum nicht schon daran ablesen, daß in den lukanischen Redevarianten der „Eifer" als Motivation des Christenhasses erscheint, sondern erst an der besonderen Art, wie das ζῆλος-Motiv von Lukas in diesem Zusammenhang eingesetzt wird. Die Frage nach dem lukanischen Paulusbild wird dadurch entscheidend präzisiert[109].

Unter diesem Gesichtspunkt kann das Ergebnis so zusammengefaßt werden:

1. Die Übereinstimmungen zwischen den lukanischen Erweiterungen der Exposition der Saulustradition — insbesondere in den beiden Redevarianten — und Gal 1,13 f. beruhen auf einer literarischen Beziehung.

2. Diese besteht nicht in einer unmittelbaren Abhängigkeit des Lukas von Gal 1,13 f., sondern beruht auf seiner Kenntnis eines soteriologischen Topos der paulinistischen Lehrtradition, der in Aussagen wie Gal 1,13 f.; 1 Kor 15,8 f.; Phil 3,6 seinen Ausgangspunkt hat und im gesamten Bereich nachpaulinischer Überlieferung nachweisbar ist.

---

[109] Vgl. unten, § 4, II 1b.

3. Der für die lukanischen Erweiterungen der Exposition der Saulustradition maßgebliche Topos versteht die frühere Verfolgertätigkeit des Paulus als Ausdruck seines Gesetzeseifers.
4. Wenn Lukas das ζῆλος-Motiv in die Saulustradition übernimmt, folgt er damit dem paulinistischen Lehrtopos. Für die Exegese der lukanischen Redaktion bedeutet dies, daß man nicht die Verbindung des ζῆλος-Motivs mit der Saulustradition als solche, sondern die spezifisch lukanische Ausprägung des toposhaft vorgegebenen Motivzusammenhangs zu interpretieren hat.

§ 2 FORMKRITISCHE ANALYSEN

Die literarkritischen Überlegungen haben als den ursprünglichen Bestand der Saulustradition folgenden Textumfang abgesteckt: Apg 8,3; 9,1—12. 17—19 a. (Die ursprüngliche Einleitung läßt sich nicht rekonstruieren.)[1] Es wurde noch nicht untersucht, in welchem Maße die beiden Redaktoren den ursprünglichen Text überarbeitet haben. Die Durchführung der literarkritischen Analyse ist also noch nicht abgeschlossen.

Wenn dennoch jetzt schon mit der formkritischen Analyse begonnen wird, so geschieht dies aus folgenden Überlegungen:
1. Die vorlukanischen Einschübe und Veränderungen enthalten programmatische Aussagen über Paulus. Sie reflektieren den Sachverhalt einer exemplarischen Berufung (Erwählung). Das hinter den vorlukanischen Interpretamenten wirksame theologische Interesse an der Saulustradition wurde skizziert. Es ist klar, daß eine zweite Redaktion (Lukas) vor allem um die Rezeption dieser Interpretamente bemüht sein mußte, so daß von vornherein vermutet werden darf, daß der Schwerpunkt der lukanischen Redaktion im Bereich der sekundären Schichten liegt.
2. Der Traditionskern ist von einer weniger stark reflektierenden Sprache bestimmt. Kennzeichnend sind konkrete, plastische Details von drastischer Leibhaftigkeit. Einem späteren Interpreten räumt eine solche Sprache einen weitaus größeren Interpretationsspielraum ein als die qualifizierte Terminologie der vorlukanischen Redaktion. (Nicht als hätte die ursprüngliche Form der Saulustradition weniger theologischen Sinn; sie artikuliert ihn nur anders.) Dies bedeutet für unsere Frage, daß man den

---

[1] Vgl. oben, S. 23 f.

Anteil der Redaktionen an der Gestaltung der ursprünglichen Elemente der Tradition jedenfalls sehr viel geringer einschätzen muß als den Anteil des Lukas an der Gestaltung der sekundären Schicht.

3. Es scheint daher nicht notwendig, einen weiteren literarkritischen Arbeitsgang durchzuführen, sondern es soll versucht werden, die restlichen literarkritischen Fragen im Zusammenhang formkritischer Überlegungen mitzubehandeln.

I. Die Struktur der Saulustradition

Entsprechend dem Ergebnis der literarkritischen Analyse zeigt die Saulustradition in ihrer ursprünglichen Form folgenden Aufbau:

Exposition: Der Verfolger plant, die Gemeinde in Damaskus zu vernichten
              (8,3; 9,1 f.);
1. Teil: Der Verfolger wird auf dem Weg, kurz vor dem Ziel, vom Kyrios niedergeworfen
              (9,3—9);
2. Teil: Ein vom Kyrios beauftragter Jünger heilt den ehemaligen Verfolger von den Folgen seines Sturzes
              (9,10—12.17—19 a).

Die Korrespondenz der beiden Teile wird durch die Entsprechung der jeweiligen Schlußmotive angezeigt:
    V. 9   — Blindheit, Fasten
    V. 18 f. — Heilung, Speiseaufnahme.
Die Korrespondenz der Teile beruht auf einer antithetischen Struktur, die außer den Schlußmotiven folgende weitere Motive in ihrem strukturellen Wert einander zuordnet:

der Verfolger	einer der Verfolgten
wird entgegen seiner Absicht	wird unerwartet
durch eine Vision	durch eine Vision
in seiner Annäherungsbewegung	zur Annäherung an den Verfolger
zum Stillstand gebracht;	in Bewegung gesetzt.

Die in dieser Struktur aufgebaute erzählerische Spannung wird dadurch gelöst, daß die durch himmlische Steuerung (Visionen) koordinierten Bewegungen irdischer Figuren in einer Weise ans Ziel (Begegnung) kommen, die den ursprünglichen Absichten (vor allem des Saulus) und den eigenen Kräften (vor allem des Ananias) der beteiligten Menschen nicht entspricht: Es tritt das Gegenteil von

dem ein, was Saulus geplant hat; was Ananias tut, hätte er aus
eigener Initiative niemals auch nur versucht.

Die für den Aufbau der Erzählung entscheidende Idee ist also die
himmlische Koordinierung irdischer Vorgänge. Strukturmerkmale
der ursprünglichen Form sind der Schauplatzwechsel in Verbindung
mit dem Wechsel der Personen und dem Neuansatz des Erzählens
in V. 10 sowie die starke Betonung der himmlischen Führung des
Geschehens sowohl durch das direkte Eingreifen des Kyrios als
auch durch die wunderbare Antizipation der Begegnung der irdischen Hauptfiguren durch die Vision des Saulus. Die formale
Symmetrie der Erzählung wird erst unter diesem Aspekt ganz
deutlich: Die beiden Teile handeln von getrennten Wegen irdischer
Figuren unter himmlischer Leitung und von der Begegnung der
irdischen Figuren infolge dieser überirdischen Steuerung. Es besteht
kein Zweifel, daß dieses Konzept nicht das Ergebnis einer Überformung der Tradition durch einen Redaktor sein kann.

II. Motivgeschichtliche Ansätze zur formgeschichtlichen Einordnung der Saulustradition

Ansätze zu einer formgeschichtlichen Betrachtung der Saulustradition finden sich bereits in der religionsgeschichtlich orientierten Forschung. Sie gehen überwiegend von der Verfolgerfigur aus,
nicht nur weil sie besonders drastisch gekennzeichnet wird, sondern
weil der neuzeitlichen Exegese an der Gestalt des späteren Apostels mehr gelegen ist als am Schicksal der damals von ihm verfolgten Gemeinde und ihres Repräsentanten.

Da es im Bereich der neutestamentlichen Überlieferung keine weiteren Einzeltraditionen gibt, deren Hauptfigur mit der des Verfolgers Saulus vergleichbar ist[2], die zum Vergleich herangezogenen
Texte bei diesem Ansatz also von vornherein außerhalb des NT
gesucht werden, ergeben sich noch keine direkten Anhaltspunkte
für die Einordnung der Saulustradition in die Formenwelt der
urchristlichen Literatur. Es ist aber durchaus möglich, die älteren
Ansätze für eine verbesserte formgeschichtliche Fragestellung nutz-
bar zu machen.

[2] Hinzuweisen wäre allenfalls auf den auch neutestamentlich begegnenden
Legendentypus „de mortibus persecutorum" (Apg 12,20—23; vgl. Mt 2,13—23),
eine Spielart der Legende von der Bestrafung angemaßten Gottmenschen-
tums (vgl. Apg 12,22); vgl. W. Nestle, Legenden vom Tod der Gottesverächter, in: Archiv für Religionswissenschaft 33 (1936) 246—269; zur Saulustradition S. 264—267. Eine gattungsmäßige Verwandtschaft mit der Saulustradition besteht aber nicht, wie sich zeigen wird.

1. Formelemente der Legende „vom verhinderten Tempelraub"

Am stärksten ist die Ähnlichkeit der Saulustradition mit der Heliodorlegende (2 Makk 3) diskutiert worden.

Die zunächst von Drews, etwas differenzierter auch von Smend[3] angenommene direkte Abhängigkeit der Acta-Berichte von der Heliodorlegende wurde von Windisch[4] mit der modifizierenden These bestritten, es handle sich bei diesen Texten um zwar ähnliche, voneinander aber unabhängige Erzählungen. Windisch machte deshalb gegen Drews und Smend auf die Unterschiede zwischen der Saulus- und der Heliodorerzählung aufmerksam[5]. Als Parallelen ließ er folgende neun Punkte gelten[6]:

1. Durch Verrat des Simon erfährt der syrische Statthalter von großen Schätzen im Tempel.
   Saulus erfährt, daß in Damaskus Christen sind (auf Grund von Apg 9,2 erschlossenes Motiv).
2. Der syrische König beauftragt seinen Kanzler Heliodor mit der Konfiszierung der Schätze.
   Saulus wird vom Hohenpriester zur Deportation der Christen in Damaskus bevollmächtigt.
3. Ganz Jerusalem ist von Angst erfüllt.
   Absicht und Auftrag des Saulus sind in Damaskus bekannt (nach Apg 9,13 f.).
4. Heliodor wird durch himmlische Kräfte (einen Reiter und begleitende Figuren) am Tempelraub gehindert, wird gegeißelt, fällt zu Boden, wird von Finsternis umfangen, verliert die Sprache und wird von Begleitern hinausgetragen.
   Saulus wird von einer himmlischen Lichterscheinung an der Weiterreise gehindert, fällt zu Boden, verliert das Augenlicht und wird von Begleitern nach Damaskus geleitet.

---

[3] A. Drews, Die Entstehung des Christentums aus dem Gnostizismus, Jena 1924, S. 243—245; F. Smend, Untersuchungen zu den Acta-Darstellungen von der Bekehrung des Paulus, in: Angelos 1 (1925) 34—45.

[4] H. Windisch, Die Christusepiphanie vor Damaskus (Act 9, 22 und 26) und ihre religionsgeschichtlichen Parallelen, in: ZNW 31 (1932) 1—23.

[5] Vgl. Windisch, aaO., S. 3 ff. Daß Windisch nun seinerseits (aaO., S. 9 ff.) in Übereinstimmung mit Smend (vgl. aaO., S. 41—43) eine direkte Abhängigkeit der drei Versionen der Saulustradition von den Bakchen des Euripides behauptete (vgl. zu dieser Auffassung Kritik und Literaturangaben bei Haenchen, Komm. S. 611 A 2), kann hier unerörtert bleiben, da der für die Auffassung entscheidende Satz σκληρόν σοι πρὸς κέντρα λακτίζειν (Apg 26,14) — er soll auf V. 794 der Bakchen zurückgehen: θύοιμ' ἂν αὐτῷ μᾶλλον ἢ θυμούμενος / πρὸς κέντρα λακτίζοιμι θνητὸς ὢν θεῷ — im Grundbericht Apg 9 nicht begegnet.

[6] Vgl. aaO., S. 3—5.

5. Der Hohepriester Onias tritt als Fürsprecher des niedergeworfenen Feindes ein.
Ananias wird Saulus' Helfer.
6. Durch ein Sühnopfer des Onias wird Heliodor am Leben erhalten und einer zweiten Vision gewürdigt.
Saulus wird durch Handauflegung geheilt und einer zweiten Vision gewürdigt[7].
7. Inhalt der zweiten Vision ist die Weisung für Heliodor, als Zeuge der Macht Gottes in seine Heimat zurückzukehren.
Ananias erfährt in seiner Vision von Saulus' künftiger Aufgabe als Missionar[8].
8. Heliodor erfüllt den Auftrag.
Saulus ebenfalls (Apg 9,20 ff.).
9. Freude in Jerusalem. — Staunen in Damaskus.

Bei kritischer Prüfung dieser Aufstellung sind gegen die meisten Punkte Einwände zu erheben:

zu 1: Das Motiv des Verrats kommt in Apg 9 nicht vor.
zu 3: Die Ähnlichkeit der Motive ist gering[9]. Zudem betrifft sie nur die redigierte Fassung der Saulustradition.
zu 5: Das Motiv der himmlischen Beauftragung des Fürsprechers oder Helfers fehlt in 2 Makk 3[10].
zu 6: Die aufgeführten Motive sind grundverschieden: Sühnopfer und Heilungswunder. Eine Vision im Anschluß an die Rettung gibt es im Grundbericht Apg 9 nicht.
zu 7: Die ohnehin nur vordergründige Ähnlichkeit setzt die redigierte Fassung der Saulustradition voraus.
zu 8: Diese Parallele basiert auf dem redigierten Text der Saulustradition.
zu 9: Es liegt keine Parallele vor; jede Geschichte hat den zu ihr passenden Schluß.

Als ernsthaft zu diskutierende Entsprechungen bleiben also nur die Punkte 2 und 4; sie betreffen die Feindfigur, und zwar ihre Bevoll-

[7] Gemeint ist die Tempelvision (Apg 22,17 ff.). Sinnvoller wäre der Verweis auf die „Doppelvision" Apg 9,12.
[8] Die Parallelität wäre deutlicher, wenn Windisch auch hier auf die Tempelvision hingewiesen hätte. Die Schwierigkeit besteht darin, daß nach der Version von Apg 22 Saulus schon vorher durch Ananias einen Sendungsauftrag erhält: Apg 22,14 f.
[9] Die Weigerung des Boten Apg 9,13 f. dient als „Stilmittel" nicht wie in der Heliodorlegende dazu, die Größe der Gefahr zu betonen — Saulus ist blind! —, sondern ist Anlaß zur Gegenüberstellung der früheren und der zukünftigen Rolle des Saulus. Die Kraft göttlicher Erwählung (ἐκλογή) wird so sichtbar.
[10] Onias handelt aus eigener Einsicht und Initiative; er wendet sich durch Opfer und Gebet an Gott, während Ananias vom Kyrios angesprochen wird.

mächtigung (2) und ihre Entmachtung (4). Da das Schema „Macht
und Ohnmacht" nicht die Struktur der Saulustradition erklärt, ergibt
der Vergleich von Apg 9 und 2 Makk 3 bisher nur die Übereinstimmung in einem Zentralmotiv.

Dies im ganzen negative Ergebnis dürfte allerdings z. T. auch
dadurch bedingt sein, daß bei der Frage nach „religionsgeschichtlichen Parallelen" zu sehr von der Übereinstimmung vordergrün-
diger Details ausgegangen wird. Eine Verwandtschaft in der literarischen Formgebung, wie sie die formgeschichtliche Methode auf-
deckt, braucht nicht notwendig in der völligen Konformität mehre-
rer Exemplare einer Gattung in der Einzelausführung zum Ausdruck zu kommen.

In jüngerer Zeit ist die Überlieferung von Heliodor, dem verhinderten Tempelräuber, von N. Stokholm motiv- und traditionsgeschichtlich untersucht worden[11], übrigens ohne Bezugnahme auf
Apg 9 parr. Stokholm zieht außer 2 Makk 3; 4 Makk 4,1—14 und
3 Makk 1,8—2,24[12] als weitere Parallelen zur Heliodor-Überliefe-
rung einen Herodot-Text[13] und einen babylonischen Text[14] zum
Vergleich heran. Seine Ergebnisse sind geeignet, die motiv- und
formgeschichtliche Einordnung auch der Saulustradition zu präzisieren.

Wichtig ist zunächst die Tatsache, daß die Motivzusammenhänge
nicht von der Verfolgerfigur her zu begreifen sind, sondern vom
Motiv der Bedrohung des Heiligtums. Alle Parallelen sind Tempel-

[11] N. Stokholm, Zur Überlieferung von Heliodor, Kuturnahhunte und anderen
mißglückten Tempelräubern, in: StTh 22 (1968) 1—28.

[12] Die Verwandtschaft der genannten Stellen aus den Makkabäer-Büchern wird
häufig auf direkte (4 Makk 4 als „Verkürzung" von 2 Makk 3), weniger
häufig auf indirekte Abhängigkeit (unabhängige Benutzung des Werkes von
Jason von Kyrene [vgl. 2 Makk 2,33]) zurückgeführt. Eine Korrektur der
zweiten Vorstellung versucht Stokholm, aaO., S. 22—27. Die Tempelräuberlegenden der Makkabäerbücher gehen nach Stokholm zurück auf eine münd-
liche Protoerzählung, die in Anlehnung an ein orientalisch-griechisches Über-
lieferungsmuster den gescheiterten Versuch eines Tempelraubes unter Seleukos
IV. Philopator (187—175 a. C.) darstellt. Die engere Zusammengehörigkeit
dieser Texte macht sich besonders in dem kennzeichnenden gemeinsamen Zug
bemerkbar, daß der Hohepriester (Onias bzw. in 3 Makk 1,2 Simon) vermit-
telnd eintritt.

[13] VIII 35—38; der Text berichtet von der Absicht des Xerxes, die Tempel-
schätze der Athene in Delphi rauben zu lassen, und der Vereitelung dieses
Plans durch „Naturereignisse" (Donnerkeile, niederstürzende Bergkuppen)
und Eingreifen himmlischer Figuren (Lokal-Heroen).

[14] Sammlung Spartoli (British Museum) Sp. 158 + Sp. II, 962 (d. i. der längste
der sog. Kedarlaomer-Texte); Ausg. m. Übers. u. Komm. von T. G. Pinches,
in: Journal of the transactions of the Victoria Institute XXIX, 1897.
Weitere Hinweise s. bei Stokholm, aaO., S. 8 A 22.

legenden; die Feinde sind alle Tempelräuber. Dieser Gesichtspunkt kommt bei den oben genannten älteren Studien zu Apg 9 nicht zum Tragen. Wenn man überhaupt motiv- und formgeschichtliche Zusammenhänge zwischen der Saulustradition und den hier behandelten Tempellegenden annimmt, so würde dies bedeuten, daß die Gemeinde von Damaskus die Gefährdung ihrer Existenz durch den Verfolger Saulus im Rückgriff auf den literarischen Motivkreis der Legende vom vereitelten Tempelraub dargestellt hätte. Dies ließe gewisse Rückschlüsse auf das Selbstverständnis dieser Gemeinde zu. Es würde besagen, daß die Damaszener Christen ihre Gemeinde als „Tempel", was nur heißen kann: als „neuen", „anderen" Tempel (gegenüber dem in Jerusalem), sich selbst also als „neue" Gemeinde in Absetzung von der Kultgemeinschaft des Judentums verstanden hätten. Zugleich würde verständlich, warum die Motiventsprechungen zwischen den Tempellegenden und der Saulustradition niemals ganz durchschlagend sind, solange man von vordergründigen Kriterien (Szenerie, Figuren, äußeres Geschehen) ausgeht: Wenn die Saulustradition motivgeschichtlich von den Tempelräuberlegenden abhängt, muß man von vornherein mit einem Brechungsverhältnis rechnen, da der Inhalt des „Tempel"-Topos sich wesentlich verschoben hätte.

Die hier angedeuteten Möglichkeiten sollen an den von Stokholm erarbeiteten Ergebnissen überprüft werden: Stokholm stellt in den „Legenden vom verhinderten Tempelraub" sieben konstitutive Motive fest[15]:

1. Der Tempelraub wird von einem König angeordnet, aber von einem Stellvertreter durchgeführt[16].
2. Alle Legenden sind ortsgebunden (Tempel).
3. Anlaß des Plans sind „Schätze" im Tempel (Stokholm weist S. 21 darauf hin, daß „das Element eigentlich lautet: Der Reichtum oder die Schätze Gottes").
4. Die Gottheit greift selbst zum Schutz ihres Tempels ein (mittelbar durch Zwischenwesen oder Naturkräfte oder unmittelbar, z. B. durch „Gottesschrecken").
5. Die Bestrafung des Räubers erfolgt:
   a) „nahe" am Tempel, außerhalb des Adyton;
   b) durch Beben, Licht, Schläge;
   c) sie bewirkt eine Lähmung des Feindes (verschiedene Ausgestaltungsmöglichkeiten).
6. Alle Beispiele kennen das Eintreten eines heiligen Mannes (zu-

---

[15] Vgl. die tabellarische Übersicht aaO., S. 20.
[16] Einzige Ausnahme: 3 Makk 1,8—2,24.

gunsten des Tempels bzw. des Feindes) auf der Seite des bedrohten Heiligtums.

7. Die Schätze werden gerettet, der Räuber ebenfalls[17].

Diese sieben Hauptmotive finden sich alle in der Saulustradition
wieder, z. T. überraschend genau:

1. Stellvertreterfunktion des Verfolgers:
   Das Vollmachtschreiben des Hohenpriesters weist Saulus als
   Beauftragten einer höchsten Instanz aus[18].

2. Ortsgebundenheit:
   Das Anliegen der Tradition, die Ortsgebundenheit des Geschehens zum Ausdruck zu bringen, wurde bereits erwähnt (vgl.
   oben, S. 16); ferner ist das Annäherungs-Motiv zu beachten:
   Apg 9,3a.

3. Reichtümer der Gottheit als Anreiz der feindlichen Aktivitäten:
   Hier kommt nur eine indirekte Parallelität in Frage. Darf man
   die „Reichtümer" in den Christen selbst sehen, die Saulus in
   Damaskus zu „finden" hofft (ἐάν τινας εὕρῃ, 9,2)?

4. Eingreifen der Gottheit:
   Die Entsprechung liegt auf der Hand. Anzumerken ist, daß der
   Jesus, der die Verfolgung verhindert, indem er dem Verfolger
   erscheint und zu ihm spricht, nicht als „Zwischenwesen" aufzufassen ist; denn wenn er sich zu erkennen gibt als „Jesus, den du
   verfolgst" (9,5), wenn die feindliche Aktivität des Verfolgers sich
   also unmittelbar gegen ihn richtet, so tritt er entsprechend als
   der „Gott" des bedrohten „Heiligtums" in Erscheinung. Die
   Selbstpräsentation mit „ich bin" würde allein für sich genommen
   diesen Schluß noch nicht zulassen.

5. Bestrafung des verhinderten Räubers:
   a) Der Sturz des verhinderten „Tempelräubers" Saulus ereignet
   sich nahe der Stadt (vgl. außer 9,3 auch 9,6b.8fin.), in der die
   Gemeinde lebt.
   b) Das Mittel der Bestrafung ist das Licht und seine blendende
   Kraft.
   c) Die auch nach dem Sturz anhaltende Lähmung des Verfolgers

---

[17] Dies nicht etwa aus dem primär ätiologischen Grund, daß die Legende den
nachprüfbaren Ausgang der Geschichte erklären muß (so Stokholm, aaO., S. 4),
sondern um den Räuber als Zeugen der Macht der Tempelgottheit zum feindlichen Lager (König) zurückzuschicken. Eine Rücksichtnahme auf historische
Fakten wird man in diesem Punkt nicht erwarten dürfen.

[18] Hier ergibt sich der entscheidende Anhaltspunkt für die Ursprünglichkeit des
Brief-Motivs in der Saulustradition und für die motivgeschichtliche Beurteilung
seiner Funktion: Dem Feind-„Stellvertreter" stehen „Stellvertreter" Gottes
(Licht, Donner, Beben, himmlische Wesen) gegenüber; die feindlichen Mächte
selbst verlassen ihre Positionen nicht.

besteht in seiner Blindheit; diese nimmt ihm die Möglichkeit der selbständigen Fortbewegung (9,8).

6. Der zugunsten des niedergeschmetterten Frevlers handelnde „heilige Mann" ist in der Saulustradition Ananias[19].

7. Die Rettung der „Schätze" (Gemeinde) und des „Räubers" (Saulus) bilden in der Saulustradition ein einziges Motiv: Der Verfolger wird selbst Jünger.

Es zeigt sich damit, daß die Parallelität zwischen den Tempelräuberlegenden und der Saulustradition deutlicher zutage tritt, als der vordergründige Vergleich mit der Heliodorgeschichte vermuten läßt[20]. Motivgeschichtliche Beziehungen sind nicht zu bestreiten, wenn auch die Gattungsfrage noch einer weiteren Klärung bedarf[21]. Daß die Saulustradition die Motive der Tempelräuberlegenden nur in einem Brechungsverhältnis zu ihrem ursprünglichen Inhalt („Tempel" — „neuer Tempel") übernimmt, deutet darauf hin, daß die Saulustradition gegenüber ihren literarischen Mustern ein hohes Maß an theologischer Eigenständigkeit aufweist. Sie betrifft nicht nur das Selbstverständnis der „Tempel"-Gemeinde, sondern auch ihr Verhältnis zum Gegner. Zwar verbleiben die eigentlichen Kontrahenten (der Hohepriester — der Kyrios) in ihren Ausgangspositionen — d. h. das Feindschema bleibt grundsätzlich vom Ausgang der Saulusgeschichte unberührt —; aber es kommt der Saulustradition nicht primär darauf an, daß der Gottesfeind um jeden Preis vom heiligen „Tempel"-Bereich ferngehalten wird, sondern daß er dem Repräsentanten der Gemeinde begegnet, daß er geheilt und in die Gemeinschaft der Verfolgten aufgenommen wird. Das Feindschema wird durch das Ende der Saulusgeschichte relativiert. Die wunderbare Korrespondenz der Ereignisse, die dem Sturz des Feindes folgen, ist ein Strukturmerkmal der Saulustradition, das sich in den Legenden vom verhinderten Tempelraub nicht nachweisen läßt. (Die Vision des Heliodor hat keine Steuerungsfunktion; der Hohepriester Onias handelt auf Grund eigener Initiative.)

Aus dieser Gegenüberstellung lassen sich weitere Rückschlüsse auf den „Sitz im Leben" der Saulustradition ziehen. Die Figur des Verfolgers und die Motive der Bevollmächtigung und der Entmach-

---

[19] Die Motiventsprechung ist, wie schon gesagt (s. oben S. 65) nicht zwingend, kann also nur in Verbindung mit den anderen gelten.

[20] Stokholm betrachtet 2 Makk 3 als überlieferungsgeschichtlich jüngste Stufe gegenüber 4 Makk 4 und 3 Makk 1; 2 (vgl. aaO., S. 22—26). Der Vergleich der Heliodorlegende mit der Saulustradition auf der Basis von 2 Makk 3 in der oben geschilderten herkömmlichen Weise ist nach dieser Auffassung mit vielen sekundären Details belastet, so daß das Ergebnis verständlicherweise zunächst wenig ermutigend ausfällt.

[21] Siehe u., Abschnitt III.

tung weisen darauf hin, daß die Saulustradition ebenso wie die Tempelräuberlegenden auf dem Boden einer Konfliktsituation entstanden sind. Eine Minderheit, die sich selbst als machtlos versteht, erfährt als „Kult"-Gemeinde den Schutz ihres Gottes, unter dessen Protektion sie den von einer mit Machtmitteln ausgestatteten Umwelt ausgeübten feindlichen Druck zu ertragen hofft. Dabei arbeiten die Tempelräuberlegenden vor allem mit dem Mittel der Abschrekkung durch Tabuisierung des Tempels[22]. Heliodor wir als „gebranntes Kind" in den Bereich der mächtigen Feindmajorität zurückgeschickt, um die feindliche Gruppe vor weiteren Übergriffen zu warnen. Nur zu diesem Zweck wird er geschont. Die Warnung des Feindes erfolgt durch das Bezeugen der wunderbaren Übermacht Jahwes, unter der das um den Tempel gescharte Volk Sicherheit genießt. Bei dieser Bezeugung bleiben die bestehenden Frontlinien erhalten; es geht der Erzählung nur um eine Sicherung dieser Grenzen, innerhalb derer die Tempelgemeinde in ihrer ethnischen und religiösen Sonderrolle leben will. — Die Saulustradition will dagegen nicht durch Abschreckung (Selbsttabuisierung) bestehende Grenzen sichern, sondern arbeitet als den eigentlichen Erfolg der himmlischen Protektion die „Heilung" des Verfolgers von seiner „Blindheit" heraus. Saulus kehrt nicht als ein geschonter Feind zur Warnung an die Feindpartei zurück, sondern er wechselt das Lager. Eine Grenze wird damit durchlässig. Dieser Zug verweist auf einen anderen Sitz im Leben für die Saulustradition: auf die Mission. Der „Fall Saulus" wird als missionarischer Erfolg gewertet und propagandistisch ausgewertet. Nicht Selbstschutz durch Abschreckung, sondern Werbung ist der „Zweck" der Traditionsbildung über die Bekehrung des Saulus[23].

2. Formelemente synagogaler Propagandaliteratur

Mit diesem vorläufigen Ergebnis ist ein neuer Ansatz für die formgeschichtliche Einordnung der Saulustradition gewonnen: Das literarische Vergleichsmaterial kann in der zeitgenössischen religiösen

[22] Vgl. D. Georgi, Die Gegner des Paulus im 2. Korintherbrief. Studien zur religiösen Propaganda in der Spätantike, Neukirchen 1964 (= WMANT 11), S. 150 A 2. Die Tabuisierung gehört nach Georgi zusammen mit dem Verfolgungs- und Leidensmotiv zum Zusammenhang der θεῖος ἀνήρ-Vorstellung. Georgi weist auf eine „kollektive Variante" dieses Tabugedankens hin (wunderbare Bewahrung des Volkes Israel beim Exodus; vgl. Weish 11; 12; 16 ff.; weitere Belege bei Georgi, aaO.). In diesen Rahmen läßt sich auch die Tabuisierung des Tempels, in deren Genuß ja die Tempelgemeinde kommt, einordnen.

[23] Im übrigen bleibt anzumerken, daß auch die Selbsttabuisierung nicht nur

Propagandaliteratur gesucht werden, ohne daß dabei die Bedingung gestellt ist, daß die zum Vergleich herangezogenen Texte mit einer Feindfigur arbeiten[24]. Kennzeichnend für die Saulustradition ist nicht nur, daß die Feindfigur des Verfolgers vorkommt, sondern daß sie zur Freundfigur umgewandelt wird. Diese Umwandlung, die literarisch eine Relativierung des Freund-Feind-Schemas bedeutet, vollzieht sich in der Metanoia (vgl. Apg 9,9. 11), der Grundforderung nicht nur der urchristlichen Mission, sondern auch der synagogalen Proselytenwerbung. Diese Forderung wird in vielerlei Formen erhoben; es kann deshalb zunächst nicht darum gehen, eine bestimmte Gattung im Umkreis der zeitgenössischen Propagandaliteratur ausfindig zu machen, die mit der Saulustradition zu vergleichen wäre. Da aber die Saulusgeschichte die Metanoia in einer ganz bestimmten Weise propagiert, nämlich indem sie einen außerordentlichen „Fall" erzählt, kann zunächst unabhängig von der Gattungsfrage der Versuch gemacht werden, die in der Darstellung der Metanoia des Saulus verwendeten Motive mit Parallelen aus der Formenwelt zeitgenössischer religiöser Propaganda zu beleuchten.

Das Motiv der Metanoia taucht zweimal auf: Apg 9,9 („und er aß nicht und er trank nicht") und 9,11 fin. („denn siehe, er betet"). Die erste Stelle bezieht sich auf die Wirkung der Christusepiphanie auf Saulus; die zweite begründet den Auftrag an Ananias, Saulus aufzusuchen[25]. Die Form der Auftragsbegründung ist in unserem Zusammenhang besonders aufschlußreich: Sie ist — vom Standpunkt einer historisch wahrscheinlichen Darstellungsabsicht her betrachtet — unpassend, weil die Tatsache, daß der gesetzesstrenge Pharisäer Saulus „betet", nichts darüber aussagt, daß in seiner Haltung gegenüber den Christen eine Änderung eingetreten ist. Nun wird man vom Erzähler der Bekehrungsgeschichte nicht erwarten dürfen, daß er den Auftrag an Ananias psychologisch exakt motiviert. Es kommt beim Erzählen ja nicht darauf an, daß Ana-

---

abschreckende, sondern auch werbende Wirkung gehabt haben kann. Das zweite gilt vor allem für die Selbstdarstellung der Diaspora-Synagoge. Die Notwendigkeit dieser Einschränkung wird im folgenden Abschnitt deutlich.

[24] Selbstverständlich soll damit nicht gesagt sein, daß man die Saulustradition auch ohne Feindfigur erzählen könnte, sondern es geht im folgenden um eine Reihe von Formelementen, die zwar einer bestimmten Topik zuzurechnen sind, die aber nicht ausschließlich einer bestimmten Gattung zugeordnet werden können. (Daß andererseits die Figur des Verfolgers ebenfalls kein Spezifikum einer bestimmten Gattung ist, bedarf keiner Diskussion.)

[25] Die literarkritische Untersuchung hat ergeben, daß in der Tradition dieser Begründung ursprünglich keine weitere gefolgt ist. Vgl. oben, S. 27.

nias, sondern daß die Zuhörer die Geschichte richtig verstehen.
Deshalb genügt in Apg 9,11 eine knappe Wendung ohne exakte
Berücksichtigung der vorher dargestellten Vorgänge. Die Tatsache
aber, daß mit der Wendung „denn siehe, er betet" der Inhalt von
Apg 9,9 der Sache und der Bedeutung nach rekapituliert werden
kann, setzt voraus, daß die Hörer, für welche die Tradition gestaltet ist, den Zusammenhang beider Vorstellungen kannten und
mühelos mitvollziehen konnten. Es muß sich also in beiden Fällen
um gängige Motive und Formulierungen handeln.
Wenn die Metanoia darin zum Ausdruck kommt, daß einer „betet",
ist die Gestaltung eindeutig auf die Heidenmission abgestimmt[26].
Es wäre sinnlos, die Metanoia-Forderung an Juden darin erfüllt
zu sehen, daß diese „beten". Vielmehr handelt es sich in Apg 9,11 fin.
um eine formelhafte Reminiszenz des an die Heiden gerichteten
Rufs, sich von den Götzen abzuwenden und dem lebendigen und
wahren Gott zu dienen (vgl. 1 Thes 1,9). Es kann also keinen
Zweifel darüber geben, daß die Saulustradition formal auf die
Bedürfnisse der Heidenmission Rücksicht nimmt.
Die monotheistische Akzentuierung der Metanoia-Forderung an
die Heiden ist kein Spezifikum der christlichen Predigt, sondern
ist der christlichen und der jüdischen Missionswerbung gemeinsam. Sie entstammt der jüdischen Praxis der Proselytenwerbung.
Der Monotheismus ist eines der Hauptthemen des Dialogs des
Diaspora-Judentums mit seiner Umwelt[27]. Was den heidnischen
Besucher der jüdischen Synagogengottesdienste erwartet, faßt Philo
unter zwei Gesichtspunkten zusammen: „Es gibt aber, um es gerade-
heraus zu sagen, unter der Unzahl einzelner Lehren und Satzun-
gen zwei Hauptlehren. Die eine bezieht sich auf Gott und wird
vollzogen durch Frömmigkeit und Heiligkeit; die andere bezieht
sich auf die Menschen und wird vollzogen durch Menschenliebe
und Gerechtigkeit" (Spec Leg II, 62 f.). Gotteserkenntnis und Gesetzeserkenntnis sind also die Hauptangebote der Synagoge an die

---

[26] Völlig zu Recht weisen Haenchen und Conzelmann in ihren Kommentaren
(jeweils z. St.) unter Berufung auf Lk 1,10 f.; 3,21; 9,28 ff.; Apg 10,3.30;
22,17 darauf hin, daß für Lukas das Stichwort προσεύχεται durch den Zusammenhang mit der folgenden Vision (der in V. 12 erwähnten des Saulus)
seinen Sinn bekommt: Gebet und Vision gehören zusammen. Hier aber ist
der Finger darauf zu legen, daß das „Beten" als Ausdruck der Metanoia (vgl.
beide Kommentare zu V. 9) als Motivation einer Vision nur noch an einer
Stelle der Apostelgeschichte begegnet: Apg 10,2—4 (V. 4 reflektiert den
Zusammenhang!); und hier handelt es sich um die Bekehrung eines Heiden.
[27] Vgl. Sib III 629. 760; das Proömium zu Sib III (zit. bei Theophilus ad
Autolycum II, 36); Weish 13—15; Aristeas-Brief 132—138; häufig bei Philo
(z. B. Spec Leg I 21—31.344 f.; Decal 73—81; Op Mund 172); Joseph und
Asenech 9,2; 10,12; 11,7; 12; 13,11.

Heiden. Von diesen geht das erste uneingeschränkt auch in die christliche Heidenmissionspredigt ein, während — vereinfachend[28] gesagt — an die Stelle des zweiten spezifisch christliche Elemente der Verkündigung treten: „... und seinen Sohn von den Himmeln her zu erwarten, den er auferweckte von den Toten, Jesus, der uns rettet vor dem kommenden Zorn" (1 Thes 1,10).

Die Gestaltung des Metanoia-Motivs in Apg 9 bewegt sich also auf dem Boden der von ihrem Ursprung her jüdischen Topik der Proselytenwerbung. Durch das Fasten (Apg 9,9) vollzieht sich die Umkehr des „gottesfürchtigen" Heiden (σεβόμενος, φοβούμενος τὸν θεόν, θεοσεβής), so daß von nun an gesagt werden kann, er sei zur Aufnahme in die Synagogengemeinschaft disponiert (προσεύχεται). In diesem Punkt unterscheidet sich die Disposition des Saulus im Prinzip nicht von der des heidnischen Centurio Cornelius, von dem es Apg 10,2 heißt, er sei εὐσεβὴς καὶ φοβούμενος τὸν θεόν, was in seinen Almosen und Gebeten zum Ausdruck kommt.

Von den literarischen Möglichkeiten der synogogalen Propaganda bei der Gestaltung des Metanoia-Motivs gibt der typologische Roman[29] Joseph und Aseneth[30] einen Eindruck. Die Umkehr, aus-

---

[28] So nennt z. B. der Hebräerbrief unter den „Anfangsgründen" der christlichen Lehre: 1. Abkehr von toten Werken und Glauben an Gott; 2. Taufe und Handauflegung; 3. Totenauferstehung und Gericht (Hebr 6,1 f.). Hier erscheint das christliche Lehrgut als „Ergänzung" des jüdischen, wobei allerdings die „Abkehr von toten Werken" nicht mit der Gesetzeserkenntnis identisch ist.

[29] Diese Schrift ist als episches Zeugnis in diesem Zusammenhang besonders aufschlußreich. In der Form eines Liebesromanes wird die Metanoia einer heidnischen Priestertochter, Aseneth, in breiter Gestaltung vor Augen geführt. Aseneth ist kein Individualfall, sondern ihre Metanoia steht typisch für die der Heiden. Der Himmelsbote spricht dies nach ihrer Bekehrung aus: „Und du wirst nicht mehr Aseneth heißen, sondern dein Name wird sein Zuflucht-Stadt; denn in dir werden Zuflucht finden viele Stämme, und unter deinen Flügeln werden viele Völker sich bergen, und in deiner Mauer werden Schutz finden, die sich Gott verbinden durch Umkehr" (15,6; vgl. auch die folgenden beiden Verse sowie 16,7). — Burchard (s. folgende Anm.) bezeichnet im Hinblick auf diese Stelle, in der er eine Anspielung auf Sach 2,15 LXX sieht, Aseneth als „das Zion der Proselyten" (aaO., S. 119). Das Bild der Völkerwallfahrt wird hier enteschatologisierend auf die gegenwärtigen Erfolge der synagogalen Mission angewandt (vgl. ebd.).

[30] Als Ausgabe wird benutzt: Joseph et Aséneth. Introduction, texte critique, traduction et notes par M. Philonenko, Leiden 1968 (= Studia Post-Biblica 13). Eigene deutsche Übersetzungen nach diesem Text. Auf die Bedeutung dieser Schrift für das Verständnis der urchristlichen Heidenmission hat wiederholt J. Jeremias hingewiesen. Die frühere Einschätzung der Schrift als essenisch bzw. therapeutisch ist inzwischen als irrig erkannt; vgl. Ch. Burchard, Untersuchungen zu Joseph und Aseneth, Tübingen 1965 (= WUNT 8), 107 ff. (dort Literatur).

gelöst durch die Begegnung mit der Lichtgestalt des Joseph (vgl.
Kap. 6), beginnt mit körperlicher Entkräftung (vgl. 6,1; 9,1) als
Folge von Trauer und Furcht wegen der Erfahrung der unwissent-
lichen Frevelhaftigkeit heidnischen Lebens (vgl. 6,4. 6; 13,9 f.; 17,6).
Unter Weinen und Wehklagen vollzieht sich die Abkehr von den
bisher verehrten Göttern (9,2 μετενόει ἀπὸ τῶν θεῶν αὐτῆς). Während
die andern essen und trinken (vgl. 9,3), bleibt A. allein, fastet und
wacht (vgl. 10,2—8) sieben Tage und Nächte (vgl. 10,20). Sie legt
ihren königlichen Schmuck (vgl. 10,11) ab und hüllt sich in Trauer-
gewänder (10,9—12). Ihre goldenen und silbernen Götzen zerbricht
sie und schleudert die Trümmer — wie schon vorher ihren Schmuck
(10,12) — als Almosen für Arme und Bettler vor die Tür (10,13).
Das königliche Opfermahl für die Götzen wird den Hunden vor-
geworfen (10,14). Sie bleibt sieben Tage trauernd auf dem Boden
liegen (10,15—20). Danach erhebt sie sich, von der langen Buße
erschöpft (Kap. 11), zum Gebet (Kap. 12 und 13), dessen wesentliche Elemente die Hinwendung zu Gott, Bekenntnis der Sünde
und Bitte um Rettung sind. Unmittelbar an das Bekenntnis schließt
sich das Erscheinen eines himmlischen Boten an (Kap. 14—17).
Dieser Befund belegt den festen Motivzusammenhang von Fasten
und Beten (Apg 9,9.11) bzw. Almosen und Gebet (Apg 10,2)
als Bestandteilen der Metanoia. Ferner wird die technische Bedeutung von προσεύχεται Apg 9,11 vor der Vision deutlich: die προσευχή
des Fastenden zeigt die Vollendung seiner Umkehr und die Emp-
fänglichkeit für die himmlische Weisung an.
Darüber hinaus zeigt der Roman Joseph und Aseneth einige formale Entsprechungen mit der Saulustradition in der Behandlung
des Lichtmotivs. Die Verfaßtheit der Heidin wird als ἄγνοια verstanden; vgl. 6,4. 6; 13,9 f.; 17,6; demgegenüber ist der durch Joseph
repräsentierte Bereich als Lichtsphäre gestaltet. Die erste Berührung Aseneths mit dieser Sphäre bei der Begegnung mit Joseph
— „die Sonne ist vom Himmel zu uns gekommen" (6,5) — führt zu
einer seelischen und körperlichen Erschütterung (vgl. 6,1) διὰ τὸ
φῶς τὸ μέγα τὸ ὂν ἐν αὐτῷ (6,2), durch welche die Frevelhaftigkeit
des Lebens in der „Unwissenheit" bewußt wird (vgl. 6,3)[31]. Die
„Unwissenheit" ist der Bereich von „Finsternis", „Irrtum", „Tod"
(vgl. 8,10). Der himmlische Bote, der wiederum als Lichtgestalt

---

[31] Diese Parallelisierung darf allerdings nicht zu weit getrieben werden, als sei
Joseph die Parallelfigur zum Kyrios der Saulustradition. Burchard macht
darauf aufmerksam, daß Joseph „wohl Anstoß zum und Helfer beim Über-
tritt" der Aseneth sei; im Grunde tue er „nicht mehr und nicht weniger für
Aseneth als etwa Ananias, der genau wie er . . . von einer vollzogenen
Berufung benachrichtigt wird, für Saulus (Apg 9,10—19)" (aaO., S. 114).

eingeführt wird (vgl. 14,1 ff.), ist von Gott „gesandt", Aseneth „zu retten aus der Finsternis" und sie „in das Licht zu geleiten" (15,13). Man wird hier keine direkte Parallelität zur Saulustradition behaupten können; doch zeigt der Umgang mit dem Gegensatz Licht—Finsternis in dem jüdischen Text, inwiefern das Motiv der Blendung und Heilung in der Saulus-Bekehrung als Bestandteil einer festen Topik verstanden werden kann: Die Begegnung mit der himmlischen Lichtgestalt und die Blendung Sauls bringen ihm die Frevelhaftigkeit und Verblendung seiner Absichten als Verfolger der Christen zum Bewußtsein und lösen die Metanoia aus[32]. Obwohl die Bekehrung in Apg 9 — im Unterschied zu der in Joseph und Aseneth — in der Form eines Heilungswunders gestaltet ist, dürfte damit gesichert sein, daß die Art des Wunders von der Metanoia-Topik her zu verstehen ist.

Formale Ähnlichkeiten, die zum besseren Verständnis der Saulustradition beitragen können, finden sich außerdem im Motivkreis der himmlischen Zusammenordnung der Bewegungen irdischer Figuren. Auch „Joseph und Aseneth" kennt die Technik der getrennten Führung der Figuren mit dem Motiv des ἐγγίζειν (vgl. 3,1 f.), arbeitet mit dem Motiv der Begegnung (in seiner Ambivalenz als niederschmetternder und zugleich rettender Erfahrung; vgl. die Reaktion der Aseneth 9,1) und setzt die Vision als Mittel der himmlischen Regie ein. Bemerkenswert ist, daß der Himmelsbote nicht nur die schließliche Verbindung zwischen Joseph und Aseneth dadurch herstellt, daß er Joseph von der Umkehr Aseneths in Kenntnis setzt (vgl. 15,9.11), sondern daß er selbst in der Gestalt Josephs auftritt (vgl. 14,4 ff.), wodurch die Erscheinung ähnlich wie in der Saulustradition (9,12) den Charakter der korrespondierenden bzw. antizipierenden Vision bekommt. Wegweisung, Geleitung, Vermittlung von Begegnungen scheinen demnach ebenfalls ihren festen Platz im Motivkreis „Metanoia" zu haben.

Die Parallelität zwischen der Saulustradition und „Joseph und Aseneth" zeigt sich also im Bereich jenes Motivs, das sich im Gattungsbereich der Tempelräuberlegenden nicht unterbringen läßt: Es handelt sich also um die Entsprechung in einem Zentralmotiv — nicht weniger, aber auch nicht mehr. Dies verdient festgehalten zu werden, um dem Mißverständnis vorzubeugen, es gebe zwischen

---

[32] Zu beachten ist, wie anders dagegen in der Heliodorlegende das Lichtmotiv verwendet wird: Die Begegnung mit der Himmelsgestalt läßt den Syrer in Finsternis versinken. Die Begegnung mit dem Licht ist hier nicht ambivalent, sondern hat eindeutig Strafcharakter. Das weitere Verhalten Heliodors (als Zeuge der wunderbaren Macht Gottes) ist nicht durch Metanoia, sondern durch Schrecken motiviert.

der Saulustradition und dem jüdischen Metanoia-Roman eine gattungsmäßige Beziehung. Die Parallelen im Bereich der Metanoia-Topik bestätigen lediglich, was oben (S. 69 f.) zum „Sitz im Leben" der Saulustradition auf Grund der Differenz gegenüber dem Gattungsmuster der Tempelräuberlegenden gefolgert wurde. Abschließend ist noch eine Bemerkung zur formgeschichtlichen Beurteilung der Visionsgespräche angebracht. Lohfink macht darauf aufmerksam, daß die literarische Gestaltung der Visionsgespräche in der Saulustradition ebenfalls einer formalen Konvention folgt[33], und weist besonders auf die Parallele in Joseph und Aseneth (Kap. 14, bes. VV. 4—7) hin[34]. Die Parallelität ist zwingend. Lohfink deutet den Befund jedoch nicht als Übereinstimmung auf Grund einer lebendigen literarischen Formkonvention, sondern nimmt für beide Texte den Einfluß alttestamentlicher Vorbilder — genauer: den Einfluß der LXX[35] — an: „Offensichtlich erkannten spätere Leser des Alten Testamentes, denen dort die Form des Erscheinungsgespräches begegnete, daß es sich um eine feste *Darstellungsform* handelte, die man selbst verwenden konnte, wenn die Erscheinung Gottes oder eines Engels zu erzählen war[36]." Diese Auffassung ist wohl zu eng. Daß der Gestalter eines Visionsgesprächs die Septuaginta zu Rate hätte ziehen müssen, ist bei der Geläufigkeit dieser literarischen Formen[37] kaum anzunehmen. Lohfink hat auch nicht genügend beachtet, daß die Form der Gesprächseröffnung, wie er sie für das Visionsgespräch nachweist, durchaus auch in anderen Zusammenhängen begegnet. Als Beispiel dafür diene das Gespräch zwischen Pentephres und Aseneth (Joseph und Aseneth, 4,5 ff.)[38]:

JA 4,5	Apg 9,10b f.
καὶ εἶπε Πεντεφρῆς τῇ θυγατρὶ αὐτοῦ Ἀσενέθ·	καὶ εἶπεν πρὸς αὐτὸν ἐν ὁράματι ὁ κύριος·
τέκνον.	Ἀνανία.
ἡ δὲ εἶπεν·	ὁ δὲ εἶπεν·
ἰδοὺ ἐγώ, κύριε.	ἰδοὺ ἐγώ, κύριε.

[33] Lohfink, Paulus vor Damaskus, S. 53—60; ders.: Eine alttestamentliche Darstellungsform für Gotteserscheinungen in den Damaskusberichten (Apg 9; 22; 26), in: BZ 9 (1965) 246—257.

[34] Vgl. ders., Paulus vor Damaskus, S. 57.

[35] Vgl. Lohfink, Eine atl. Darstellungsform, S. 248 f.

[36] Lohfink, Paulus vor Damaskus, S. 56.

[37] Lohfink zählt selbst zahlreiche Beispiele auf: Jub 44,5; 4 Esra 12,2—13; Apokalypse Abrahams 8,2—5; 9,1—5 sowie zehn weitere Belege für die Kurzform eines Visionsgesprächs; vgl. ebd.

[38] Es handelt sich um die Kurzform der Gesprächseröffnung ohne Selbstpräsentation dessen, der das Gespräch beginnt. Lohfink setzt dafür als atl. Vorbilder Gen 22,1 f. 11 f. und 1 Sam 3,4—14 voraus; vgl. *Paulus vor Damaskus*, S. 55.

καὶ εἶπεν αὐτῇ·   ὁ δὲ κύριος πρὸς αὐτόν·
κάθισον . . .   ἀναστὰς πορεύθητι . . .

Diese Gegenüberstellung zeigt, daß die Form der Gesprächseröffnung weder an den Topos der Erscheinung gebunden noch unmittelbar aus LXX entlehnt sein muß, sondern als lebendige literarische Konvention zu gelten hat, die ihre weitere Übung nicht notwendig bestimmten Lesegewohnheiten verdankt. Wo derartige
Formen der Gesprächseröffnung begegnen, ist nicht notwendig das
AT eingesehen worden.

Lohfink folgert weiter, daß es Lukas gewesen sei, der sich zur Darstellung der Begegnung des Saulus mit dem Kyrios bzw. der Vision
des Ananias der — nach Lohfink — alttestamentlichen Form der
Gesprächseröffnung bedient habe[39], und daß Lukas die gleichen
Muster auch in der Corneliusgeschichte verwendet habe, um die
Parallelität beider Bekehrungen herauszustellen[40]. Einmal abgesehen von der Frage, was von der Saulustradition übrigbliebe,
wenn man die Visionsgespräche als lukanische Elemente herauslöste, ist gegen diese Auffassung darauf hinzuweisen, daß der
bewußte Gestaltungswille des Lukas nicht dort zu suchen ist, wo
feste literarische Konventionen spürbar werden, sondern viel eher
dort, wo sie verlassen werden. Die Parallelität der Bekehrungsgeschichten Apg 9 und 10 muß formgeschichtlich interpretiert werden[41]; beide gehören formgeschichtlich in den Einflußbereich des
hellenistischen Judentums.

Mit diesen Gegenüberstellungen ist zwar keine Bestimmung der
Gattung von Apg 9 erreicht, aber es haben sich Aufschlüsse über
die literarische Form, besonders die Topik der Darstellung ergeben,
welche einerseits vor einer naiv-historisierenden Interpretation
warnen, andererseits wichtige Anhaltspunkte geben für die Bestimmung des „Sitzes im Leben" der Saulustradition und damit auch
über die Situation der Christen in Damaskus. Die Tatsache, daß
die Geschichte der Bekehrung des Saulus Anlehnungen an die Topik
der synagogalen Proselytenwerbung zeigt, läßt darauf schließen,
daß der Kern der Gemeinde von Damaskus aus missionarisch aktiven hellenistischen Judenchristen bestanden hat, ferner, daß ihre
Aktivität sich auch auf die heidnischen Gruppen der Bevölkerung
erstreckt haben dürfte. Allerdings läßt sich allein aus der Verwendung synagogaler Topoi der Heidenpropaganda nicht beweisen,
daß auch die Geschichte von der Bekehrung des Saulus ihren „Sitz

---

[39] Vgl. Paulus vor Damaskus, S. 58.
[40] Vgl. ebd., S. 58 f.; in Anlehnung an G. Stählin, Die Apostelgeschichte, NTD 5,
    Göttingen 1962, S. 136.
[41] Vgl. unten, Abschnitt III.

im Leben" in der christlichen Heidenmission gehabt haben muß[42].
Die Bekehrung eines prominenten jüdischen Gegners zum christlichen Glauben war sicher in irgendeiner Form Gegenstand einer
Diskussion zwischen Juden und Christen. Daß dabei der Standpunkt der jüdischen Partei als „gottlose" Verblendung erscheint,
kann als polemische Härte interpretiert werden, die das Verhältnis
zwischen Juden und Christen in Damaskus als gespannt kennzeichnet[43].

III. Einordnung der Saulustradition in die neutestamentlichen Gattungen

Die bisherigen Überlegungen haben ergeben, daß die formgeschichtliche Analyse nicht von der Verfolgerfigur allein auszugehen hat,
sondern daß die Saulustradition als Metanoia-Geschichte in die
Formenwelt der christlichen Missionswerbung im Bereich der Diaspora, d. h. als Dokument der hellenistisch-judenchristlichen Propaganda einzuordnen ist. Die nächstverwandten literarischen Formen
im NT finden sich in unmittelbarer Nachbarschaft der Saulus-Peri-
kope: die Traditionen von Lydda, Joppe und Caesarea[44]. Daß sie

[42] Dies würde voraussetzen, daß das heidnische Publikum die Hintergründe des
„Falles Saulus" kannte, was dann denkbar ist, wenn die Spannungen zwischen
Juden und Christen notorisch waren und ihre missionarischen Anstrengungen
offen als Konkurrenzkampf in Erscheinung traten.

[43] Es ist durchaus möglich, auch über den Gegenstand des Konflikts Aufschluß
zu erhalten, allerdings nicht von der Saulustradition her, sondern von der
Theologie des Paulus. Vgl. P. Stuhlmacher, Das paulinische Evangelium.
I. Vorgeschichte, Göttingen 1968 (= FRLANT 95), S. 73—75; H. Kasting,
Die Anfänge der urchristlichen Mission, München 1969, S. 55. Kasting betont,
daß die Schärfe der Gegnerschaft des Paulus und die Radikalität seiner
Wende zum Christusglauben nur verständlich seien, wenn der Prozeß der
Loslösung von der jüdischen Überlieferung bei den von ihm verfolgten
Christen „bereits ein grundsätzliches Stadium erreicht" hatte, „das die über-
lieferungstreuen Juden nicht länger tolerieren durften und konnten" (ebd.).
Der Schluß, daß der Antinomismus der Christen in Damaskus mit der Praxis
ihrer Heidenmission zusammenhängt, liegt nahe.

[44] Die Beschränkung auf diese drei Beispiele ist eine Vereinfachung im Interesse
der Übersichtlichkeit. Es wäre selbstverständlich auch möglich, die Philippustraditionen hinzuzuziehen. Wegen der starken lukanischen Überarbeitung
besonders der Samaria betreffenden Stoffe würden dabei aber umfängliche
Analysen nötig sein. Die formale Verwandtschaft in einigen Motiven und
Strukturmerkmalen ist schon bei oberflächlicher Betrachtung zu sehen. Hinzuweisen ist auch auf die nahe Verwandtschaft der Kindheitsgeschichten (sowohl
der matthäischen als auch der lukanischen) mit den hier zu behandelnden
Formen.

innerhalb des lukanischen Kontextes nebeneinanderstehen, hängt
nicht etwa mit formgeschichtlichen Interessen des Lukas zusammen[45],
sondern mit seinem an geographischen Kriterien orientierten Ord-
nungsverfahren; die Zusammenstellung räumlich benachbarter
Traditionen kann, wenn diese Räume von ihrem Milieu her ähnliche Bedingungen für die christliche Mission boten, sich so auswir-
ken, daß die Zusammengehörigkeit sich auch in den literarischen
Formen spiegelt[46].

1. Abgrenzung gegenüber der Legende

Die formale Verwandtschaft zwischen der Saulusgeschichte und der
Corneliustradition, von der bereits die Rede war[47], soll zuerst diskutiert werden, weil die Übereinstimmung sich auf diejenigen Merkmale erstreckt, die nach den bisherigen Ergebnissen als zur Formenwelt synagogaler Propaganda gehörig gelten müssen. Auf die
Einzelmotive braucht nicht mehr näher eingegangen zu werden; es
geht um die Gattungsfrage.
Daß die von Stählin (Komm., S. 136) herausgestellte Verwandtschaft zwischen Saulus- und Corneliustradition nicht so weit geht,
daß man beide Texte ein und derselben Gattung zuordnen dürfte,
wird vor allem daran sichtbar, daß der „Fall Cornelius" generali-
sierend behandelt wird, während die Bekehrung des Verfolgers
Saulus als exzeptionelles Ereignis erscheint. Dies gilt sicherlich,
wenn man von der in Apg 10 gebotenen lukanischen Fassung der
Corneliusgeschichte her urteilt; dasselbe dürfte aber auch auf der
Stufe der vorlukanischen Tradition[48] gelten. Die Petrusvision, von

[45] Im Gegenteil, Lukas ist um deutlich nuancierende Zäsuren zwischen diesen
Abschnitten seines Berichts bemüht. Einen scharfen Einschnitt bedeutet der
Vers 9,31, der ein Summarium über den bis dahin erreichten Stand der Ent-
wicklung darstellt. Die Zäsur zwischen 9,32 ff. (Lydda, Joppe) und Kap. 10
(Cäsarea) ist dagegen schwächer, weil Lukas Wert darauf legt, daß die
Bekehrung des Hauptmanns Cornelius, also der entscheidende Vorstoß in die
Richtung der Heidenmission, als von Menschen unvorhergesehene, gottge-
wollte Eskalation einer ordentlichen Inspektionsreise (vgl. 9,32) erscheint.

[46] Im übrigen ist klar, daß sich weder an geographischen noch an formgeschichtlichen Kriterien ein klares Bild der zeitlichen Reihenfolge der historischen
Vorgänge gewinnen läßt.

[47] Vgl. oben, S. 77.

[48] Zur Analyse vgl. M. Dibelius, Die Bekehrung des Cornelius, in: Coniectanea
Neotestamentica 11 (Fs. A. Fridrichsen), Lund 1947, S. 50—65; ebenfalls in:
Aufsätze zur Apostelgeschichte, S. 96—107; ferner Munck, Paulus und die
Heilsgeschichte, S. 222 ff. Nach Dibelius liegt dem 10. Kapitel der Acta eine
„schlichte Bekehrungslegende" (Aufsätze, S. 105) zugrunde, welche erzählt,
daß Cornelius, durch eine Erscheinung veranlaßt, Petrus aus Joppe holen läßt;
daß Petrus durch ein πνεῦμα-Wort veranlaßt, der Einladung folgt; daß bei

deren traditionsgeschichtlicher Beurteilung hier viel abhängt, enthält im Gegensatz zur Vision des Ananias weitaus mehr als nur die Beauftragung des Boten, sie ist sogar deutlich von dieser abgehoben (vgl. die Szene 10,19b—22; sie enthält Auftrag und Auf-

der Begegnung im Haus des Cornelius der Geist auf die Versammlung kommt und Petrus daraufhin die Taufe spendet. Lukas habe diese Legende in ein Lehrstück über das neue Volk Gottes aus Juden und Heiden umgewandelt, indem er u. a. die Petrusvision eingefügt habe, die ihm in einem anderen Zusammenhang vorgegeben war. Lukas geht es nach Dibelius in Apg 10; 11 um das Problem der „Zulassung der Heiden zur Gemeinde" (aaO., S. 101). Diese Beurteilung der Traditionslage in Apg 10 entspricht im ganzen derjenigen, welche O. Bauernfeind (mit anderen Argumenten) schon vorher in seinem Acta-Kommentar (Die Apostelgeschichte, Leipzig 1939 [= ThHK V], 142) vorträgt. Sie findet bis heute Beifall; vgl. z. B. Conzelmann, Komm., S. 61; F. Hahn, Das Verständnis der Mission im Neuen Testament, Neukirchen 1963 (= WMANT 13), S. 41 f. Haenchen äußert sich dagegen skeptisch zur Auffassung von Dibelius (vgl. Komm., S. 302), weil er grundsätzlich abgeneigt ist, in Naherwartungszeiten mit „schlichten Bekehrungslegenden" zu rechnen (vgl. ebd., S. 305 f.). Er möchte lieber den Bericht als „Gründungslegende" betrachten (ähnlich W. L. Knox, The Acts of the Apostles, Cambridge 1948, S. 33; vgl. Schille, Anfänge der Kirche, S. 68—70).
Darüber hinaus kritisiert Haenchen an der Analyse von Dibelius dessen These, die Petrusvision habe ursprünglich die Aufhebung der atl. Speisegesetze im Auge und sei von Lukas aus anderem Zusammenhang in Apg 10 eingebracht worden. Sein Argument: Die Weigerung des Petrus V. 10,14 ist nur dann sinnvoll, wenn sie sich nicht auf das Essen von Speisen, sondern das Eingehen einer unreinen Gemeinschaftsbindung bezieht. Die Unreinheit besteht ja im Nebeneinander von reinen und unreinen Tieren; beim ϑύειν hätte Petrus dies umgehen können, indem er ein reines Tier gewählt hätte (vgl. Komm., S. 306 f.). Dieser Einwand ist berechtigt. Er wurde schon von E. Jacquier erhoben (Les Actes des Apôtres. Études Bibliques, Paris 1926; vgl. dort S. 318) und zu Unrecht von Dibelius (vgl. Aufsätze zur Apostelgeschichte, S. 98 A 2) als rationalistisches Bedenken abgetan. Die Petrusvision hat einen bildhaft verschlüsselten Sinn, der durch die folgende Erzählung auf die Gemeinschaft von reinen und unreinen Menschen (Beschnittenen und Unbeschnittenen also) gedeutet wird. Die Vision ist für den Zusammenhang konzipiert, in dem sie jetzt steht.
Unzutreffend dürfte allerdings Haenchens Auffassung darin sein, daß er annimmt, es sei Lukas gewesen, der die Petrusvision geschaffen habe, um der Gründungslegende über den Charakter eines Lehrstücks über die Teilnahme der Heiden am Heil der Verheißung zu geben (vgl. aaO., S. 307). Dagegen opponiert auch Conzelmann, Komm., S. 61, allerdings mit Argumenten, die m. E. nicht schlagen. Haenchen hat insofern Recht, als die Petrusvision tatsächlich auf die in Apg 10,28 formulierte „Lehre" hin konzipiert ist. Aber entspricht sie damit dem lukanischen Verständnis der Corneliustradition? Ist die in 10,28 formulierte „Lehre" identisch mit dem lukanischen Standpunkt und seiner Aussageabsicht? Wohl kaum, denn es taucht in der vorliegenden Fassung zwar immer wieder das in der Petrusvision angezielte Problem der Gemeinschaft von Beschnittenen und Unbeschnittenen auf (vgl. 10,23a und b. 27a.28.34 f.36b), aber es fällt doch auf:

tragsbestätigung). Die Petrusvision ist zunächst — nicht nur für Petrus, sondern auch für den Hörer der Geschichte — ein rätselhafter Vorgang[49]. Die Aufforderung, unreine Speisen zu essen, wird durch das nachfolgende Geschehen interpretiert: Petrus soll Heiden in die Gemeinde aufnehmen, ohne daß an ihnen die Beschneidung vollzogen wird. Diese Forderung wird in prinzipieller Form als normative Lösung der Frage, unter welchen Bedingungen die Heiden Zutritt zur Gemeinschaft der eschatologischen Gemeinde Gottes erhalten sollen, erhoben: als unmittelbare Anordnung Gottes durch eine „Himmelsstimme" (vgl. bes. V. 14 f.). Die darin angezeigte Grundsätzlichkeit des folgenden Geschehens hat Lukas historisierend so interpretiert, daß aus dem exemplarischen Fall (Tradition) ein Präzedenzfall (Lukas) wird. Für Lukas ist das Prinzipielle zugleich das historisch Erste (und umgekehrt). Die Bekehrung des Cornelius — oder vielmehr: die Missionspraxis des Petrus in Apg 10 — ist also ein „Musterfall"; wenn sie als legitim akzeptiert wird, ergeben sich daraus weitreichende disziplinäre Konsequenzen, nicht nur für die Praxis der Heidenmission, sondern vor allem für das Selbstverständnis und die Existenz der neuen Gemeinschaft aus Beschnittenen und Unbeschnittenen[50]. Die

1. daß das für die Gemeinschaftsfrage grundlegende Problem der Beschneidung an den entscheidenden Stellen nicht erwähnt wird (10,28 ist nicht der Höhepunkt der Darstellung; zudem muß Lukas diese „Lehre" für sein heidenchristliches Publikum glossieren: VV. 27—29 dienen im Rahmen der lukanischen Fassung zur Erläuterung der fremdartigen Skrupeln des gesetzesfrommen Petrus, der dann mit V. 29b zur Hauptsache übergeht);
2. daß die Problematik der Gemeinschaft von Juden und Heiden für Lukas nur eine präliminare Frage, ein äußeres Hindernis darstellt, das der Bekehrung des ersten Heiden, die ja notwendigerweise ein (nach Lukas: gesetzesstrenger!) Judenchrist vornehmen muß, im Wege steht;
3. daß das von Lukas angezielte Ergebnis des Geschehenszusammenhangs nicht die Gemeinschaft von Beschnittenen und Unbeschnittenen, sondern die Gründung der ersten heidenchristlichen Gemeinde ist. (Die Jerusalemer gehen alle wieder nach Hause.)

Diese Argumente bedürften sicher einer weiteren Entfaltung. Sie müssen hier genügen, um klarzustellen, daß die Vision des Petrus Apg 10,10 ff. nicht von Lukas konstruiert worden ist (mit Conzelmann gegen Haenchen), daß sie vielmehr in der dem Lukas vorgegebenen Fassung der Corneliustradition enthalten war (gegen Dibelius, Conzelmann).

Geht man davon aus, daß bereits die vorlukanische Fassung der Corneliustradition eine prinzipielle Aussage enthielt (Relativierung der Tabugrenze zwischen Beschnittenen und Unbeschnittenen), wird auch besser einsichtig, wie Lukas auf den Gedanken kommt, es handle sich hier um den Bericht von der Bekehrung des „ersten" Heiden. Diese Vorstellung ist doch zunächst auch für Lukas (wegen Apg 8,26—40) nicht ganz ohne Probleme.

[49] Vgl. Haenchen, Komm. zu V. 17: „Der Wortsinn scheint für den Erzähler überhaupt nicht in Betracht zu kommen."
[50] Die eigentliche Konsequenz, daß die neue Gemeinde nicht mehr auf der Basis

Bekehrung des Saulus dagegen ist weder in diesem noch in einem
anderen disziplinären oder doktrinären Problemzusammenhang
von exemplarischer Bedeutung. Daß man sie in einer literarisch
geprägten Form überliefert, verdankt sie vielmehr ihrer Außerordentlichkeit und Einmaligkeit. Der „Fall Saulus" ist eine „unerhörte Begebenheit", deren Bedeutung darin liegt, daß sie tatsächlich
„sich ereignete". Auch hier werden Unterschiede zwischen den
beiden Traditionen sichtbar, und zwar eindeutig gattungsmäßiger
Art. Während sich zur unterscheidenden Kennzeichnung der Saulustradition Formulierungen anbieten, die in anderem Zusammenhang und auch in etwas anderer Bedeutung zur Gattungsdefinition
der Novelle dienen[51], unterscheidet sich die Corneliustradition ihrer-
seits von der Saulusgeschichte durch solche Merkmale, die am besten
durch den Gattungsbegriff „Legende" zusammengefaßt werden.
Der Legenden-Begriff ist durch die positivistische Forschung in Ver-
ruf geraten[52]. Da er in der formgeschichtlichen Arbeit der Exegese
keinen eindeutigen Sinn gewonnen hat[53], sei der Begriffsinhalt
unter dem für diesen Zusammenhang entscheidenden Gesichtspunkt
angedeutet: Die Legende konkretisiert die Leitvorstellungen einer
religiös bestimmten Gruppe durch das Erzählen beispielhafter
Fälle oder Vorgänge. Sie rechnet mit einem „geneigten" Publikum,
indem sie dessen Bereitschaft voraussetzt, sich mit der Gruppe zu
identifizieren. Sie beabsichtigt, das Profil der angesprochenen
Gruppe gegenüber anderen Gruppen bzw. überhaupt gegenüber der
Umwelt der Gruppe zu verdeutlichen. Die Legende spricht normativ;
sie dient der Pflege des inneren Zusammenhalts der Gruppe und
betreibt ihre Profilierung gegenüber ihrem Milieu[54].

des Gesetzes steht, wenn sie diese Aussage akzeptiert, hat Lukas nicht gesehen.
Für ihn geht es in Apg 10 um die viel grundsätzlichere Frage, ob die Heiden
überhaupt Zutritt zum Heil erhalten können. Dies war für das hellenistische
Judentum sicher ein (noch) geringeres Problem als für das palästinensische.
Die lukanische Generalisierung bedeutet also eine Entschärfung der ursprünglichen Aussage der Corneliustradition. Näheres zur Beurteilung dieser Sinnverschiebung s. u. S. 168 (mit Anm. 97), S. 199 f., S. 207 f. (mit Anm. 3).
[51] Als „eine sich ereignete unerhörte Begebenheit" definiert Goethe die Novelle
im Gespräch mit Eckermann (am 25. 1. 1827). Zum Novellenbegriff in der
ntl. Exegese s. u., S. 84 ff.
[52] Der heutige Sprachgebrauch tendiert immer noch zu der pejorativen Bedeutung: Verdrehung der (historischen, politischen usw.) Wirklichkeit; verfäl-
schende Darstellung; endgültig verfestigte falsche Vorstellung von etwas, das
ganz anders war, als berichtet wurde und alle meinen.
[53] Vgl. K. Koch, Was ist Formgeschichte? Neue Wege der Bibelexegese, 2. Aufl.
Neukirchen 1967, S. 239—244.
[54] Diese „Gattungsbestimmung" von der Funktion (vom Kommunikationstyp)
her umgeht die Frage nach den literarischen Formmerkmalen der Legende;
einige Hinweise dazu in meinem Aufsatz: Ein Platz für die Verlorenen. Zur

Wenn der Legendenbegriff auf die Corneliustradition angewandt wird, ist also nicht nur an die erzählerische Gestaltung eines Tugendbeispiels[55] gedacht, an dem die einzelnen Glieder der Gemeinschaft ihr Leben ausrichten sollen, sondern an die exemplarische Darstellung der Lösung einer disziplinären Frage, die das Profil und das Selbstverständnis der Gruppe als solcher in ihrem Verhältnis zu anderen — hier: das Selbstverständnis der christlichen Gemeinde gegenüber dem durch Gesetz und Beschneidung profilierten Judentum — betrifft. Diese Lösung wird als verbindlich dargestellt und damit als normativ auch für das darin implizierte Selbstverständnis der Gemeinde zur Geltung gebracht: Wer die Aufnahme von Heiden ohne vorherige Beschneidung als verbindliche, zumindest legitime Missionspraxis der Gemeinde akzeptiert, verläßt nach bisherigem Denken die Basis des durch Gesetz und Beschneidung vermittelten Bundes Israels mit Jahwe und versteht sich folglich nicht mehr von seiner heilsgeschichtlichen Herkunft, sondern von der eschatologisch begründeten neuen Gemeinschaft her, die Gott durch erwählendes Handeln aus Juden und (unbeschnittenen) Heiden bildet. Wegen dieser rechtlich-theologischen Relevanz kann die Corneliustradition sinnvoll als Legende bezeichnet werden.

Diese Skizzierung zeigt deutlich, daß die Saulustradition trotz ihrer Affinität in der Struktur nicht mit demselben Gattungsbegriff zu kennzeichnen ist wie die Corneliuslegende. Die propagandistische Auswertung des außerordentlichen „Falles Saulus" richtet sich an Adressaten außerhalb der literaturtragenden Gruppe, liegt also außerhalb des Imitatio-Willens der Gruppe. Man kann allenfalls von legendenhaften Zügen in der Gestaltung der Saulustradition sprechen[56]. Noch besser aber dürfte sein, allgemein von einer Milieuverwandtschaft der Saulus- und der Corneliusgeschichte zu spre-

---

Formkritik zweier neutestamentlicher Legenden (Lk 7,36—50; 19,1—10), in: BuL 12 (1971) 198—208.

[55] Vgl. dagegen den Legendenbegriff bei A. Jolles, Einfache Formen, Tübingen 1930, S. 23—61, bes. S. 36. Die „Tugendhaftigkeit" des Cornelius (vgl. 10,2) ist kein imitabile, sondern zeigt an, daß er positiv für die Aufnahme in die Gemeinde disponiert ist.

[56] Dies nicht wegen der erbaulichen Freizügigkeit im Umgang mit historischem Stoff, sondern weil die gemeinsame Leitvorstellung der himmlischen Koordinierung irdischer Vorgänge insofern „legendarisch" ist, als es das Bewußtsein der Trägergruppe dieser Literatur in seinem Konformitätswillen spiegelt: Die himmlische Protektion macht die Gemeinschaft der Glaubenden unangreifbar. Es ist Jesus, der von Saulus verfolgt wird; der Kyrios und die Seinen sind eins. Es wurde jedoch bereits gezeigt (oben, S. 70), daß diese kollektive Selbsttabuisierung nicht als zentrales Anliegen der Saulustradition (im Unterschied zur Heliodorlegende) gelten kann.

chen; denn die Affinität beruht, abgesehen vom Bekehrungsmotiv (d. i. der stofflichen Verwandtschaft), auf formalen Elementen, die der synagogalen Proselytenwerbung zuzuordnen sind. Die Saulustradition ist formgeschichtlich ein Nachbar der Corneliuslegende, aber selbst ursprünglich[57] keine Legende.

Es muß deshalb noch einmal neu angesetzt werden, um die Gattungsfrage endgültig zu klären und die Zuordnung zu den übrigen Exemplaren der Gattung im NT vorzunehmen. Es hat sich bei der Abgrenzung gegenüber der Legende gezeigt, daß die gesuchte Gattung eine Form ist, welche mit einem nichtchristlichen Publikum rechnet und „eine sich ereignete unerhörte Begebenheit" darstellt.

2. Die Saulustradition als Novelle

Die beiden kleinen Traditionen von Lydda (9,32—35) und Joppe (9,36—42) sind Wundergeschichten. Ihre Verwandtschaft mit der Saulustradition ist auf den ersten Blick gering[58]; sie betrifft aber gerade diejenigen Formelemente, für die es in den bisher bespro-

---

[57] Dies gilt von der ursprünglichen Fassung. Die erste Redaktion ist dagegen eine ausgesprochen legendarische Überarbeitung, weil sie den „Fall Saulus" zu einem Beispiel für „Erwählung" macht und darin das spezifische Gruppenbewußtsein als Norm ausspricht (τοῦ βαστάσαι τὸ ὄνομα).

[58] Man sollte sich aber nicht dadurch irritieren lassen, daß nach lukanischer Darstellung Lydda und Joppe schon christliche Gemeinden haben und die Personen, an denen die Wunder geschehen, als Christen eingeführt werden (vgl. 9,33 gegenüber 9,32; 9,36). Man beachte das Almosenmotiv in Apg 9,36.39, das Tabitha als „disponiert" zum Glauben ausweist, sowie die Schlußnotizen über den missionarischen Erfolg des Wundertäters 9,35.42, um die ursprüngliche Funktion dieser Geschichten zu erkennen. Ihr „Sitz im Leben" ist die judenchristliche Mission. (Hinzuweisen ist auch auf die zweisprachige Namensnennung V. 36.) Wegen der Schlußnotiz 9,35 von einem „Gebiets-Programm" zu reden, wie Schille, Anfänge der Kirche, S. 71 f., vorschlägt, ist überflüssig. Jede derartige Wundererzählung dient zur missionarischen Arbeit in einem „Gebiet", sei es innerhalb der Stadt oder in ihrer Umgebung. Problematisch ist die dabei von Schille gemachte Voraussetzung, daß solche „Gebiets-Programme" ehemalige Gründungstraditionen gewesen sein sollen, die später zu Gebietslegenden erweitert worden wären (vgl. aaO., S. 70). Schilles Vorstellung, daß diese Traditionen ursprünglich Formen der Berichterstattung gewesen seien (nämlich ätiologische Gattungen), ist äußerst unwahrscheinlich. Richtig dürfte die umgekehrte Annahme sein, daß diese Traditionen ihre Entstehung der missionarischen Arbeit verdanken, also von ihrem Ursprung her nicht-missionierte Räume ins Auge faßten, und daß erst ein späteres Verständnis in ihnen Formen der Berichterstattung erblickte. Lukas z. B. benutzt diese Texte als historische Quellen. — Grundsätzlich ist aber Schilles Versuch einer ätiologischen Betrachtungsweise dieser Traditionen nicht so einfach abzutun, wie es H. Kasting, Die Anfänge der urchristlichen Mission, S. 10 A 3 fin., sich erlaubt.

chenen Texten keine Parallelen gab, insbesondere die Motive
Krankheit und Heilung[59]. Gemeinsam ist den beiden Geschichten
und der Saulustradition die Figur eines Wundertäters sowie ein
Interesse an realistischen Details des Wundergeschehens. Letzteres
richtet sich zunächst auf die Person, an der das Wunder geschieht.
Äneas ist gelähmt; dies wird konkretisiert und präzisiert durch die
Angabe, daß er seit acht Jahren bettlägerig ist (9,33). Tabitha wird
krank und stirbt; dies wird ausgestaltet mit dem Hinweis auf die
Leichenwäsche und die Aufbahrung im Obergemach (9,37). Entsprechend begnügt sich die Saulustradition nicht mit der Konstatierung der blendenden Wirkung der Kyrios-Epiphanie, sondern
führt im Detail vor, wie die Blindheit des Saulus manifest wird:
„Es erhob sich Saulus von der Erde, und als er seine Augen öffnete,
sah er nichts. Sie nahmen ihn bei der Hand und führten ihn nach
Damaskus hinein" (9,8). Und ähnlich wie in der Lyddatradition
wird eine Zeitangabe hinzugefügt: „Und er konnte drei Tage lang[60]
nicht sehen . . ." (9,9). Diese Detaillierungen dienen dazu, die Hilf-
losigkeit dessen, an dem das Wunder geschieht, zu unterstreichen.
In den beiden Petrusgeschichten ist dabei die Absicht wirksam, das
nachfolgende Wunder als übermenschlichen Machterweis zu dokumentieren. In der Saulustradition ist dieses Interesse weniger zu
spüren; dort ist die Ohnmacht des Saulus bereits selbst eine wunderbare Wirkung überirdischer Kräfte.

Der zweite Punkt, auf den sich die Detailfreudigkeit richtet, ist der
Heilungsvorgang. In der Lyddatradition ist auf die Konkretheit
des Machtwortes des Thaumaturgen hinzuweisen: „Äneas, . . . steh
auf und mach dir selbst das Bett!" (9,34). Der Erfolg tritt „sofort"
ein. In der folgenden Geschichte ist zwar das Heilungswort auf
seine kürzeste Form reduziert („Tabitha, steh auf"); aber es gehen
hier andere Einzelheiten der Wunderpraxis voraus: Hinausweisung
von Zeugen, Niederknien und Beten[61], Hinwendung zum Leichnam,
Anreden des Leichnams (9,40a). Der Erfolg wird ebenfalls im

---

[59] Vgl. Trocmé, aaO., S. 176f. Trocmé betrachtet das Wundergeschehen in der
Saulusgeschichte als Grundstock der Tradition, die Lukas (unter Benutzung
der Version in Apg 26; vgl. Hirsch) um die übrigen Elemente erweitert habe.

[60] Dieser Termin soll nicht die Wirkung der Blendung begrenzen, sondern
ergibt sich aus dem folgenden Hinweis auf die Buße des Saulus: Durch drei-
tägiges Fasten vollzieht sich die Umkehr des Saulus.

[61] Die Formulierung läßt lukanischen Eintrag vermuten: θεὶς τὰ γόνατα
προσηύξατο wie Lk 22,41 und Apg 20,36; vgl. Apg. 7,60; 21,5. Die Schilderung
würde durch Streichung dieser Angaben noch „profaner". Allerdings wird
man nur die Formulierung, nicht das Motiv selbst als redaktionell werten
dürfen; vgl. Haenchen, Conzelmann in den Kommentaren z. St. (unter Hinweis auf 4 Kg 4,33).

Detail dokumentiert: „Sie öffnete ihre Augen, und als sie Petrus sah, setzte sie sich auf. Er reichte ihr die Hand und stellte sie aufrecht hin" (9,40b.41; es folgt das Hereinrufen der Zeugen)[62]. Auch die Heilung des Saulus durch Ananias zeigt Spuren dieses Wunder-Realismus. Zur Heilungspraxis gehören die Handauflegung und das Machtwort (9,17); zur Konstatierung der Wirkung gehören das Herabfallen der „Schuppen" (ὡς λεπίδες) von den Augen, das Aufstehen und das Essen (9,18.19a).

Aus dem naiv-konkretisierenden Stil fällt das Heilungswort des Ananias heraus. Von einem Machtwort kann in der vorliegenden Fassung nicht die Rede sein. Die Handauflegung wird mit einem stark reflektierenden Kommentar versehen, augenscheinlich in der Absicht, eine falsche Interpretation des Vorgangs zu unterbinden. Sicher sekundär ist die Formulierung Ἰησοῦς ὁ ὀφθείς σοι ἐν τῇ ὁδῷ ᾗ ἤρχου; denn damit wird die Christusbegegnung vor Damaskus im Unterschied und Gegensatz zum ursprünglichen Sinn der Darstellung im Rückblick als Offenbarungsgeschehen — ὀφθείς ist term. techn. — interpretiert. Die Lichterscheinung hat ursprünglich in ihrer niederschmetternden und blendenden Wirkung primär die

[62] Es kann darauf verzichtet werden, diese Details durch religionsgeschichtliches Material zu erhellen. Es ist bekannt, daß es im Spätjudentum und vor allem im Hellenismus noch drastischere Formen der Wunderpraxis und der entsprechenden literarischen Wundertopik gegeben hat; vgl. R. Bultmann, Die Geschichte der synoptischen Tradition, 7. Aufl., Göttingen 1967 (= FRLANT 29), S. 236—241; 247—253; ferner R. Reitzenstein, Hellenistische Wundererzählungen, Leipzig 1906; O. Weinreich, Antike Heilungswunder, Gießen 1909 (= Religionsgeschichtliche Versuche und Vorarbeiten VIII,1); P. Fiebig, Antike Wundergeschichten, Berlin 1911 (= Kleine Texte f. Vorl. u. Übg. 71); 2. Aufl. unt. d. Titel: Antike Wundertexte, zusammengestellt v. G. Delling, Berlin 1960; P. Fiebig, Jüdische Wundergeschichten des neutestamentlichen Zeitalters, Tübingen 1911; R. Herzog, Die Wunderheilungen von Epidauros, Leipzig 1931; L. Bieler, Θεῖος ἀνήρ. Das Bild des göttlichen Menschen in Spätantike und Frühchristentum I. II, Wien 1935. 1936; K. Kerenyi, Der göttliche Arzt, Basel 1948.
Daß solche Phänomene sich nicht räumlich und zeitlich fixieren lassen, zeigt folgender Text:
„Geführt von der proletarischen Linie des Vorsitzenden Mao in der medizinischen Arbeit, hat ein einfaches Krankenhaus für Straßenbauer in einer gebirgigen Gegend erfolgreich einen riesigen Beckentumor bei einer armen Bäuerin entfernt. Dies kennzeichnet einen weiteren großen Sieg der Mao-Tse-Tung-Ideen. . . . Die Patientin gewann bald dank der sorgfältigen Wartung das Bewußtsein wieder. Als sie ihre Augen öffnete und das Bildnis des Vorsitzenden Mao an der Wand sah, sagte sie durch Tränen: Lieber, lieber Vorsitzender Mao! Der Himmel und die Erde sind groß, aber sie lassen sich nicht vergleichen mit deiner Güte! Teuer sind uns Vater und Mutter, aber du bist uns teurer."
(Aus der Peking-Rundschau, abgedruckt in der FAZ vom 29. 7. 1969.)

Funktion, den Frevler zu bannen; das kann schwerlich mit ὀφθῆναι ausgedrückt werden. Man kann dagegen auch nicht ins Feld führen, daß wenigstens das Visionsgespräch, das ja sonst in erster Linie positiv disponierten Heiden (wie Cornelius) oder bewährten Jüngern (wie Ananias) zuteil wird, als „Himmelsstimme", also als Privatoffenbarung beurteilt werden kann. Wenn dies wirklich der ursprüngliche Sinn der Lichterscheinung gewesen wäre, würde die fragliche Wendung in V. 17b dennoch als Zusatz zu beurteilen sein, weil man hier einen Hinweis auf die Stimme des Kyrios und auf eine Offenbarung an Saulus durch die Stimme vermißt. Daß die Stimme in Wirklichkeit nicht als offenbarende „Himmelsstimme" beurteilt werden darf, ergibt sich daraus, daß nach Apg 9,7 die Begleiter des Saulus „zwar die Stimme hören, aber niemand sehen", was sie selbstverständlich nicht zu Offenbarungsempfängern, sondern zu Zeugen des wunderbaren Geschehens macht[63].
Vergleicht man die fragliche Formulierung mit den lukanischen Redevarianten, so kann über die Herkunft dieser Erweiterung kein Zweifel sein. In Apg 22,14 werden das Sehen der Erscheinung und das Hören der Stimme als Offenbarung des Willens Gottes interpretiert; in Apg 26,16 wird in genauer Entsprechung zu 9,17 das Damaskusereignis nur noch durch den Terminus ὀφθῆναι bestimmt. Die Erweiterung setzt also das lukanische Verständnis der Christus-Begegnung vor Damaskus voraus.
Weitere „Lukanismen"[64] sind die Interpretation des ἀναβλέπειν durch πλησθῆναι πνεύματος ἁγίου und die Taufnotiz[65]. Lukanisch ist vor allem, daß diese Elemente nebeneinanderstehen; denn die besondere Qualität der christlichen Taufe besteht nach Lukas darin, daß sie den Geist vermittelt. Läßt man diese Zusätze aus[66], so wird

---

[63] Das hier wirksame Motiv der Teilreservierung einer Vision erläutert mit religionsgeschichtlichem Material A. Wikenhauser, Die Wirkung der Christophanie vor Damaskus auf Paulus und seine Begleiter nach den Berichten der Apostelgeschichte, in: Bibl 33 (1952) 313—323, hier: S. 316—322. Daß die Begleiter nur hören, aber nicht sehen, nimmt sie aus der bannenden Wirkung der Lichterscheinung heraus, bedeutet aber keine Auszeichnung. Die Erzählung hat an diesen Figuren an sich keinerlei Interesse; sie dienen nur zur Demonstration der geheimnisvollen Mächtigkeit des himmlischen Eingriffs.

[64] Über die Anrede mit „Bruder" kann man geteilter Meinung sein; m. E. ist sie lukanisch. Die zu Heilenden werden in der Regel mit ihrem Namen angerufen, nicht tituliert.

[65] Vgl. oben, S. 46 f.

[66] Daß das Heilungswort hier außerdem noch durch die Anspielung auf die Botenformel alttestamentlicher Wundererzählungen (vgl. z. B. 3 Kg 17,14) theologisch abgesichert wird, wird man dagegen bereits der ursprünglichen Fassung zutrauen müssen. Daß der Wundertäter ein Bote (des Kyrios, atl.:

die formale Ähnlichkeit zwischen der Heilung des Saulus und den Wundern, die Petrus in Lydda und Joppe wirkt, noch deutlicher. Die Verwandtschaft beruht auf Strukturmerkmalen, welche M. Dibelius der von ihm als „Novelle" bezeichneten literarischen Gattung zuordnet[67]. Dibelius versteht die Novelle im Gegensatz zum Paradigma (Predigtbeispiel) als diejenige Form literarischer Gestaltung, welche keinem kerygmatischen Inhalt (als Exemplifikation) dient, sondern „gewissermaßen ein Ersatz der Predigt" ist „in einem Hörerkreis, der bereits an Wundertaten von Göttern und Propheten gewohnt ist" (Formgeschichte, S. 72). Die Novelle ist die am meisten erzählerische, „weltliche", „profane" Gattung im NT, weil sie durch das Erzählen als solches wirken möchte (vgl. ebd., S. 66f., 72, 74, 78, 90, 100). Eine Novelle ist immer eine Wundergeschichte. Während das Paradigma nur gelegentlich ein Wunder als Anschauungsmaterial für kerygmatische Inhalte heranzieht, ist in der Novelle die Darstellung des Wunders „Selbstzweck" (ebd., S. 76). Nicht das Kerygma, sondern der Wundertäter steht im Mittelpunkt dieser Erzählungen[68]. Die meisten neutestamentlichen Novellen sind Jesus-Erzählungen; sie „handeln von Jesus dem Thaumaturgen" (ebd.). Das Wunder ist im Verständnis der Novelle eine Epiphanie des Göttlichen. Damit hängt zusammen, daß die Wundertat nicht vor vielen Zeugen geschieht, sondern daß das Publikum durch die sich verbreitende Kunde (also durch die Novelle) am Wundergeschehen partizipiert. Die Erscheinung des Göttlichen auf Erden ist kein Objekt allgemein zugänglichen, profanen Sehens, sondern muß vermittelt werden. In diesem Sinn ist die Novelle

Jahwes) ist, unterscheidet ihn von anderen Wundermännern, die sich als θεῖοι ἄνδρες verstehen. Ein solches Unterscheidungsbedürfnis wird nicht erst Lukas gehabt haben; vgl. Apg 9,34, wo auf andere Weise (durch Nennung des eigentlichen Inhabers der Heilkraft) das θεῖος-ἀνήρ-Motiv unterdrückt wird. Näheres dazu unten, S. 89f.

[67] Vgl. M. Dibelius, Die Formgeschichte des Evangeliums, 5. Aufl., Tübingen 1966, S. 66—100. Im folgenden werden die Gattungsbezeichnungen „Paradigma" und „Novelle" von Dibelius übernommen und grundsätzlich in seinem Sinn unterschieden. Auf die Problematik der Predigthypothese kann hier nicht eingegangen werden. Wenn im folgenden ein Traditionsstück, das Dibelius als „Legende" bezeichnet (vgl. Zur Formgeschichte außerhalb der Evangelien, S. 233 ff.), nämlich die Saulustradition, mit und zugleich gegen Dibelius als „Novelle" eingestuft wird, liegt das an einem abweichenden Verständnis des Legendenbegriffs einerseits und an einer abweichenden Beurteilung der Traditionslage in Apg 9 andererseits. Zur Anwendung des Legendenbegriffs auf die vorlukanische Redaktion von Apg 9 vgl. unten, Abschnitt IV.

[68] Dieser Satz trifft auf die beiden Petrusgeschichten noch zu, aber bereits nicht mehr auf die Saulustradition. Im folgenden wird zunächst ohne Rücksicht auf die drei gewählten Beispiele aus der Apostelgeschichte die Kennzeichnung der Gattung „Novelle" fortgesetzt.

Selbstzweck (vgl. ebd., S. 90 f.). Sie will „weder die Heilspredigt erläutern, noch die Heilserkenntnis mehren", sondern sie will „die Überlegenheit des ‚Herrn Jesus' erweisen und die Konkurrenz aller anderen Kultgötter aus dem Felde schlagen" (93).

Die Novelle läßt sich am leichtesten von ihrem „Sitz im Leben" her — auch formal — von anderen Gattungen unterscheiden. Ihre Besonderheiten lassen sich nicht exakt in der Form eines Kanons typischer Leitmotive oder Aufbauformen aufweisen, wie die nahe Verwandtschaft der Saulustradition mit der Legende von der Bekehrung des Cornelius zeigt. Zwischen Saulus- und Corneliustradition gibt es auf der Ebene der Motive und des erzählerischen Aufbaus gerade sehr deutliche Gemeinsamkeiten. Vor allem ergibt sich aus dem gemeinsamen Motiv der wunderbaren Koordinierung irdischer Vorgänge durch Visionen der Eindruck formgeschichtlicher Verwandtschaft. Daß es sich dennoch um zwei verschiedene Gattungen handelt, läßt sich am besten von der Corneliustradition her verständlich machen. Ihre Aussage hängt wesentlich von dem Inhalt der Petrusvision ab. Diese enthält in verrätselter Form eine Aussage über die Relevanz des nachfolgenden Geschehens. Der Sinn der zunächst unverständlichen himmlischen Offenbarung (Weisung) wird durch die erzählte Handlung aufgedeckt. Ein solches Erzählkonzept setzt voraus, daß das Publikum (Hörer oder Leser) in erster Linie an der Entschlüsselung der Visionsoffenbarung interessiert ist. Die Leserschaft ist für eine theologische Aussage empfänglich, ist also ein „geneigtes" Publikum. Die Gegenüberstellung von rätselhaftem Offenbarungswort und wunderbar gefügter Aufdeckung des verrätselten Offenbarungsgehalts setzt eine gewisse Bereitschaft zur Meditation, eine geistliche Sensibilität dem Legendenwort gegenüber voraus. Demgegenüber rechnet die Saulustradition mit einem Publikum, dessen Aufmerksamkeit durch grelle Effekte in der Kontrastierung von Gefahr und Schwäche, Bedrohung und Rettung erst erregt werden muß. Die Novelle muß, um ihren Zweck zu erreichen, erst einmal verblüffen. Auch diese Wirkung läßt sich durch das Motiv der wunderbaren Lenkung irdischer Vorgänge hervorrufen, setzt aber eine andere, eine mehr aggressive Gestaltung desselben Topos voraus.

Zeigt schon die neutestamentliche Jesusüberlieferung eine deutliche Zurückhaltung gegenüber der novellenartigen Darstellung der Person Jesu (vgl. ebd., S. 72, 94 ff.), so ist klar, daß es außerhalb der Jesustradition überhaupt keinen Platz für eine rein verwirklichte Novellenform gibt. Die Person des Thaumaturgen kann in einer Apostel-Geschichte nicht als θεῖος ἀνήρ im strengen Sinn auftreten. Seine Rolle muß relativiert werden. In der von einem novel-

lenartigen Kern (VV. 8—11) her gebauten Erzählung Apg 14,8—18
geschieht die theologische Absicherung dadurch, daß die — vom
Standpunkt der Formgeschichte „richtige" Auffassung der Lykao-
nier, in den Wundertätern Barnabas und Paulus seien „die Götter
in Menschengestalt herabgekommen" (V. 11), ausdrücklich als primi-
tives Mißverständnis zurückgewiesen wird (V. 15). Eine andere
Form der Entschärfung des Epiphanie-Charakters der Novelle zeigt
die Petrus-Erzählung aus Lydda: Das Heilungswort setzt sich
zusammen aus dem Befehl, aufzustehen und das Bett selbst herzu-
richten (novellenartig), und der theologisch absichernden Aussage:
„Jesus Christus macht dich gesund" (Apg 9,34). (Es handelt sich
dabei nicht um magischen Gebrauch des Namens!) Dadurch wird
erreicht, daß die Tat des Petrus als indirekte Epiphanie der Heils-
kraft Christi und Petrus somit als bloßer Funktionär im Wundergeschehen erscheint. Diese Tendenz kommt in der Saulustradition
noch stärker zum Zuge. Einmal ist auch hier durch das Heilungswort eine theologische Grenze gegenüber einem primitiven Wun-
derverständnis gezogen: Ananias tritt als zur Heilung bevollmäch-
tigter Gesandter des Kyrios auf (ὁ κύριος ἀπέσταλκέν με . . . ὅπως . . .:
V. 17). Vor allem aber ist daran zu erinnern, daß die Wundertat
des Ananias relativiert ist durch das Koordinatensystem einer
himmlischen Regie, der Ananias seinerseits nur in untergeordneter
Rolle und ohne Kenntnis des Gesamtzusammenhangs gehorcht.
Das Wunder ist nur ein Bestandteil in einem größeren Ganzen,
das nicht so sehr als Epiphanie göttlicher Kräfte — dies zwar
auch —, sondern vor allem als Wunder göttlicher Führung und
Protektion verstanden werden soll. Man wird deshalb die Saulustradition nicht undifferenziert als „Novelle" bezeichnen dürfen.
Aber die eindeutig novellesken Strukturmerkmale bestimmen doch
die Gattung. Ihr Vorhandensein ist ein Indiz dafür, daß die Geschichte von der Bekehrung des Saulus wie eine Novelle gebraucht
worden ist, nämlich im Vorfeld der eigentlichenVerkündigung als
Propagandastück, das nicht in erster Linie durch theologischen
Gehalt (Metanoia-Theologie), sondern durch den erzählten Vorgang als solchen wirken will. Der erstaunliche „Fall Saulus" soll als
solcher in seiner Werbewirksamkeit ausgebreitet werden. Damit ist
zugleich die Grenze gegenüber der erbaulichen Legende gezogen:
Die Saulustradition wendet sich nicht an Gläubige, etwa mit der
Aussage, daß Sünder durch Buße gerettet werden können. Vielmehr
will sie in einem außerordentlichen, von niemand nachzuahmenden
Geschehen für den Glauben an den werben, durch dessen mächtige
Führung dies Geschehen möglich wurde.

IV. Der Formwandel von der Novelle zur Legende
in der vorlukanischen Redaktionsschicht

Die ursprüngliche Form der Saulustradition ist also, mit gewissen Einschränkungen zwar, aber von der Funktion („Sitz im Leben") her, die diese Tradition in der Missionswerbung hatte, als Novelle zu bezeichnen und zu beurteilen. Als solche konnte sie dort Verwendung finden, wo auch Nichtchristen den „Fall Saulus" in irgendeiner Weise kannten.

Daß diese Tradition über Lukas auf uns gekommen ist, verdanken wir der Tatsache, daß die Geschichte von der Bekehrung des Saulus vor Damaskus auch innerhalb christlicher Gemeinden Interesse gefunden hat, nicht als Propagandastück, sondern als ein außerordentlich deutliches Beispiel dafür, was es heißt, von Gott „erwählt" zu werden. Das mit ἐκλογή (Apg 9,15) gemeinte eschatologische Handeln Gottes am Menschen ist die Grundlage des Selbstverständnisses der Gruppe, für die die vorlukanische Redaktion den Stoff der Saulustradition überarbeitet hat. Für sie wird im „Fall Saulus" in besonderem Maße sichtbar, was sie selbst als Wende ihres Lebens an sich erfahren hat. Paulus ist das „Gefäß", durch dessen Formung Gott die umgestaltende Kraft seines Erwählungshandelns zeigt. Die Gruppe bedarf eines solchen Anschauungsbeispiels, weil sie die ἐκλογή in der Regel nur in der negativen Konsequenz des Leidenmüssens (vgl. Apg 9,16) erfährt[69].

Die Umwandlung der Saulusnovelle in eine Sauluslegende geschieht im wesentlichen durch eine neue Konzeption der Saulusfigur; denn der irdische Protagonist ist ja der Katalysator, der die Macht der ἐκλογή Gottes zur Erscheinung bringt. Der Formwandel zur Legende kann also am besten an der Behandlung der Feindfigur der Novelle in der vorlukanischen Redaktion gezeigt werden. Zugleich wird sich dabei herausstellen, welches Paulusbild als die Traditionsgrundlage des lukanischen Paulusbildes, soweit dies auf der Saulustradition aufbaut, angesehen werden muß.

1. Das novelleske Feindschema

Der Novelle geht es um eine „unerhörte Begebenheit", die „sich ereignet" hat. Ihr Interesse richtet sich primär auf das Geschehen, nicht auf die in das Geschehen verwickelten Personen. Es wäre im Ansatz verfehlt, wollte man der ursprünglichen Saulustradition ein

---

[69] Zum Vorstellungszusammenhang, der dieser Interpretation zu Grunde liegt, vgl. oben, § 1, Abschnitt III.

Interesse an der Person des Saulus zuschreiben; ihr kommt es nur
auf den mit seinem Namen verbundenen unerhörten „Fall" einer
Feind-Bekehrung an. Damit ist von vornherein klar, daß die Saulustradition die Bekehrung des Saulus ohne persönliche Rücksichtnahme erzählt.

Die Novelle interpretiert eine „unerhörte Begebenheit" als Wunder.
Es wurde betont, daß das von Ananias im Namen des Kyrios
gewirkte Heilungswunder eingebettet ist in einen größeren wunderbaren Zusammenhang, dessen Urheber — der himmlische Kyrios —
nur punktuell in Erscheinung tritt als Lenker der Bewegungen
irdischer Figuren. Der eigentlich Handelnde bleibt aufs ganze gesehen verborgen. Dem Hörer der Novelle wird statt dessen die Figur
vor Augen geführt, an der das wunderbare Geschehen „sich ereignet": Saulus. Da das gesamte Geschehen auf Saulus bezogen ist,
ist er (und nicht Ananias) die Hauptfigur der Novelle. Nicht was
Saulus tut, macht ihn also zur Hauptfigur, sondern was an ihm
geschieht. Das passivum divinum, das dem frommen judenchristlichen Erzähler zur verhüllenden Darstellung des Handelns Gottes
dient, ist in der Saulustradition als Prinzip epischer Gestaltung
verwirklicht.

Die Novelle interpretiert ein außerordentliches Geschehen als Epiphanie göttlicher Kräfte. Der Epiphanie-Charakter des Geschehens
wird um so deutlicher, je mehr dieses die Grenzen des Wahrscheinlichen und Menschenmöglichen sprengt. Zum Gattungsgesetz der
Novelle gehört deshalb, daß das „Objekt" der wunderbaren Kraft-
demonstration anfangs in einer Lage gezeigt wird, die eine Änderung zum Guten als unmöglich erscheinen läßt: als blindgeboren,
als langjährig gelähmt, als bereits gestorben usw. Die Saulustradition macht darin keine Ausnahme. Saulus wird so geschildert,
daß jeder Hörer einsieht, ein solcher Mensch sei durch keine Macht
der Erde davon abzubringen, die Kirche Gottes bis auf den Tod zu
verfolgen. Es entspricht also den Gattungsgesetzen der Novelle,
wenn Saulus in den grellsten Farben als Christenschinder, als
„Drohung und Mord schnaubendes" Monstrum (vgl. 9,1) eingeführt
wird. Dadurch erst wird dem Hörer gezeigt, daß die Bekehrung
dieses Scheusals ein Wunder ist.

Der Novelle kommt es auf den Erweis übermenschlicher Kräfte an;
deshalb ist sie an menschlichen Motiven und Reaktionen an sich
nicht interessiert, im Gegenteil: sie will gerade zeigen, daß das
Geschehen, das sie berichtet, aus menschlichen Kräften des Agierens
und Reagierens ganz und gar unerklärlich ist. Deshalb arbeitet die
Novelle mit dem Mittel der Handlungsmotivation nicht, um das
Geschehen zu erklären, sondern im Gegenteil um es als aus mensch-

lichen Möglichkeiten heraus unmöglich erscheinen zu lassen. Vom
mordschnaubenden Christenverfolger Saulus gibt es keine psycho-
logische Entwicklung zum Christen, Bekenner und Missionar Paulus,
sondern die innere Verfaßtheit des Gottesfeindes ist durch und
durch negativ fixiert, so daß seine „innere" Wandlung nur durch
das Eingreifen überlegener Mächte von außen erklärt werden kann.
Es entspricht demnach den Gattungsgesetzen der Novelle, wenn die
Saulustradition bei der literarischen Ausstattung der Saulusfigur
sehr viel mehr Gewicht auf die negative Ausgangsposition legt als
auf den durch das wunderbare Geschehen herbeigeführten Endzustand. Während das Feindschema mit äußerst drastischen Mitteln
aufgebaut wird, wird der innere Vorgang der Umkehr nur angedeutet, und zwar in einer Weise, die dem persönlichen Zustand des
Juden Saulus psychologisch überhaupt nicht entsprechen soll, sondern einfach die Topoi der Proselytenwerbung (Fasten und Beten
als Ausweis der rechten Disposition) verwendet; vom schließlich
erreichten Zustand, von der christlichen „Rolle" des ehemaligen
Verfolgers, erfährt der Hörer so gut wie gar nichts.
Auf folgende Einzelzüge in der Gestaltung der Saulusfigur sei
besonders hingewiesen:
Apg 8,3
Die Novelle beginnt damit, daß Saulus als notorischer Christenverfolger eingeführt wird. Eine Begründung für die christenfeindliche Haltung des Saulus wird nicht gegeben, sondern sie wird
pauschal konstatiert: „Saulus verwüstete die Kirche" (8,3). Dabei
ist nicht gesagt, wann, wo und wie oft Saulus bereits als Verfolger
in Aktion getreten ist. Vielmehr sollen die folgenden Angaben
(Eindringen in Häuser, Verschleppung, Einkerkerung) zeigen, wie
gefährlich und unerbittlich der Feind ist.
9,1 f.
Das Tempus wechselt vom durativen/iterativen Imperfekt (8,3)
zum Aorist (9,2): das Geschehen setzt ein. Von jetzt ab ist die
erzählte Zeit durch das Nacheinander der Phasen des Einzelvor-
gangs bestimmt: Absicht — Beginn der Durchführung — Eingreifen
des Kyrios usw. Die Novelle will also nicht, wie später Lukas, sagen,
Saulus habe „zuerst" in Judäa gewütet und sei „dann", „immer
noch" wutentbrannt, nach Damaskus aufgebrochen, sondern sieht
alles auf Damaskus bezogen: Der wütende Verfolger faßt den Plan,
die Christen in Damaskus zu vernichten. „Damaskus" ist die erste
und — abgesehen vom Wort Ταρσέα in 9,11 — die einzige Ortsangabe; auf Damaskus allein richtet sich das Geschehen, um das es
in der Novelle geht. Die Perspektive der Ortstradition ist derart
bestimmend, daß eine Begründung dafür, wie die Aufmerksamkeit

des Verfolgers gerade auf diese Gemeinde fallen kann, nicht nötig ist[70]. Dagegen zeigt die Novelle ein Interesse daran, die Unaufhaltsamkeit und Übergröße der drohenden Gefahr zu demonstrieren. Dieser Absicht dient das Motiv des Vollmachtschreibens. Es stattet den Verfolger mit einer Macht aus, gegen die keine menschliche Hilfe möglich ist. Ist der Brief erst in der Hand des Saulus, nimmt das Unheil seinen Lauf. Der Brief hat erzähltechnisch die Funktion des auslösenden Moments. Es wurde gezeigt[71], daß das Motiv des Vollmachtschreibens als literarischer Topos zur Ausstattung der Feindfigur dient. Man sollte sich deshalb nicht an der historischen Unmöglichkeit einer solchen Bevollmächtigung stoßen. Die Novelle hat offensichtlich ein hohes Maß an literarischer Freiheit gegenüber den Fakten. Wie sie die Verfolgerfigur grell überzeichnet, so „übertreibt" sie auch, was ihre Machtausstattung angeht. Sie benennt als autorisierende Instanz die im Zusammenhang eines christlich-jüdischen Konflikts denkbar höchste: den Hohenpriester. Daß die Aushändigung des Vollmachtbriefes an Saulus dann in Jerusalem anzusetzen wäre, daß Saulus folglich auf seinem Unternehmen, von Judäa nach Norden reisend, tatenlos durch das Ursprungsland des Christentums, Galiläa, hätte ziehen müssen, von rechtlichen Fragen ganz zu schweigen — dies alles kümmert die Novelle nicht. Der Hohepriester ist eine literarische Figur, nicht eine reale politisch-religiöse Instanz.

Wenn man sich vergegenwärtigt, daß die Exposition der Novelle die frühere Verfolgertätigkeit des Saulus nicht lokalisiert und auch sonst nirgends Saulus mit Jerusalem in Verbindung bringt, daß also das Wort ἀρχιερεύς überhaupt der einzige Hinweis ist, der die Assoziation „Jerusalem" hervorruft, verliert das mit den realen politischen Gegebenheiten nicht zu vereinbarende Briefmotiv viel von seiner irritierenden Wirkung auf den Hörer. Erst Lukas stellt den Sachverhalt so dar, daß man sich an der rechtlichen Unmöglichkeit stößt: Wenn Saulus „zuerst" in Jerusalem gegen die Christen vorgegangen ist, und zwar ohne Vollmachtschreiben[72], dann bekommt der Brief an die Synagogen von Damaskus den Charakter einer

---

[70] In dieser Hinsicht bestätigt sich die These Hirschs, Apg 9,1 ff. sei als damaszenische Ortsüberlieferung zu deuten; vgl. oben, S. 15 f.

[71] Vgl. oben, S. 68 mit A 18.

[72] Dies legt die Version des Grundberichts jedenfalls nahe. Vorsichtiger dagegen die zweite Redevariante: 26,10 spricht Lukas bereits im Hinblick auf die erste, „große" Verfolgung von einer Bevollmächtigung durch den Hohen Rat. Das Motiv wird V. 12 im ursprünglichen Zusammenhang wieder aufgenommen, anscheinend ohne die Absicht, zwei verschiedene Bevollmächtigungen zu unterscheiden. Darin deutet sich eine gewisse Unsicherheit des Lukas bezüglich der Rechtsfrage an; vgl. oben, S. 22 A 17.

Spezial-Bevollmächtigung zu einem Exekutivunternehmen im „Ausland". Davon ist in der Novelle ausdrücklich nicht die Rede.

Es ist also festzuhalten, daß das Briefmotiv als zur Ausstattung der Feindfigur gehöriger literarischer Topos zum Urbestand der Saulustradition gehört und daß es erzähltechnisch als auslösendes Moment funktioniert. Der Jerusalem-Topos ist dagegen trotz Gebrauchs des Wortes ἀρχιερεύς in der Novelle nicht enthalten. Entsprechend müssen alle Stellen, die den Jerusalem-Topos explizieren, der lukanischen Redaktion zugewiesen werden. Dies betrifft außer den bereits behandelten VV. 13 f. 21 auch einen Teil der Formulierung von V. 2: Die Wendung ὅπως . . . ἀγάγῃ εἰς Ἰερουσαλήμ ist lukanisch (vgl. V. 22 fin.); sie ist als Dublette zu 8,3 aufzufassen[73].

Wenn der Brief als auslösendes Moment die Handlung in Gang setzt, alles vorher Gesagte also ursprünglich nicht zur Handlung zählt, sondern zur Exposition der Novelle, d. h. wenn man Apg 8,3 als Kennzeichnung des Saulus als Feind (und nicht mit Lukas als Bericht über dessen „erste" Verfolgung gegenüber einer geplanten „zweiten") interpretiert, wird die ursprüngliche Struktur der Verse 9,1 deutlicher: Das redaktionelle ἔτι in 9,1 ist zu streichen[74] und die Wendung „Drohung und Mord schnaubend" auf das beabsichtigte Unternehmen gegen die Christen in Damaskus zu beziehen. Die Novelle gibt also als Plan des Verfolgers an, die Christen in Damaskus umzubringen. Deportation und Aburteilung in Jerusalem (vgl. V. 2b) sind sekundäre Motive. An einer näheren Beschreibung der Möglichkeiten und Mittel zur Ausführung der Mordabsicht liegt der Novelle nichts. Sie will nur betonen: Die Christen in Damaskus sind von einer mordgierigen Bestie bedroht, die zur Ausführung ihrer schrecklichen Absichten ermächtigt ist. Das Unheil scheint unabwendbar zu sein.

9,3—9

Die folgende Szene demonstriert in möglichst hartem Kontrast zur voraufgehenden Exposition die Übermacht des himmlischen Kyrios. Deshalb sagt sie auch nichts über Saulus und seine innere Verfassung aus, sondern der Sturz des Verfolgers ist eine Tat des Kyrios, für Saulus dagegen ein Erleiden; der Gedanke an eine „innere Wandlung" liegt der Novelle fern. Ferner darf man die Tatsache, daß Saulus eine Erscheinung sieht und die Stimme hört, nicht als Auszeichnung des späteren Apostels nehmen. Die Begegnung vor

---

[73] Daß der Vers auch darüber hinaus stark lukanische Einfärbung aufweist, macht die literarkritische Beurteilung an dieser Stelle sehr schwierig. Ursprünglich ist wahrscheinlich lediglich das Stichwort εὕρῃ (vgl. oben, S. 68).

[74] Vgl. oben, S. 21.

Damaskus hat primär die Funktion der Bannung des Frevlers und der Abwendung der Gefahr, die er darstellt. Der Wortlaut des Visionsgesprächs insistiert darauf, daß Saulus noch immer der Verfolger ist (V. 4 f.: zweimal διώκεις). Er wird durch die Erscheinung nicht „bekehrt" oder gar „berufen" und „auserwählt", sondern das drohende Unheil wird vereitelt, das Scheusal niedergeworfen und geblendet. Freilich liegt in der Weisung, nach Damaskus zu gehen (V. 6b), ein Element der Schonung; aber nicht im Hinblick auf eine besondere Rolle des Paulus als Heidenapostel, sondern im Hinblick auf die im folgenden erzählte Heilung.

Kennzeichnend für die novelleske Gestaltung des sog. Damaskus-„Erlebnisses" des Saulus ist die Umsetzung aller inneren Prozesse in sinnfällige äußere Vorgänge: „plötzlich" greift der Kyrios ein, Saulus wird von „blitzartigem" Licht „umhüllt" (περί + ἀστράπτειν): der plötzliche Wandel entwickelt sich nicht aus inneren Motiven, sondern erfolgt als Eingriff „vom Himmel" usw. Man sieht, wie unmöglich es ist, aus dem Befund der Novelle irgendeinen Aufschluß über das zu erhalten, was „in" Saulus vorgeht. Der Saulus, der sich nach der Vision vom Boden erhebt, ist der entmachtete und gestrafte Feind der Christen (9,8 f.). Die Tatsache, daß Saulus nun Buße tut (9,9 fin.), erscheint ganz als zwingende Folge der Entmachtung, nicht als Prozeß der inneren Wandlung.

9,10—12. 17—19a

Ähnlich verhält es sich im zweiten Teil der Novelle. Die bestätigende Vision (V. 12) ist eine Spiegelung äußerer Vorgänge, die über einen Gesinnungswandel nichts aussagt; dieser gilt vielmehr als vollzogen (V. 11 fin.), obwohl Saulus noch gar kein Christ ist. Wieder wird deutlich, daß die „Bekehrung" des Saulus nicht „in" Saulus, sondern „an" Saulus stattfindet. Handelndes Subjekt ist nun Ananias, ein Repräsentant der Gemeinde von Damaskus. Die Bekehrung des einstigen Feindes, vom Kyrios ermöglicht, wird von ihm im Namen des Kyrios vollzogen. Sie hat die Form einer Wunderheilung, also eines äußeren Geschehens an Saulus. Nicht das Interesse an der Person des Saulus, sondern das am missionarischen Erfolg der Gemeinde von Damaskus bestimmt die Perspektive des Erzählers.

Es sei daran erinnert, daß die Novelle nichts über Taufe und Geistempfang sagt, sondern in Entsprechung zum ersten Teil der Novelle die Bekehrung als die Heilung des Geblendeten durch Handauflegung und Heilungswort darstellt. Die Geschichte schließt sehr „profan" damit, daß der niedergeschmetterte Feind, nachdem er geheilt und damit in die Gemeinschaft der bisher von ihm Verfolgten aufgenommen ist, „Speise zu sich nimmt" und „wieder zu Kräften kommt". Es ist klar, daß die novellenhafte naive Konkretheit der ganzen Szene über den tatsächlichen Aufnahmeritus nichts aussagt, schon gar nichts über die Stellung des Paulus in der Christengemeinde.

Es ergibt sich damit für die ursprüngliche Konzeption der Saulus-Gestalt folgendes Bild: Die Novelle behandelt Saulus nicht als Charakter oder Typ, sondern als Figur, die sich nicht aus eigenen inneren Antrieben und Reaktionen ändern kann, sondern sich nach einem Schema bewegt, das sich aus der anfänglichen Ausstattung (notorischer Christenverfolger, der die Gemeinde von Damaskus vernichten will) und den sie von außen erreichenden Kräften (der Kyrios und sein irdischer Funktionär Ananias) ergibt. Die von sich selbst her nicht veränderliche Bewegungsrichtung der Saulusfigur ist so angelegt, daß sie mit den von außen auf sie einwirkenden Kräften direkt kollidiert: Saulus ist durch und durch Feind der Kirche und des Kyrios. Seine Bekehrung ist ganz und ausschließlich Tat des Kyrios, nicht Resultat eines inneren Wandlungsprozesses. Das Ergebnis des gesamten Geschehens ist nicht die innere Umwandlung des Saulus, sondern die Eliminierung der Feindfigur durch übermenschliche Kräfte. Oder anders: das Wunder der Bekehrung des Saulus liegt für die Novelle ausschließlich in dem außerordentlich großen Widerstand, der mit Hilfe des Kyrios zu überwinden ist, d. h. in der extrem negativen „Disposition" des „Proselyten" Saulus.

2. Die legendarische Polarisierung der Rollen des Saulus

Strukturmerkmal der vorlukanischen Redaktion ist das Schema „einst—jetzt". Es findet sich, durch lukanische Überformung z. T. verdeckt[75], im Einschub Apg 9,13—16 und im sekundären Schluß Apg 9,20 f.; in ursprünglicher Deutlichkeit ist es durch das Zitat in Gal 1,23 belegt: „Der uns einst verfolgte, verkündet jetzt den Glauben, den er einst vernichten wollte" (ποτέ — νῦν — ποτέ). Im redaktionellen Einschub Apg 9,13—16 ist das Schema sinngemäß dem Zusammenhang angepaßt. Die Gegenfrage des Ananias — über deren vorlukanische Gestalt wir nichts Sicheres ausmachen können — bezieht sich auf alles, was man „bisher" von Saulus gehört hat; die Antwort des Kyrios kündigt an, welche Rolle Saulus als Christ „in Zukunft" spielen soll.

Die vorlukanische Redaktion konfrontiert also zwei gegensätzliche

---

[75] Lukas arbeitet mit einem Raumschema, der vorlukanische Redaktor mit einem Zeitschema; vgl. die ausführlichen Begründungen im literarkritischen Teil (§ 1, III—V).

„Rollen" des Saulus. Die erste wird, soweit man sehen kann, ohne Veränderung[76] aus der Tradition übernommen: die Rolle als Verfolger der Christen. Die zweite wird neu konzipiert und in die Saulustradition eingetragen: Apg 9,15 f. Der Inhalt der Rolle des Saulus als Christ wurde bereits behandelt, so daß dazu keine weiteren Ausführungen nötig sind. Erinnert sei lediglich daran, daß die Formulierungen von 9,15 f. zwar voraussetzen, daß der einstige Verfolger inzwischen als Missionar, vielleicht sogar als apostolische Autorität bekannt ist, daß aber die Definition seiner Rolle als Christ nicht auf eine „besondere" (etwa eine amtliche) Funktion abhebt, sondern auf die allen Christen gleichermaßen geltende Berufung zum Glaubens-Zeugnis vor der Welt (ἐκλογὴ τοῦ βαστάσαι τὸ ὄνομα ἐνώπιον ἐθνῶν καὶ βασιλέων), welches als Leidens-Zeugnis einer bedrängten Minderheit verstanden wird (παθεῖν).

Es kommt dem vorlukanischen Redaktor auf den scharfen Kontrast der beiden Rollen des Saulus an. Sofern dieser Gegensatz durch keine aus inneren Antrieben und Reaktionen herzuleitenden psychologischen Entwicklungen zu überbrücken ist, wird der Figuren-Stil der Novelle im Prinzip beibehalten. Der „Rollenwechsel" des Saulus wird nicht als innerer Umwandlungsprozeß der Person, sondern als Tat des Kyrios verstanden, in der die „erwählende" Liebe Gottes wirksam wird. Sofern aber die Macht der ἐκλογή nicht nur in der Neutralisierung der Feindfigur, sondern in der völligen Neugestaltung des ehemaligen Verfolgers zum leidenden Glaubenszeugen, zum „Träger des Namens" vor der Welt, sichtbar wird, geht der vorlukanische Redaktor über das starre Figurenschema der Novelle hinaus. Der Fall der Bekehrung des Saulus soll im Extrem die umgestaltende Kraft der gnadenhaften „Erwählung" der Christen zeigen.

Auf diese Weise wird unter der Hand des vorlukanischen Redaktors aus der „unerhörten Begebenheit" der Bekehrung eines Feindes der „exemplarische" Fall einer Gnadenwahl. Da das Prinzip der frei wählenden Gnade nach dem Selbstverständnis der Christen, für die der vorlukanische Redaktor schreibt, die Basis ihrer Existenz als gegenüber der Umwelt profilierter Gruppe ist, kann der gesamte

---

[76] Man muß jedoch beachten, daß die strenge Ausrichtung des Gesamtgeschehens auf Damaskus durch die Gegenfrage des Ananias gelockert wird: Wenn Ananias auf die bisherige Verfolgertätigkeit des Saulus hinweist, dann ist dabei ncht nur an die Figur des notorischen Feindes der Christen gedacht, sondern an wiederholte konkrete Verfolgungen, die dieser Feind ausgeführt hat. Dies leistet der lukanischen Vorstellung Vorschub, daß das Damaskus-Unternehmen des Saulus das letzte einer Serie von Verfolgungen war (vgl. Apg 26,10—12).

Sachverhalt mit dem Begriff „Erwählungs-Legende" zusammen-
gefaßt werden[77].
Die Saulusfigur dieser Legende ist der Stoff, von dem ausgehend
Lukas sein Paulusbild aufbaut.

[77] Der wichtigste Unterschied dieses Legendentypus gegenüber späteren christlichen Formen der Erwählungslegende (z. B. der Gregoriuslegende) ist das
Fehlen des Läuterungsmotivs. Dieser Unterschied ist insofern für das Verständnis der Sauluslegende von Interesse, als er diese dem Kontext einer
eschatologisch orientierten Spiritualität zuzuordnen erlaubt.

Zweiter Hauptteil

DIE LUKANISCHE REDAKTION DER SAULUSTRADITION

§ 3 DAS LUKANISCHE VERSTÄNDNIS DER SAULUSTRADITION

Bei der Erörterung der lukanischen Redaktion der Saulustradition in den folgenden Teilen werden zwei Fragenkomplexe voneinander unterschieden: die Frage nach der lukanischen *Interpretation* der Saulustradition (§ 3) und die nach der lukanischen Verwendung der so interpretierten Tradition als Mittel der *Argumentation* (§ 4).

Diese Trennung ist in diesem Fall deshalb legitim, weil sie dem Verhältnis der drei lukanischen Fassungen der Saulustradition zueinander entspricht, von denen die erste, der Grundbericht, die lukanische Interpretation des Saulusstoffs darstellt, während dagegen die beiden ἀπολογίαι in Apg 22 und 26 mit diesem Stoff argumentieren.

Dieser Verfahrensmodus bedeutet allerdings nicht, daß in der redaktionsgeschichtlichen Analyse des Grundberichts vom Befund der Redevarianten abzusehen ist, sondern es wird im folgenden — entsprechend dem Verfahren in der literarkritischen Analyse (vgl. dazu oben, S. 17—19) — jeweils vom lukanischen Gesamtbefund her nach Interpretation und Argumentation gefragt. Denn es ist nicht nur möglich, vom Verständnis einer Sache die Argumentation mit dieser Sache zu erläutern, sondern umgekehrt gibt auch die Argumentation Aufschluß über das Verständnis dessen, womit argumentiert wird.

1. Die Einstufung der Saulustradition als Bericht

Mit der lukanischen Redaktion ist endgültig die Traditionsstufe schriftlicher Überlieferung erreicht. Die Saulustradition wird Lukas zwar bereits in schriftlicher Form vorgelegen haben; aber das bedeutet zunächst nur einen äußeren technischen Umstand, der dem Stoff selbst nicht wesentlich ist. Denn sowohl die Novelle als auch die legendarische vorlukanische Fassung der Saulustradition sind zum mündlichen Einzelvortrag geeignet. Bei Lukas erst bekommt der Stoff einen „Sitz in der Literatur".

Bereits hier — und nicht erst bei den redaktionellen Einzelmaßnahmen des Lukas am Stoff — hat die Frage nach dem lukanischen Verständnis der Saulustradition anzusetzen. Wenn Lukas die ursprünglich selbständig konzipierte und überlieferte Saulustradition als Gliedgattung in den Rahmen seines Doppelwerks aufnimmt, so impliziert dies bereits ein bestimmtes Verständnis des Saulusstoffs. Denn Lukas versteht sein eigenes Werk insgesamt im Prinzip als eine Form von Berichterstattung; die von ihm verwendeten literarischen Stoffe gelten ihm als „Quellen" in dem Sinn, daß sie als „Berichte" (διηγήσεις), die gemäß dem Wort von Augenzeugen abgefaßt sind, die Grundlage seines eigenen abschließenden Gesamtberichts darstellen.

Das Proömium des Lukasevangeliums, das über diese Zusammenhänge reflektiert, bezieht sich zwar, wie Schürmann mit Recht wieder hervorhebt[1], speziell auf das Evangelium und nicht auf das lukanische Doppelwerk; denn daß Lukas auch die in der Apostelgeschichte verarbeiteten Stoffe als „apostolisch" im Sinne des παραδιδόναι in Lk 1,2 ansieht, ist nicht anzunehmen. Sicher ist aber, wie die Anfangsverse der Apostelgeschichte zeigen (bes. Apg 1,1: πρῶτον λόγον ist Bezeichnung des Evangeliums im Unterschied zur Apostelgeschichte als δεύτερος λόγος), daß Lukas in der Apostelgeschichte nicht eine zweite Monographie, sondern eine Fortsetzung des mit dem Evangelium begonnenen Werkes sieht und folglich auch den δεύτερος λόγος als διήγησις versteht. (Im übrigen ist diese Behauptung viel selbstverständlicher als die lukanische Einschätzung der „Quellen" seines Evangeliums.) Unter diesem Aspekt läßt das Proömium des Evangeliums also durchaus Rückschlüsse auf die lukanische Einschätzung der Gattung der Apostelgeschichte zu.

Der „Zweck" (vgl. ἵνα; Lk 1,4) des Lukasevangeliums[2] ist es, die Erkenntnis (ἐπιγνῶναι; vgl. V. 4) der Verläßlichkeit (ἀσφάλεια) des Inhalts der christlichen Katechese (ὧν κατηχήθης λόγων) zu vermitteln[3].

Diesen Zweck will Lukas dadurch erreichen, daß er ihm vorliegende Berichte (διηγήσεις; vgl. 1,1) über Geschehnisse (πράγματα), die gemäß (καθώς) einer Augenzeugentradition (vgl. V. 2) verfaßt wor-

[1] Vgl. H. Schürmann, Das Lukasevangelium I, HThK III,1, Freiburg-Basel-Wien 1970, S. 4; so auch Conzelmann, Haenchen, Klein u. a. (vgl. Schürmann, ebd., Anm. 13). Vgl. dagegen aber unten, Anm. 2 und 8.

[2] Diese Minimalformulierung genügt hier für den beabsichtigten Nachweis. Im übrigen dürfte die Auffassung zutreffen, daß nach lukanischem Konzept die Apostelgeschichte keinem anderen Zweck dient, daß also Lukas mit seinem Doppelwerk nicht verschiedene Teilziele verfolgt. Vgl. W. C. van Unnik, The „Book of Acts" the confirmation of the gospel, in: NovTest 4 (1960) 26—59.

[3] „Zur kirchlichen Unterweisung... kommt diese seine Schrift erhellend hinzu!" (Schürmann, aaO., S. 3; vgl. ders., Evangelienschrift und kirchliche Unterweisung. Die repräsentative Funktion der Schrift nach Lk 1,1—4, in: Miscellanea Erfordiana (Erfurter Theologische Studien 12), Leipzig 1962, S. 48—73, auch in: ders., Traditionsgeschichtliche Untersuchungen zu den synoptischen Evangelien, Düsseldorf 1968, S. 251—271).

den sind, in einer durch sorgfältige Überprüfung aller Quellenstoffe verifizierten richtigen Anordnung (vgl. V. 3) neu zusammenstellt[4]. Kennzeichnend für dieses Programm ist die Selbstverständlichkeit, mit der Lukas nicht erst sein eigenes Werk, sondern auch
das seiner Vorgänger als Berichterstattung über tatsächlich Geschehenes einstuft, obwohl er ausdrücklich sagt, daß diese Berichte auf
dem apostolischen Überlieferungsgut basieren[5], das Lukas keineswegs als Archivmaterial ansieht, sondern als die Grundlage der
vita christiana, als die „Lehre", nach der man leben muß (vgl.
Apg 2,42).
Die Erkenntnisgewißheit, welche Lukas seinem Leser vermitteln
will, betrifft die „Lehre der Apostel" als Inhalt der Unterweisung;
es geht um deren „Sicherung". Das besagt zunächst negativ: Lukas
will selbst nicht „lehren", sondern im Interesse der Sicherung der
„Lehre" „berichten", wobei „Lehre" und „Bericht" dem Inhalt nach
nicht zu trennen sind. Inwiefern kann aber der „Lehre" durch das
„Berichten" gedient werden? Will Lukas nachweisen, daß die
„Lehre" auf „Tatsachen" (πράγματα) beruht und also „verläßlich"
ist? Dagegen spricht[6], daß Lukas die apostolische Überlieferung als

---

[4] Lukas selbst schätzt seine Tätigkeit also als primär kompositorisch ein; die
Frage ist, ob er sich nicht unterschätzt.

[5] Dies Verhältnis wird durch καθώς (Lk 1,2) gekennzeichnet. Es besagt, daß
die Lukas vorliegenden schriftlichen Berichte der apostolischen Überlieferung
„entsprechen", was einerseits das Vertrauen des Lukas in seine Materialien
anzeigt, andererseits deren Nicht-Normativität; denn die quasi-kanonische
Instanz der παράδοσις liegt nach dieser Formulierung *hinter* den Quellen.
Man muß von daher noch strenger, als es Schürmann tut, für Lukas zwischen
der apostolischen Tradition einerseits und der ihr entsprechenden Berichterstattung andererseits unterscheiden: Mit Schürmann ist zu betonen, daß Lukas
seine διήγησις von der apostolischen Verkündigung (und der Jesu) absetzt
(vgl. aaO., S. 3); über Schürmann hinaus ist zu betonen, daß Lukas nicht nur
sein Werk, sondern auch dessen Quellen absetzt, und zwar nicht nur gegenüber der apostolischen Verkündigung, sondern auch gegenüber der apostolischen Tradition; gegen Schürmann ist zu betonen, daß bei dieser Einschätzung
des eigenen und der als Quellen benutzten Berichte es nicht die Absicht des
Lukas sein kann, „die allzeit maßgebliche apostolische Paradosis... möglichst
erschöpfend zu sammeln und in gültiger Weise vorzulegen" (aaO., S. 3). Das
Lukasevangelium ist für Lukas nicht das verbindliche Glaubensbuch der Una
Sancta (gegen Schürmann, aaO., S. 16 f.).
Eine positiv begründete Alternative setzt eine Interpretation des Begriffs
ἀσφάλεια und seines ungenannten Gegenbegriffs voraus. Schürmann sieht die
„Unsicherheit" bezüglich der kirchlichen Lehre in der „Lehrunsicherheit" der
Kirche im nachapostolischen Zeitalter, d. h. in der Ermangelung eines Kanons
der apostolischen Tradition, der die unterschiedlichen christlichen Strömungen
„ökumenisch" ausgleicht und zugleich gegenüber synkretistischer Verfälschung
bewahrt (vgl. ebd.). Vgl. dagegen unten, § 4, II. 3.

[6] Vgl. ferner Schürmann, aaO., S. 5 (zu 1,1b): Das πληροφορεῖν betont den „Er-

solche ausdrücklich auch als Augenzeugnis deklariert — und dagegen sich selbst, aber auch die Vorgänger, als Nicht-Augenzeugen absetzt. Es geht also nicht um die Sicherung der Tatsachenbasis der apostolischen Lehre: Die Antwort auf unsere Frage kann nur an der Aussage gewonnen werden, die in Lk 1,1—4 das lukanische Berichten von dem seiner Vorgänger unterscheidet[7]: Lukas will καθεξῆς γράψαι (V. 3 fin); d. h. von der richtigen Reihenfolge der Darstellung hängt die Lösung des Problems ab, das der Evidenz der „Verläßlichkeit" der Katechese im Wege steht[8]. Der Realitätsbezug dagegen ist als solcher kein Problem, weil sich die Dinge, um die es Lukas geht, „nicht in einem Winkel" (vgl. Apg 26,26) abgespielt haben[9].

füllungscharakter" der Ereignisse; auch daran ist abzulesen, daß es Lukas nicht um die Faktizität, sondern um die Bedeutung dessen geht, was Inhalt der Verkündigung, Lehre, Überlieferung und Berichterstattung ist.

[7] Nach Schürmann liegt der Unterschied nicht so sehr in den Ordnungsvorstellungen als in der Vollständigkeit der lukanischen Sammlung aller „Berichte" in einem Gesamtbericht (vgl. aaO., S. 6). Lukas folgt ja z. B. dem Markus-Aufriß. Dennoch weist die Akzentuierung des Ordnungsproblems bei der Beschreibung der eigenen Tätigkeit (V. 3) darauf hin, daß das Problem, das Lukas lösen möchte, einen Zusammenhang betrifft, der nicht innerhalb des Markus-Rahmens darzustellen ist.

[8] Wenn man es auf der Tatsachenebene sieht: das Problem wird in der rechten Darstellung der Verlaufsordnung, des „Richtungssinnes" (Dibelius) der Ereignisse gelöst, wobei die Zusammengehörigkeit der in Lk 1,1 gemeinten πράγματα mit den in der Apostelgeschichte dargestellten von vornherein mitgedacht ist.

[9] Im Proömium heißt es, diese Ereignisse seien ἐν ἡμῖν zur Erfüllung gekommen (1,1), so daß Predigt und Unterweisung ebenso wie die entsprechende „Bericht"-erstattung sich an Menschen richten, denen die Tatsachen im großen und ganzen bekannt sind. Das kommt z. B. darin zum Ausdruck, daß ein Apostel sein Publikum auf sein Wissen hin anspricht (vgl. Apg 2,22; 10,37; vgl. Lk 24,18!). Es ist also nicht angebracht, aus dem ἐν ἡμῖν einen exklusiven Unterton herauszuhören — im Gegenteil: es hat gerade auch die Nichtchristen als Zeitgenossen im Auge. Daß dabei an eine „eschatologische Gegenwärtigkeit" der „gottgewirkten Ereignisse" in der Kirche über die Zeit der apostolischen Augenzeugen hinaus, also an eine Einbeziehung der Zeit der Kirche in die „Erfüllungszeit" gedacht sein soll (vgl. Schürmann, aaO., S. 5), ist eine Vorstellung, die die Heilsereignisse zu stark mit dem Bild einer geschlossenen Kirche verbindet; das lukanische Zeitverständnis dürfte damit indessen durchaus zutreffend bestimmt sein. Klein dagegen entnimmt dem Wortlaut des lukanischen Proömiums die Vorstellung, Lukas habe eine zeitliche Differenz machen wollen zwischen den πράγματα und ihrem πληροφορεῖσθαι ἐν ἡμῖν, wobei letzteres die Verifizierung der Abgeschlossenheit des Heilsgeschehens durch Lukas und seine Gewährsleute (πολλοί) bezeichne (vgl. G. Klein, Lukas 1,1—4 als theologisches Programm, in: Zeit und Geschichte. Dankesgabe an Rudolf Bultmann zum 80. Geburtstag, hrsg. v. E. Dinkler, Tübingen 1964, S. 193—216, hier: S. 198—200; ebenfalls in: Klein, Rekonstruktion und Interpretation, S. 237—261, hier: S. 242—244. Aber darf man das πληροφορεῖσθαι

Daß dieser grundsätzliche Optimismus des Lukas, was die „historische Zuverlässigkeit" seiner „Quellen" betrifft, auch bei der Einschätzung der Saulustradition wirksam ist, zeigt sich daran, daß er in den beiden Redevarianten mit den Details der Saulustradition argumentiert und damit zu erkennen gibt, daß er sie für die Details des historischen „Damaskusereignisses" hält[10]. Darüber hinaus dürfte die Transponierung des Grundberichts in die Form von Paulusreden mit der Vorstellung zusammenhängen, daß Paulus für den Inhalt der Saulustradition ähnlich als Augenzeuge bürgt wie die Apostel für den Inhalt des Osterkerygmas (vgl. Apg 10,41). Dieses *vor* allen redaktionellen Einzelmaßnahmen des Lukas wirksame Grundverständnis der Überlieferung von der Bekehrung des Saulus muß sorgfältig beachtet werden; denn wenn man sieht, wie konsequent die Novelle — und der vorlukanische Redaktor ändert in diesem Punkte nichts! — alle erlebnishaften inneren Prozesse, welche die Bekehrung des Saulus zum Christen „verständlich" machen könnten, in transitives Außengeschehen „an" der Figur des Saulus umsetzt, wird man die lukanische Voraussetzung, es handle sich bei der Saulustradition um das, was Saulus bei seiner Bekehrung selbst an sich erfahren habe (also um das „Damaskuserlebnis" des Paulus), als tiefgreifende Neuinterpretation des gesamten Stoffes beurteilen.

Daß Lukas den Traditionskern für die Wiedergabe eines Ereignisses hält, das Saulus so, wie es die Novelle darstellt, „erlebt" hat, zeigt der Vergleich der Verse 9,3 und 22,6. Die Novelle beginnt den ersten Hauptteil der Erzählung mit dem unpersönlich konstatierenden ἐγένετο als erstem verbum finitum; es bezieht sich auf das, was Saulus tut (πορεύεσθαι, ἐγγίζειν). Der mit τε angeschlossene folgende Hauptsatz stellt den Eingriff vom Himmel her als Tatsache neben die erste Feststellung. Bewegung und Gegenbewegung werden somit als grundsätzlich gleichartige Elemente des Geschehens nebeneinandergestellt. Ganz anders verfährt Lukas in der ersten Redevariante. Der erste Hauptteil des Berichts beginnt mit ἐγένετο δέ μοι („es widerfuhr mir"); der Stil des unpersönlichen

---

zeitlich so terminieren, daß die Augenzeugen von der Verifizierung der Abgeschlossenheit — besser: des Erfüllungscharakters — des Heilsgeschehens ausgeschlossen sind (vgl. aaO., S. 199)? Vgl. dagegen Lk 24,44—49.

[10] In der neueren Exegese wird kaum noch versucht, die Texte in diesem Sinn auszuwerten. Von den ernstzunehmenden Arbeiten, die die Berufung des Paulus von den Acta-Berichten her beleuchten, sind zu nennen: H. Graß, Ostergeschehen und Osterberichte, Göttingen 1956, hier: S. 207 ff.; Ph. Seidensticker, Die Auferstehung Jesu in der Botschaft der Evangelisten. Ein traditionsgeschichtlicher Versuch zum Problem der Sicherung der Osterbotschaft in der apostolischen Zeit, Stuttgart 1967 (= StBSt 26), hier: S. 33—38.

Konstatierens ist damit aufgegeben. Abhängig von ἐγένετο ist auch hier ein a. c. i.; dieser beinhaltet jedoch gerade nicht das, was Saulus tut, sondern was „vom Himmel her" geschieht: περιαστράψαι φῶς ἱκανὸν περὶ ἐμέ. Damit wird das Eingreifen des Kyrios auf die Perspektive des Saulus bezogen dargestellt. Es ist zwar nach wie vor ein „Widerfahrnis", bei Lukas aber etwas, das Saulus „erlebt", „während" er sich der Stadt nähert (part. coni.).

Diesem Verständnis entsprechend ist der gesamte folgende Vorgang aus lukanischer Sicht folgendermaßen zu interpretieren:

1. Daß Saulus auf die Erde[11] fällt[12], zeigt nicht nur die Übermacht des Kyrios über den Feind der Christen, sondern zeigt auch die Betroffenheit des Saulus. Der Vorgang ist nicht rein zwanghaft, sondern ist zugleich als erste Reaktion des Saulus zu verstehen: als Schreckensgebärde.

2. Das Erscheinungsgespräch versteht Lukas als wirklichen Dialog. Das Gespräch soll nicht allein dem Hörer oder Leser sagen, wer es ist, der hier eingreift — die Leser des Lukas kennen die Macht des Kyrios längst —, sondern in erster Linie dem Saulus. Saulus erfährt etwas, das er vorher nicht wußte, und deshalb verhält er sich hinterher anders als vorher. Im Gespräch verändert Saulus sich. Zuerst hört er den Vorwurf des Kyrios: „Warum verfolgst du mich?"[13] Seine Gegenfrage: „Wer bist du, Herr?" zeigt für Lukas, das er wirklich nicht weiß, mit wem er spricht[14]. Das „Ich-bin"-Wort des Kyrios ist dann nicht die geprägte Formel der Selbstpräsentation himmlischer Mächte, sondern eine Mitteilung. Saulus kann ihr entnehmen, daß er sich über Jesus getäuscht hat: er ist nicht tot, sondern lebt[15] und steht zu denen,

---

[11] Kein symbolischer Ausdruck; gemeint ist „Erdboden" (vgl. ἔδαφος Apg 22,7).

[12] Da πίπτειν / καταπίπτειν bei Lukas nur ganz selten auf menschliche Gebärden angewandt wird (Lk 8,41 in Übereinstimmung mit Mk 5,22; Apg 10,25 in Übereinstimmung mit der Tradition), darf man den Befund nicht pressen. Der Zwangscharakter wird nicht aufgegeben. Die Reaktion ist unwillkürlich, darf also nicht als Demutsgebärde gedeutet werden. Ebenso wie Saulus verhalten sich ja auch seine Begleiter (nach 26,14).

[13] Das psychologisierende Moment ist in der letzten Version durch den warnenden Zusatz verstärkt: „Bitter ist es für dich, wider den Stachel auszuschlagen" (26,14).

[14] Diese Gegenfrage dient für Lukas also nicht primär dazu, die Selbstoffenbarung der Himmelsmacht zu provozieren, sondern das (bisherige) Verhalten des Saulus zu erklären. Auf diesen entscheidenden Zug wird unten (§ 3, III,2) näher eingegangen.

[15] Man beachte den Zusatz ὁ Ναζωραῖος in 22,8 (vgl. 26,9): Saulus kennt Jesus nur als den „Nazoräer", den die Juden gekreuzigt haben (vgl. Apg 2,22 ff.; 4,10).

die seinen Namen tragen. Diese Mitteilung bewirkt, daß Saulus
die Vergeblichkeit und Frevelhaftigkeit seines Tuns erkennt. Die
zweite Redevariante deutet dies an, wenn sie Saulus mit der
Frage reagieren läßt: „Was soll ich tun, Herr?" (22,10)[16]. Hier
zeigt sich Saulus bereits innerlich gewandelt, seine Pläne sind
in Nichts zerronnen, er will nur noch gehorchen (vgl. 26,19). Die
Tradition dagegen zeigt weder gehorsames noch ungehorsames
Reagieren des Verfolgers; sie läßt auf die machtvolle Epiphanie
des Kyrios unmittelbar den Befehl folgen. Die Ausführung des
Befehls sagt in der Tradition über Gehorsam oder Ungehorsam
des Saulus nichts aus, da ihm wegen seiner Blindheit nichts
anderes übrig bleibt, als sich in die Stadt führen zu lassen. Erst
Vers 9 deutet nach der Tradition die Metanoia an.

3. Die audiovisuellen Elemente des Visionsberichts interpretiert
Lukas als die Sinnesqualitäten des Ereignisses vor Damaskus.
Daher kommt es ihm auch nicht auf eine sorgfältige Behandlung des Motivs der Teilreservierung der Vision an. Die Begleiter des Saulus partizipieren an der Vision des Saulus nach dem
Grundbericht durch das Hören der Stimme (vgl. 9,7), nach den
Redevarianten dagegen durch das Sehen des Lichtglanzes (22,9;
26,13). (In der letzten Version fallen die Begleiter sogar infolge
der Lichterscheinung mit Saulus auf die Erde.) Man sieht daran,
daß Lukas voraussetzt, daß die „Phänomene" im Prinzip jeder-
mann kraft seiner Sinnesorgane zugänglich sind. Mit dieser
Vorstellung hängt zusammen, daß er die blendende Wirkung
des Lichtes nicht als konstitutives Element des Geschehens betrachtet: Nach 22,9 können die Begleiter das Licht sehen, ohne
blind zu werden. Entsprechend verliert das Heilungsgeschehen
an Bedeutung. Zwar konstatiert Lukas die blendende Wirkung
für Saulus (22,11); aber es scheint sich um eine vorübergehende
Erscheinung zu handeln. Jedenfalls fehlt nicht erst in der dritten, sondern bereits in der zweiten Version das Heilungsgeschehen; nach 22,12 f. kommt Ananias zu Saulus hinein und sagt —
ohne heilende Berührung! —: „Bruder Saulus, blicke auf!", und
Saulus blickt ihn an. Das hinzugefügte εἰς αὐτόν drückt die Aufmerksamkeit aus, mit der Saulus nun zuhört[17].

[16] Die „Was-soll-ich-tun?"-Fragen beziehen sich bei Lukas in der Regel auf
Belehrungen über den Heilsweg; vgl. Lk 10,25; 18,18; auch Lk 3,10.12.14;
Apg 2,37.
[17] Man muß das zweimalige ἀναβλέπειν als eine Verlegenheitsformulierung
bezeichnen; zwangloser wäre ein ἀτενίζειν ohne förmliche Aufforderung, wie
es. z. B. Apg 10,4 vorkommt, oder ein προσέχειν wie in 8,6. Zur Beurteilung
s. u. (II,2). Das Verb ἀναβλέπειν ist gewählt, weil es dem vorlukanischen
Befund („wieder sehen können") *noch* entspricht.

4. Diese gekünstelte Vermeidung des Wundermotivs in der ersten Redevariante zeigt, wie unbehaglich Lukas der Heilungsbericht der Tradition ist. Es ist der einer „psychologisierenden" Umschmelzung am wenigsten entgegenkommende Teil[18]. Im Grundbericht versucht Lukas deshalb nach Kräften, das drastische Wundergeschehen zu entschärfen: durch die Isolierung der heilenden Berührung (9,17a) vom Wundergeschehen (9,18) durch Ausgestaltung — oder besser: Umgestaltung — des Heilungswortes zu einem Rückverweis auf das „Damaskuserlebnis" (9,17b). Es ergibt sich daraus, daß Lukas, weil er die Saulustradition in allen Punkten als „Bericht" versteht, seine Skepsis gegenüber Elementen, welche er nicht für buchstäblich richtig hält, wenigstens andeutet. Er will also nichts „bildlich" verstanden wissen.

II. Die Interpretation der Saulustradition als Berufungsgeschichte

Ein wesentlicher Unterschied zwischen der Einschätzung des Saulusstoffs als Novelle oder Legende und der lukanischen als Bericht besteht darin, daß sowohl die Novelle als auch die Legende den „Fall Saulus" nicht um seiner selbst willen aufgreifen, sondern im Hinblick auf missionarische oder pastorale Anliegen als Anschauungsmaterial verwenden. Durch die Einstufung der Überlieferung als Bericht verliert der Stoff diesen „Sitz im Leben" und bekommt ein deutliches Eigengewicht; der „Fall Saulus" wird, wenn er so verstanden wird, primär aus Interesse an der Hauptfigur behandelt. Wie ist dieses Interesse näher zu bestimmen?

1. Die Überlagerung des Bekehrungs- durch das Berufungsmotiv und das dadurch bedingte Zurücktreten der Figur des Ananias

Die reservierte Einstellung des Lukas gegenüber dem ursprünglichen Schluß der Saulustradition zeigt, in welcher Richtung eine Antwort zu suchen ist: Lukas zeigt sich nicht nur skeptisch gegenüber dem Wundergeschehen, indem er das Wundermotiv in den Redevarianten eliminiert und im Grundbericht durch die redaktionellen Notizen über Taufe und Geistempfang neutralisiert (vgl. oben, S. 46 f.), sondern er gibt überhaupt die ursprüngliche Pointe der Tradition, die Hervorkehrung des Wundercharakters der Bekehrung eines Feindes, auf, indem er, die Elemente der vorluka-

---

[18] Darüber hinaus scheint sich Lukas seiner Sache sicher zu sein, wenn er voraussetzt, daß Paulus in seinem Leben niemals blind gewesen ist.

nischen Redaktion damit in eigenständiger Weise aufgreifend und pointierend, die Saulustradition als Aussage über die besondere Berufung des späteren Missionars Paulus deutet.

Daß die vom vorlukanischen Redaktor eingetragene Rollenpolarität, die Antithetik von einstiger Verfolgertätigkeit und künftigem „Tragen" des Namens, für das lukanische Verständnis des Saulusstoffs beherrschend wird, zeigt sich in einer strukturverändernden Umstellung innerhalb der ersten Redevariante: Das Kyrios-Wort über die künftige „besondere" Rolle des Paulus als „Werkzeug" des Kyrios[19] tritt — jetzt in der Form einer Botschaft des Ananias an Saulus — an die Stelle des Heilungswortes (vgl. Apg 22,14 f. gegenüber 9,17b); die Folge ist, daß nun nicht mehr die Aufnahme des Bekehrten, sondern die „besondere" Berufung des einstigen Verfolgers Gesamtziel der Darstellung ist. Die dritte Version führt diesen Interpretationsprozeß zum völligen Abschluß, indem sie das Berufungswort unmittelbar zum Inhalt des Visionsgesprächs zwischen dem Kyrios und Saulus in der Begegnung vor Damaskus macht[20]. Die ursprüngliche Pointe, das Bekehrungswunder, wird in der letzten Version völlig ausgeschaltet. Aber auch in den ersten beiden Fassungen sind entsprechende redaktionelle Maßnahmen zu beobachten. In 22,16 schiebt Lukas ein καὶ νῦν τί μέλλεις vor die Aufforderung zur Taufe. Diese Frage drückt die Überfälligkeit der Taufe aus[21]. Sie wird sozusagen nachgeholt, nachdem durch den Kyrios längst Größeres gewirkt worden ist. Die Ziele, die der Kyrios durch sein „Werkzeug" Paulus verfolgt, sind weiter gesteckt als die unmittelbar durch das Damaskusereignis bewirkte Bekeh-

---

[19] Daß dies die lukanische Interpretation von σκεῦος ἐκλογῆς ist, wurde oben, S. 35 f. angedeutet. Näheres s. § 4, I.

[20] Man kann dem entnehmen, daß Lukas an der Unterscheidung von Bekehrung und Berufung an sich gar nicht gelegen ist, daß er die Saulustradition viel lieber überhaupt als eine Berufungsgeschichte interpretieren möchte. Das Bekehrungsmotiv ist ihm durch die Tradition gegeben, und er muß sein Verständnis *gegen* die ursprüngliche Erzählstruktur durchsetzen. Dazu dient ihm die Unterscheidung von Bekehrung und Berufung, die durch den vorlukanischen Redaktor angebahnt ist.
Klein beurteilt diesen Sachverhalt genau umgekehrt: An sich sei Lukas an der Unterscheidung von Bekehrung und Berufung gelegen, weil die Berufung (i. U. zur Bekehrung durch die Erscheinung vor Damaskus) als mediatisiert erscheinen solle; dagegen sei das Zusammenfallen beider in Apg 26 dadurch bedingt, daß „eine dritte Erwähnung des Ananias schon aus kompositorischen Gründen wenig ratsam" gewesen sei (Die Zwölf Apostel, S. 156). Eine sachliche Differenz gegenüber Apg 9 und 22 sieht Klein in diesem Punkt nicht.

[21] Dies erinnert erzähltechnisch an den Schluß der Corneliuslegende. Dort wird die Taufe durch die unvermittelte Herabkunft des Geistes im Anschluß an die Petrusrede zu einem nachzuholenden Ritus; vgl. 10,47; 11,16 f.

rung des großen Verfolgers. (Das Schutzmotiv erscheint überhaupt nicht mehr.) Dieselbe Tendenz ist auch in der Redaktion des Grundberichts zu beobachten. Lukas erweitert das — ohnehin schon recht überfrachtete — Heilungswort 9,17b nicht nur durch die Ankündigung der Geistverleihung in der Taufe, sondern zudem noch durch einen wortreichen (!) Rückverweis auf die Christuserscheinung vor Damaskus. Die Art, wie Lukas dabei sprachlich verfährt, rückt diesen Hinweis nicht nur der Reihenfolge nach, sondern auch rangmäßig vor das Tauf-(Heilungs-)geschehen: Der Bote des Kyrios erinnert den Empfänger der Botschaft daran, daß dieser den Sendenden „gesehen"[22] hat; kann die Begegnung mit dem Boten etwa bedeutender sein als die mit dem Sendenden?[23]

Damit ist ausgeschlossen, daß nach lukanischer Sicht die Berufung des Saulus durch Ananias vermittelt ist[24]. Lukas kann nicht nur auf die Handauflegung durch Ananias verzichten[25], sondern überhaupt auf die Figur des irdischen Antagonisten[26], um einen vollständigen Bericht von der Berufung des Saulus zu geben. Die Rolle des Ananias wird im Grundbericht gemäß der Tradition als die des Wundertäters angegeben; in der ersten Redevariante ist Ananias der Interpret des Damaskusereignisses. Keine dieser beiden Funktionen ist für den Vorgang, wie Lukas ihn versteht, konstitutiv. Zur Rolle des Wundertäters ist bereits das Nötige gesagt (vgl. o., S. 108 f.). Die Tatsache, daß es nach der zweiten Version Ananias ist, der die Berufung des Saulus ausspricht (22,14 f.), kann nicht als lukanische Aussage über die juristische Form der Sendung des Saulus πρὸς πάντας ἀνθρώπους (22,15) interpretiert werden[27]. Denn erstens widerspräche diese Auffassung der letzten lukanischen Darstellung; und zweitens sind die Worte des Ananias kein Aussendungsbefehl, sondern eine Feststellung über den Zeugenauftrag, zu welchem Gott Saulus „vorherbestimmt" (προχειρίζειν) hat. Lukas unterscheidet hier drei Ebenen der erzählten Zeit: die erzählte Gegenwart (Ananias spricht zu Saulus = Aorist außerhalb der wörtl.

---

[22] Näheres s. § 4, I. 1.

[23] Übrigens enthält sich Klein jeder Bemerkung zu Ἰησοῦς ὁ ὀφθείς σοι.

[24] Gegen Klein, aaO., S. 147 f.

[25] So die erste Redevariante: 22,13. Hier wird bereits klar, daß Lukas nicht an Ordination denkt.

[26] So die zweite Redevariante.

[27] Auch Klein versucht dies nicht, sondern betont lediglich, daß nach 22,10 die Berufung des Saulus nicht unmittelbar ist (vgl. aaO., S. 152). Allerdings wehrt sich Klein gegen Haenchens Auffassung, die Mitteilung des Berufungsinhalts durch Ananias in Apg 22,14 f. sei lediglich „eine der Formen, in denen Lukas den Leser durch den Mund der am Geschehen beteiligten Personen belehrt" (Komm., S. 277), weil er in der Tatsache der Mitteilung doch einen „spezifischen Sinn" ausgedrückt sehen will.

Rede); die erzählte Vergangenheit (Gott hat Saulus vorherbestimmt
= Aorist innerhalb der wörtl. Rede); die erzählte Zukunft (Saulus
wird Zeuge sein = Futur innerhalb der wörtl. Rede). Nach diesem
Schema vermitteln die Worte des Ananias zwischen einem vergangenen und einem zukünftigen Geschehen, nämlich zwischen der
„Vorherbestimmung" durch Gott und der Ausübung der Bestimmung durch Saulus. Diese Vermittlung ist nicht juristischer, sondern
interpretatorischer Art: Die juristisch relevanten Sachverhalte sind
Gegenstand der Rede; die Rede als Akt ist formell für die Rechts-
lage irrelevant. Die einzige Funktion im Zusammenhang der Bekehrung des Saulus, welche nach lukanischer Auffassung von niemand
als Ananias allein ausgeübt wird, ist die von Lukas auf den zweiten
Rang gesetzte Taufe des Saulus. Daß sich daraus kein Abhängig-
keitsverhältnis des Saulus von Ananias hinsichtlich seiner Berufung
zum Zeugen ableiten läßt, ergibt sich aus der erwähnten Tatsache,
daß Lukas, wenn er überhaupt auf die ursprüngliche Pointe der
Tradition eingeht, zwischen Taufe (Bekehrung) und Berufung
unterscheidet, und zwar so, daß die Taufe den Abschluß des Bekeh-
rungsvorgangs bildet, wärend die Berufung vor der Taufe stattfindet[28] und geraume Zeit nach der Taufe wahrgenommen wird[29].
Nach Kleins Auffassung ist nach lukanischem Verständnis die Rolle
des Ananias weder als die des Wundertäters noch als die des
Interpreten des Damaskusereignisses hinreichend bestimmt, sondern
muß Ananias als Repräsentant der Kirche gesehen werden, auf
dessen Vermittlung der bekehrte Saulus hinsichtlich seines Platzes
in der Kirche angewiesen ist: Durch die Handauflegung des Ananias steht der Missionar Paulus seinem Rang nach unter der durch
Ananias repräsentierten zeitlich vorgeordneten Tradition (vgl. aaO.,
S. 146 mit Anm.704 und im folgenden passim). Abgesehen von
den oben entwickelten Argumenten ist gegen diese Auffassung ins
Feld zu führen, daß Lukas, wenn es ihm um die Subordinierung
des Paulus unter die ihm vorgeordnete kirchliche Tradition gegangen wäre, diese seine Absicht selbst wieder dadurch verschleiert hätte,
daß er den Platz des Ananias in der apostolischen Sukzessionsreihe
nicht eindeutig markiert hat. Ananias erhält eine himmlische Spe-
zialorder, die man nicht (wie Klein, aaO., S. 146 A 704 unter Berufung auf Jülicher—Fascher, Einleitung, S. 429) als „Ersatz" für das
bei Lukas „sonst fehlende Sakrament" der apostolischen Handauflegung interpretieren sollte. Man kann auch nicht — das versucht

---

[28] So zutreffend E. Fascher, Zur Taufe des Paulus, in: ThLZ 80 (1955) 646.
[29] Die Frage, wie die unmittelbar auf die Taufe folgende Wirksamkeit des
   Saulus in Damaskus und Jerusalem zu beurteilen ist, muß in größerem Zusammenhang diskutiert werden. Näheres unten, S. 146 f.

wiederum Klein (ebd.) — aus diesem Befund ein argumentum
a forciori herausholen, indem man als besonders „schroff" wirken-
den Gedanken hervorhebt, „der spätere große Missionar" sei „von
dem Initiationswirken eines kontingenten" [d. h. ganz beliebigen]
„Christen abhängig". Die einzige Stelle, an der Lukas von sich aus
Ananias einordnet, Apg 22,12 ‚weist in eine andere Richtung: Ananias erscheint dort als Judenchrist (vgl. κατὰ νόμον), der nach wie
vor bei den Juden in gutem Ansehen steht (vgl. μαρτυρούμενος κτλ.).
Das ist zwar zunächst auf das in Kap. 22 angesprochene Publikum
gemünzt, spricht aber nicht gerade für die Subordinierungsthese
Kleins.

2. Ἐκλογή als Aussonderung zum Zeugendienst

Die Überlagerung des Bekehrungs- durch das Berufungsmotiv und
die damit Hand in Hand gehende Reduzierung der Rolle des Ananias — als Täufer vollzieht er den die Bekehrung des Saulus besie-
gelnden Akt der Aufnahme in die Kirche; als Bote des Kyrios
interpretiert er das Damaskusereignis; am Berufungsgeschehen als
solchem ist er unbeteiligt — lassen sich an den lukanischen Struktur-
veränderungen, insbesondere an der Verschiebung der ursprünglichen Pointe der Saulustradition, ablesen.
Hinter diesen Veränderungen steht das lukanische Verständnis von
ἐκλογή in Apg 9,15. Ἐκλογή, verstanden als κλῆσις im umgreifenden
Sinn, wie ihn der vorlukanische Redaktor in den Saulusstoff einträgt, wäre schwerlich vom Taufvollzug zu trennen. Es wurde ja
gezeigt, daß für den vorlukanischen Redaktor das Festhalten an der
Berufung (im Leiden) identisch ist mit dem tagtäglichen Stehen zum
Taufbekenntnis (vgl. oben, S. 46). Wenn dagegen Lukas zwischen
Berufung und Bekehrung in der beschriebenen Weise so unterscheidet, daß die Taufe den Bekehrungsvorgang besiegelt, im übrigen aber keinen Bezug zu der über die Taufgnade (Geist) hinaus-
gehenden Gnade der Berufung zu einem „besonderen" Dienst hat,
so zeigt sich darin eine grundlegend neue Konzeption des Beru-
fungsmotivs.
Der vorlukanische Redaktor versteht unter der ἐκλογή ein Handeln
Gottes, durch welches der — bildlich als σκεῦος bezeichnete —
Mensch in die Schar der „Erwählten" berufen wird; ἐκλογή bezeichnet die κλῆσις der von Gott zum Heil Bestimmten unter dem
Gesichtspunkt der Aussonderung und Unterscheidung von der
„fremden" Welt; die Differenz zur Umwelt wird manifest im
„Tragen des Namens", d. h. in dem für die Nichtchristen befremd-
lichen „Wandel"; sofern dieser Wandel Gegenstand permanenter
Verleumdungen ist, unter welchen die Christen zu leiden haben,

ist der Inhalt der Berufung zum „Tragen des Namens" das Leiden
als Beisasse und Fremdling in der Welt (vgl. oben § 1, III. 2).
Demgegenüber versteht Lukas den Ausdruck σκεῦος ἐκλογῆς so, wie
er seitdem immer verstanden worden ist, nämlich als Bezeichnung
der „besonderen Funktion", die Saulus kraft besonderer Berufung
durch den Kyrios übertragen wird.

Wenn aber ἐκλογή nicht mehr die „Erwählung" zum Heil sondern
die „Aussonderung" zu speziellen Aufgaben ist[30], so muß im Gefolge
dieser Verschiebung der gesamte Vorstellungszusammenhang tiefgreifende Veränderungen erfahren: Σκεῦος heißt bei Lukas „Werkzeug". Saulus ist ein Werkzeug in der Hand des Kyrios, mittels
dessen dieser (der Kyrios!) seinen Namen „vor die Heiden und
Könige und Söhne Israel" trägt (9,15). Wenn Saulus sich als „Diener und Zeuge" (26,16b) dem Kyrios zur Verfügung stellt, so wird
er als Werkzeug nicht geschont, sondern der Kyrios wird „ihm
zeigen, wieviel er um meines Namens willen leiden muß" (9,16). Die
Vorstellung vom „Diener und Zeugen" als dem „Werkzeug",
dessen der Kyrios sich bedient, bezieht Lukas primär auf die missionarische Wirksamkeit des Paulus[31]. Es wäre ein Mißverständnis,
das Wort σκεῦος nur auf die — allerdings sehr zahlreichen[32] —
Stellen der Apostelgeschichte zu beziehen, die Paulus als Empfänger
spezieller Weisungen und als Schützling des Kyrios zeigen. Saulus
ist in dem Maße „Werkzeug" des Kyrios, wie er als „Zeuge" wirkt.
Das „Leiden-Müssen", von welchem die Tradition spricht, bezieht
Lukas gerade nicht auf das Werkzeug-Sein, sondern auf die zahlreichen (ὅσα) Mißerfolge und Rückschläge, insbesondere die Nach-
stellungen jüdischer Gegner, denen Paulus im Verlauf seiner
missionarischen Wirksamkeit ausgesetzt ist[33]. Diese Auslegung

---

[30] Von der Aussonderung ist 13,2 wieder die Rede: ἀφορίσατε δή μοι τὸν Βαρ-
ναβᾶν καὶ Σαῦλον εἰς τὸ ἔργον ὃ προσκέκλημαι αὐτούς: Die Stelle kommentiert
präzis das lukanische Verständnis von ἐκλογή in 9,15. Demgegenüber ist die
Formulierung der Redevarianten mehr am Aspekt der göttlichen Lenkung
und Planung interessiert: προεχειρίσατό σε (22,14); προχειρίσασθαί σε (26,16b).
Zu beachten ist aber 26,17: „dich herausnehmend aus dem Volk und den Heiden, zu denen ich dich sende . . .“; auch hier bilden Aussonderung und Sendung einen festen Zusammenhang.
[31] Dies ergibt sich aus der lukanischen Erweiterung der Formel „vor Völkern
und Königen" (vgl. oben, S. 38 f.). Lukas trägt das dritte Glied ein („Söhne
Israel"), um die Adressaten der paulinischen Missionspredigt exakt anzu-
geben: Heiden und Juden, wie es deutlicher — ohne das nun störende Mittel-
glied „Könige" — die dritte Version (26,17) formuliert.
[32] Apg 13,2.4; 16,6—11; (16,26 = vorlukanisch); 18,9 f.; 21,11; 22,17—21; 23,11;
vgl. noch 19,11 f. (Die Stelle 20,22 ist wegen ihres besonderen Gewichts von
den vorherigen Beispielen zu trennen.)
[33] Näheres dazu unten, S. 157 ff.

steht in deutlicher Spannung zur logischen Struktur des vorlukanischen[34] Textes; denn das Begründungsverhältnis zwischen V. 16 (γάρ) und V. 15 wird dabei nicht streng aufrechterhalten. Die Tradition nennt den ἐκλεκτός „Träger des Namens“, sofern er für den Namen „leidet“; παϑεῖν und βαστάσαι meinen konkret dasselbe, so daß es sinnvoll ist zu sagen: weil und sofern einer für den Namen „leidet“, „trägt“ er den Namen in der Öffentlichkeit[35]. Für Lukas ist diese Gedankenführung strenggenommen nicht möglich, sondern nur die Umkehrung: weil Saulus im Dienst des Kyrios wirkt, muß er (auch) leiden. Anscheinend hat Lukas in das γάρ ein διότι oder ὥστε hineingelesen, was insofern verständlich ist, als der voraufgehende Teil des Satzgefüges ein Kausalsatz ist. Daß Lukas mit dem γάρ von V. 16 nicht das vorlukanische Begründungsverhältnis akzeptiert, ergibt sich deutlich aus den beiden Redevarianten, die die Berufung des Saulus ohne das Leidensmotiv interpretieren. Man wird sich also hüten müssen, die Bedeutung des Leidensmotivs für das lukanische Verständnis der Berufung des Saulus zu hoch zu veranschlagen: Das Leiden ist eine Folge der missionarischen Wirksamkeit, allerdings eine unausweichliche. Dagegen ist es nicht angebracht, die paulinische Vorstellung vom „Apostelleiden“ für das lukanische Verständnis von Apg 9,16 vorauszusetzen; völlig ausgeschlossen ist ein Bezug zum Prozeß (oder gar zum Martyrium) des Paulus.

Die Unsicherheit der Exegeten bezüglich der logischen Struktur der Verse Apg 9,15 f.[36] ist also eine Folge der Brüchigkeit der lukanischen Lesart dieser Stelle. Die lukanische Bearbeitung dieser Verse ist ein instruktives Beispiel dafür, wie Lukas einen theologisch entscheidenden Wortlaut ohne spektakuläre Überformung oder Erweiterungen — lediglich der Artikel vor ἐθνῶν und der Ausdruck υἱῶν τε Ἰσραήλ sind lukanisch — völlig neu interpretiert. Wo es keine mit größerer Freiheit gegenüber dem tradierten Wortlaut formulierten Varianten zu vergleichen gibt, wird sich die Frage nach dem Verhältnis von Tradition und Interpretation bei ähnlicher Sachlage kaum so genau wie in diesem Fall beantworten lassen.

---

[34] Vgl. die literarkrit. Begründung oben, S. 39 f. Das γάρ entspricht dem γάρ in 9,11 fin., muß also von Anfang an zum Textbestand gehört haben, da die Verse 15 f. nach der Struktur von Vers 11 aufgebaut sind.

[35] Die Umkehrung wäre, wenn man den Satz isoliert betrachtet, näherliegend. Im Zusammenhang des vorlukanischen Einschubs ist jedoch V. 16 die angezielte Pointe: der einstige Verfolger wird nun bald selbst als Bekenner (Verfolgungen) leiden.

[36] Vgl. oben, S. 37 ff.; ferner Klein, aaO., S. 148 A 713.

III. Die lukanische Interpretation der Feindfigur der Tradition

Die Einschätzung der legendarisierten Saulusnovelle als Bericht, näherhin als Berufungsgeschichte mit spezifischem Interesse an der missionarischen Rolle des Paulus, hat als härteste Konsequenz im Gefolge, daß Lukas das Feindschema der Saulustradition ohne wesentliche Abstriche, was die Einzelmotive (λυμαίνειν, σύρειν, φόνος usw.) angeht, als Aussage über die Vergangenheit des historischen Paulus übernehmen muß.

Die Novelle, welche für die Konzeption der dämonisierten Schrekkensfigur des Drohung und Mord schnaubenden Verfolgers verantwortlich ist, ist weder an historisch richtiger Berichterstattung noch an einer ausgewogenen moralischen Beurteilung des Verhaltens des ehemaligen Verfolgers interessiert, sondern behandelt den Fall Saulus so, wie er sich propagandistisch am besten auswerten läßt: Die Macht des himmlischen Kyrios wird an der Überwindung einer möglichst grell und drastisch aufgebauten Gegenfigur demonstriert. Die Legende mildert die harten Züge des Feindschemas nicht, sondern macht sie dem eigenen Konzept dienstbar, welches in der Antithetik von einstiger und künftiger Rolle des Saulus (Verfolger — Bekenner) die Macht der göttlichen ἐκλογή veranschaulichen will.

Lukas sieht sich also genötigt, sich mit dem voll intakten Feindschema der Tradition auseinanderzusetzen[37]. Wie verhält er sich angesichts der Notwendigkeit, die perhorreszierte Saulusfigur als tatsachengetreues Abbild des Charakters und des Verhaltens des jungen Paulus im Rahmen seines Berichts zu interpretieren? Wie erklärt er sich die Bewußtseinsverfassung des Verfolgers Saulus im Zusammenhang des „Damaskuserlebnisses"? Angesichts der drastischen Elemente in der novellistischen Konzeption der Saulusfigur stellen sich insbesondere zwei Fragen:

1. Welche sachlichen Vorstellungen über die Rolle des Verfolgers Saulus entnimmt Lukas der ihm vorliegenden Tradition? Was hat der Christenverfolger Saulus nach Lukas wirklich getan?
2. Wie erklärt sich Lukas die Tatsache, daß ein Verfolger sich plötzlich bekehrt?

1. Saulus als Christenverfolger

Auszugehen ist von der Feststellung, daß das redaktionelle[38] ἔτι

---

[37] Dies ist gegenüber Klein zu betonen. Ob Lukas seinerseits Saulus „perhorresziert", kann erst auf dieser Voraussetzungsbasis erörtert werden.
[38] Vgl. oben, S. 21, 95.

in Apg 9,1 gegenüber der Aussage der selbständig überlieferten Novelle insofern eine Verschärfung in den Text einträgt, als nun die Tatbestände Drohung (ἀπειλή) und Mord (φόνος) nicht nur bezüglich des *geplanten* Vorgehens gegen die Gemeinde in Damaskus ausgesagt werden, sondern als das erscheinen, was Saulus schon vorher in Zusammenfassung der „großen" Verfolgung in Jerusalem gegen die Christen unternommen hat. Im Unterschied zur Tradition, die mit „Drohung und Mord" eine Steigerung gegenüber den bisherigen Taten des notorischen Feindes (vgl. 8,3) intendiert, sieht Lukas in dem geplanten Vorgehen gegen die Damaszener Christen eine Fortsetzung der früheren Verfolgertätigkeit[39].

Da folglich im lukanischen Verständnis die Inhalte von Apg 8,3 und 9,1, soweit sie sich auf die Verfolgerpraxis beziehen, einander entsprechen, ist zu überlegen, ob Lukas vielleicht in der bildhaften Ausdrucksweise von 9,1 einen hyperbolischen Ausdruck für den Tatbestand gesehen haben könnte, der nach 8,3 als brutal (σύρων) und rücksichtslos (ἄνδρας τε καὶ γυναῖκας) durchgeführte Razzia (κατὰ τοὺς οἴκους εἰσπορευόμενος) zu kennzeichnen wäre. Für diese Möglichkeit, die Formulierung in 9,1 von der in 8,3 her zu mildern, sprechen auch die beiden Redevarianten. Sie geben das pauschale λυμαίνεσθαι τὴν ἐκκλησίαν der Tradition wieder mit τὴν ὁδὸν διώκειν ἄχρι θανάτου (vgl. 22,4) und πρὸς τὸ ὄνομα Ἰησοῦ τοῦ Ναζωραίου πολλὰ ἐναντία πρᾶξαι (vgl. 26,9). Besonders aufschlußreich ist die Wendung in der ersten Redevariante. Διώκειν ἄχρι θανάτου ist nachweislich eine hyperbolische Ausdrucksweise[40]. Dies legt die Folgerung nahe, daß Lukas mit der Formulierung, der junge Paulus sei ein „Mörder" gewesen, nicht einverstanden gewesen sein dürfte.

Auf der anderen Seite kann man aber aus der lukanischen Verknüpfung von 8,3 und 9,1 auch die Vorstellung entnehmen, die Razzia des Saulus in Jerusalem sei für die Betroffenen eine „tödliche Bedrohung", weil sich nach lukanischer Vorstellung an die

---

[39] Eine Steigerung liegt für Lukas ebenfalls vor, jedoch nicht hinsichtlich der Maßnahmen, sondern hinsichtlich des Ausmaßes der Verfolgung. Am deutlichsten bringt dies die zweite Redevariante zum Ausdruck: Apg 26,10 f. Die ἕως-Formel in V. 11 ist typisch lukanisch, sofern sie die Steigerung als Fortgang darstellt.

[40] Vgl. 1 Clem 4,9: Ζῆλος ἐποίησεν Ἰωσὴφ μέχρι θανάτου διωχθῆναι καὶ μέχρι δουλείας εἰσελθεῖν. Die Parallelität mit Apg 22,4 bezieht sich allerdings nicht mehr auf das Stichwort ζῆλος (Apg 22,3: ζηλωτής); denn 1 Clem meint den ζῆλος ἄδικος (vgl. 3,5), Lukas dagegen den frommen Eifer des Juden. Gegen ein wörtliches Verständnis von θανάτου äußert sich auch Klein, aaO., S. 123 unter Hinweis auf Bauer („bis aufs Blut", Sp. 234) u. a. Haenchen sieht dagegen in der Formulierung von 22,4 wie auch in 26,10 eine Verallgemeinerung des in 7,54 ff. beschriebenen Einzelfalls, versteht θανάτου in 22,4 also buchstäblich (vgl. Komm., S. 555).

Verhaftung ein Gerichtsverfahren anschließt[41], in dem die Todesstrafe verhängt werden soll[42]. Wenn es also auch zutrifft, daß nach lukanischer Darstellung Saulus kein „Mörder" ist, so bedeutet dies doch keine völlige Eliminierung des φόνος-Motivs, sondern eine interpretierende Verschiebung: Lukas ordnet den Verfolger Saulus der jüdischen Gerichtsbarkeit als Exekutivorgan zu; die „tödliche Bedrohung" geht letztlich von der Justiz aus, in deren Auftrag Saulus vorgeht. In diesem Sinne ist das ἄχρι θανάτου wörtlich zu verstehen.

Die Tendenz, dem Vorgehen des Saulus gegen die Christen einen offiziellen Charakter zu geben[43], wird durch weitere Einzelzüge der Gestaltung in den Redevarianten verdeutlicht: Nach 26,10b hat Saulus selbst an der Verhängung der Todesstrafe gegen Christen als Richter mitgewirkt. Ferner stellt die zweite Redevariante durch Variation des Briefmotivs (26,10 ist Dublette zu 26,12) klar, daß Saulus nicht erst bei seiner Expedition gegen Damaskus, sondern bereits während der „großen" Verfolgung in Jerusalem in amtlichem Auftrag gehandelt habe.

Die unmittelbare Folge dieser Verschiebungen ist, daß die drastischen Elemente des novellistischen Feindschemas, soweit sie Lukas übernimmt, nicht nur auf das Konto des „jungen Paulus", sondern auch auf das des offiziellen Jerusalemer Judentums gebucht werden. Die harten Züge der überlieferten Feindfigur bezieht Lukas auf die antichristliche Haltung des offiziellen Judentums.

Die Frage, wie Lukas zu dieser Auffassung kommt, ist nicht mit Mutmaßungen über seine eigene (mangelhafte) Kenntnis des Lebens des historischen Paulus und der politischen Verhältnisse in Palästina zu beantworten, sondern von der Saulustradition her zu lösen. Der entscheidende Anhaltspunkt für die Annahme, die Verfolgertätigkeit des Saulus sei in Jerusalem zu lokalisieren und habe amtlichen Charakter gehabt, ist das Briefmotiv. Es hatte in der isoliert

---

[41] Im Unterschied zur Tradition ist die Einkerkerung der Christen für Lukas nur der Auftakt zur eigentlichen Bestrafung. Zwischen Verhaftung (8,3 parr) bzw. Deportation (9,2 par 22,5b) und Bestrafung (τιμωρεῖν; vgl. 22,5 fin.) liegt ein ordentlicher Strafprozeß (vgl. 26,10b).

[42] Während τιμωρεῖν (vgl. 22,5 fin.; 26,11) das Strafmaß unbestimmt läßt, kann die Wendung ἀναιρουμένων τε αὐτῶν (26,10) nur so verstanden werden, daß alle Verhafteten hingerichtet werden sollten. Daß es sich nur um „eine Reihe von Hinrichtungen" (Haenchen z. St.) gehandelt habe, schränkt die Aussage unnötig ein.

[43] Dieselbe Tendenz zeigt sich in der lukanischen Gestaltung des Stephanus-Stoffes. Die Stephanustradition stellt den Steinigungsvorgang als tumultuarisch und progromhaft dar, während Lukas durch Einfügung der Gerichtsszene den Hohen Rat für den Tod des Stephanus verantwortlich macht (vgl. Haenchen, Kommentar, S. 225 f., 247).

überlieferten Saulusnovelle lediglich die Funktion, die drohende Verfolgung der Gemeinde in Damaskus als nach menschlichem Ermessen unabwendbare Gefahr hinzustellen. Über den Fiktionscharakter dieses Motivs kann ursprünglich kein Zweifel bestanden haben. Da als Urheber des Bevollmächtigungsschreibens die in sachlicher Hinsicht in Betracht kommende Höchstinstanz, der Hohe Rat, genannt ist, kann Lukas aufgrund seiner Einschätzung der Novelle als Bericht nur zu der Schlußfolgerung kommen, daß Saulus spätestens in Damaskus im Auftrag des Synhedriums tätig war, daß ihm der Auftrag in Jerusalem erteilt wurde und daß entsprechend die ursprünglich pauschal verstandene Aussage der Tradition, er sei ein notorischer Verfolger der „Kirche" (Apg 8,3) gewesen, auf die Verfolgung der „Kirche in Jerusalem" (8,1) gedeutet werden muß.

Alle diese Vorstellungen sind aus der vorlukanischen Gestalt der Überlieferung leicht herzuleiten, ohne daß der Text redaktionell verändert werden müßte. Darüber hinaus greift Lukas freilich auch verändernd in den Wortlaut ein, indem er den ihm wesentlichen Jerusalem-Topos an allen in Betracht kommenden Stellen einfügt: 9,2 fin. 13.21. Die Redevarianten gehen noch einen Schritt weiter, indem sie mit Nachdruck die These vortragen, Saulus sei sogar in Jerusalem aufgewachsen. Während 22,3 noch zwischen der Geburt in Tarsus und dem Aufwachsen „in dieser Stadt" (Jerusalem) unterscheidet, heißt es 26,4 mit prinzipieller Schärfe: „Mein Leben von Kind auf, das sich von Anfang an (ἀπ' ἀρχῆς) in meinem Volk und in Jerusalem abspielte, kennen alle Juden..." Lukas baut also den in der Tradition ursprünglich nur latenten Jerusalem-Topos stark aus. Er erreicht so eine feste Verknüpfung der Saulus-Figur mit der jüdischen Metropole.

Die Diskussion um die historische Glaubwürdigkeit dieser Darstellung braucht an dieser Stelle nicht fortgeführt zu werden[44]. Es geht hier um den Versuch, die Funktion dieser Behauptungen in der lukanischen Argumentation zu entdecken. Ohne daß jetzt schon ausführlich über diesen Punkt gehandelt werden kann, ergibt sich bereits die Erkenntnis, daß es nicht in der Absicht des Lukas liegt, Saulus als einen „typischen Juden" hinzustellen, um ihn dadurch seiner Stellung nach zu „nivellieren"[45], sondern umgekehrt die Stellung des Saulus im Judentum als eine amtliche herauszustellen, um

[44] Daß Saulus jemals amtlich exekutive oder richterliche Funktionen in Jerusalem ausgeübt habe, ist ebenso unwahrscheinlich wie die Annahme des ius gladii für das Synhedrium.

[45] Gegen Klein; vgl. die Kritik an diesem Punkt bei Roloff, Apostolat, S. 200 A 97.

auf diese Weise den „Fall Saulus" für die Diskussion des Verhältnisses von Judentum und Christentum relevant zu machen. Saulus
ist nicht ein „typischer Jude", sondern er verkörpert in seiner Rolle
als Christenverfolger das offizielle Judentum, sofern es sich dem
Evangelium widersetzt.

2. Die Bekehrung des Saulus

Im Zusammenhang mit der Feststellung, daß Lukas daran gelegen
war, die christenfeindliche Rolle des Saulus als repräsentativ für
das Verhältnis des offiziellen Judentums Palästinas zur „Urgemeinde" herauszustellen, bekommt die Frage nach den Bedingungen der Möglichkeit der plötzlichen Bekehrung des Saulus einiges
Gewicht.

Zunächst ist festzustellen, daß es hier nicht um einen zentralen
Gesichtspunkt der lukanischen Redaktion geht. Für Lukas ist die
Saulustradition zuerst Berufungsgeschichte; die Bekehrung des
Saulus tritt als Motiv hinter dem der Erwählung zum Zeugen-
Dienst zurück. Andererseits wurde bereits deutlich[46], daß die Frage
nach dem vordergründigen Hergang der Berufung und nach den
psychologischen Motiven in der Bekehrung des Saulus gemäß dem
lukanischen Grundverständnis der Tradition als Bericht nicht sinnlos ist.

Das Motiv der Plötzlichkeit der Bekehrung des Saulus ist lukanisch;
es ist weder in der Novelle[47] noch in der legendarischen vorlukanischen Redaktion[48] vorauszusetzen. Es ergibt sich als unmittelbare
Konsequenz der lukanischen Annahme, daß das Erscheinungsgespräch vor Damaskus keine literarische, sondern eine im Sinne der
Mimesis wahrscheinliche Szene ist. Lukas hat dies Motiv zwar nicht
ausdrücklich gewollt, aber doch als Implikat hingenommen und
somit seine Möglichkeit akzeptiert.

a) Das ἄγνοια-Motiv

Nach lukanischem Verständnis bekehrt sich Saulus, während er berufen wird, also während des Offenbarungsgeschehens vor Damas-

---

[46] Vgl. oben, Abschnitt I.

[47] Die Novelle schweigt sich über die innere Wirkung der Christophanie auf
Saulus aus; sie stellt die Blendung des Feindes als Eingreifen des himmlischen
Kyrios zum Schutz der Christen dar. Daß dem Feind eine Frist zur Umkehr
eingeräumt wird (vgl. 9,9.11 fin.), ist ein Akt der Schonung durch den Kyrios.

[48] Die legendarische Redaktion arbeitet im Schema „einst—jetzt" den Kontrast
von heilloser Blindheit und rettender Erwählung durch Gott heraus. Die Kluft
zwischen Unheil und Heil wird nicht durch innere Wandlung des Menschen,
sondern durch Gottes eschatologisches Handeln am Menschen überbrückt.

kus[49]. Seine Bekehrung ist verursacht dadurch, daß in der Erfahrung des Lichtglanzes des Auferweckten[50] seine Unwissenheit bezüglich der heilsgeschichtlichen Stellung Jesu aufgedeckt und sein bisheriges christenfeindliches Verhalten als verfehlt erkannt wird. Diese Einsicht kommt ebenso plötzlich wie das himmlische Licht, weil Saulus als in Jerusalem aufgewachsener Jude aus eigener Anschauung schon weiß, „was sich unter uns zugetragen hat" (vgl. Lk 1,1)[51]. Da diese Vorgänge sich „nicht in einem Winkel abgespielt" haben (vgl. Apg 26,26), kann nur ein Fremder darüber in Unkenntnis sein (vgl. Lk 24,18). Saulus also kennt „Jesus, den Nazoräer"; er kennt auch dessen Anspruch, der Christus zu sein. Anders wäre seine offiziöse Rolle auf der Seite der christusfeindlichen Jerusalemer Führerschaft nicht denkbar. Daß Lukas darüber nicht ausführliche Angaben macht, liegt einmal an dem engen Spielraum, den die Tradition ihm dazu einräumt — vgl. aber Apg 7,58 fin; 8,1a; 22,20 —, zum andern an der Selbstverständlichkeit, mit der Lukas von den Ereignissen der irdischen Wirksamkeit und des Todes Jesu als allgemein bekannten Fakten (sogar in Cäsarea; vgl. Apg 10,37) spricht. Saulus kennt als Zeitgenosse der πεπληροφορημένα ἐν ἡμῖν πράγματα (vgl. Lk 1,1) diese Fakten so, wie sie alle Juden kennen: als die Geschichte eines gescheiterten Messiasprätendenten.

Was Saulus zum Christenfeind macht, ist also nicht eine totale Unwissenheit im Sinne der Ahnungslosigkeit[52], sondern eine falsche Messiasvorstellung: Wie alle Juden[53] ist auch er der Meinung, der

---

[49] Vgl. oben, S. 107 f.

[50] Es sei nochmals darauf hingewiesen, daß der lukanische Zusatz ὁ Ναζωραῖος (22,8) das Eingreifen des Kyrios zum Schutz der Gemeinde von Damaskus als eine Erscheinung des von den Juden hingerichteten Christus interpretiert (vgl. oben, S. 107 A 15). Das Damaskusereignis wird damit zu einer besonderen Art Ostererscheinung. Wenn man sich vor Augen hält, wie wenig die vorlukanische Tradition (vor allem die Novelle) diesem Verständnis entgegenkommt, wird man die allgemein als gesichert geltende Auffassung, Lukas habe die Osterzeugenschaft durch das Motiv der vierzig Tage auf die μαρτυρία der Zwölf Apostel beschränkt, einer nochmaligen Prüfung unterziehen müssen. Näheres dazu unten, § 4, I.

[51] Es ist klar, daß dieser Zug im Bild des lukanischen Paulus den Tatsachen widerspricht.

[52] Diese ἄγνοια haben die Heiden (vgl. Apg 17,30), die bestenfalls nach dem „unbekannten Gott" suchen (vgl. Apg 17,23) und denen die Botschaft von Jesus deshalb nicht sofort zugänglich ist, weil sie noch nie etwas von ihm gehört haben. (Das lukanische Schema der Missionspredigt vor Heiden spielt nur am Schluß auf die zukünftige Richterrolle Jesu an [Apg 17,31] oder enthält überhaupt kein christologisches Motiv [vgl. 14,15—17].)

[53] Die ἄγνοια der Juden spielt im nachösterlichen Kerygma der Apostel eine wichtige Rolle (vgl. Apg 3,17; 13,27; dazu Conzelmann, Mitte, S. 136); das Motiv dient weniger dazu, das Handeln der Juden gegen Jesus zu entschul-

§ 3 Das lukanische Verständnis der Saulustradition

Messias sei nicht zum Leiden bestimmt[54]. Diese irrige Auffassung wird schlagartig widerlegt durch die Erscheinung „Jesu, des Nazoräers" als des Auferweckten. Die Plötzlichkeit des Vorgangs erscheint aus lukanischen Prämissen demnach dann als möglich, wenn man den redaktionellen Zusatz ὁ Ναζωραῖος (Apg 22,8) als Anspielung auf den falschen Messiasbegriff[55] des Saulus wertet. Die „Unwissenheit" des Verfolgers betrifft den zentralen dogmatischen Aspekt, der zwischen Juden und Christen kontrovers ist; sie kann ebenso plötzlich ausgeräumt werden wie im Falle der Emmausjünger, weil es um die richtige Beurteilung allgemein bekannter Tatsachen geht.

b) Das Kontinuitätsprinzip

Lukas scheint also die Bekehrung des Paulus so zu verstehen, daß die Möglichkeit und Wahrscheinlichkeit der schnellen Gewinnung des jüdischen Verfolgers für den bisher von ihm bekämpften Glauben damit gegeben sind, daß der Grund seines Christenhasses sich auf einen ganz bestimmten Punkt, auf eine eindeutig angebbare „dogmatische" Voraussetzung bezieht, die nach Lukas das eigentlich Trennende zwischen Juden und Christen darstellt: den unterschiedlichen Messiasbegriff. Die Feindschaft zwischen Juden und Christen, die in der Verfolgung der Christen durch Saulus ausgetragen wird, ist nach lukanischer Auffassung ein Streit um das Erbe Israels, um das rechte Verständnis der „Schrift"[56]. Den Messiasbegriff des zeitgenössischen Judentums betrachtet Lukas als eine bestimmte Interpretation der Weissagungen der „Schrift", so daß eine Belehrung über den rechten Messiasbegriff identisch ist mit dem Erschließen der „Schrift"; vgl. Lk 24,26 im Zusammenhang mit 24,25.27. Die jüdisch-christliche Kontroverse hat nach Lukas also konkret die Frage zum Gegenstand, ob sich die Weissagungen der Schrift auf Jesus beziehen oder nicht[57]. Die Bekehrung des

---

digen, als den heilsgeschichtlichen Neuansatz in Jerusalem als letztes Angebot an die Juden zu charakterisieren: Im Licht des Osterkerygmas ist die Erkenntnis, daß Jesus der Kyrios und Christos ist, unausweichlich geworden; vgl. Apg 2,36; dazu Conzelmann, ebd., S. 151.

[54] Vgl. Lk 24,26.46. Es muß betont werden, daß nach Lukas auch die Apostel und Jünger Jesu der ἄγνοια in diesem Sinn unterworfen sind, bevor ihnen das Wort Jesu den Sinn der „Schriften" aufschließt.

[55] Vgl. Conzelmann, Mitte, S. 143 A 3.

[56] Daß im offenen Konflikt seitens der Juden die Anklage nicht wegen falscher Messiasvorstellungen erhoben wird, sondern wegen Vergehens gegen Gesetz und Tempel, ist nach Lukas als unlautere Taktik zu beurteilen. Näheres dazu u., S. 194 f.

[57] Eine ausführliche Erörterung dieses zentralen Aspekts der lukanischen Darstellung ist in diesem Zusammenhang nicht möglich. Die lukanische Argumen-

Saulus durch die Offenbarung des Auferweckten vor Damaskus impliziert nach lukanischem Denken eine bejahende Antwort des Bekehrten auf diese Frage.

Die Schlagartigkeit der Bekehrung des Verfolgers Saulus ist nach Lukas also letztlich deshalb möglich und wahrscheinlich, weil der Osterglaube das jüdische Erbe, wie Lukas es versteht, die Hoffnung auf die Erfüllung der an die Väter ergangenen Verheißung (vgl. Apg 13,26. 32 f.), zur positiven Voraussetzung hat. Sofern Saulus als Verfolger der Christen auf dem Boden der so verstandenen jüdischen Tradition steht, bedeutet seine Bekehrung zum Glauben an Jesus als den Christus der Verheißung keinen Bruch mit seiner Vergangenheit, sondern in dieser Hinsicht bleibt Saulus, was er vorher war: ein Sohn Abrahams und Erbe der Verheißung, nur jetzt im endgültigen Verstehen der Verheißung durch die österliche Offenbarung dessen, der sie erfüllt. Es gibt also in der inneren Entwicklung — von einer solchen darf im lukanischen Sinne durch-

tation in dieser Sache wird von der Konzeption der Apostelpredigten der Apostelgeschichte vor jüdischem Publikum her sichtbar. Da das Publikum einen falschen Messiasbegriff in Form eines falschen Schriftverständnisses mitbringt, hat die Apostelpredigt die Form des Aufweises der Schrifterfüllung durch die Ereignisse des Wirkens und Sterbens Jesu. Der Schriftbeweis taucht also nicht punktuell als Beleg für bestimmte Aussagen über Jesus auf, sondern beleuchtet das gesamte Jesuskerygma im durchgängigen Parallelisieren von Weissagung und Erfüllung. Es geht also um die Schriftgemäßheit der Geschichte Jesu, nicht bestimmter Aussagen darüber. (Diesen Aspekt verkennt Dibelius, wenn er, Formgeschichte, S. 15, bzw. Aufsätze zur Apostelgeschichte, S. 142, den Schriftbeweis als einen Predigtteil neben anderen [Kerygma—Schriftbeweis—Bußruf] hinstellt; denn der Schriftbeweis gehört zur Struktur aller Predigtteile, z. B. auch der Einleitung [z. B. Apg 2,17—21], ist also kein Teil, sondern ein Strukturelement. Die Kritik, die Wilckens [Missionsreden, S. 54] an der Einteilung der Reden bei Dibelius übt, deckt diesen Mangel nicht auf.) Der Aufweis der Schriftgemäßheit der Geschichte Jesu, besonders seines Leidens, erfolgt nun in der Regel nicht dadurch, daß der eigentlich kontroverse Inhalt, die Vorstellung vom leidenden Messias, durch Schriftzitate (etwa aus den Leidenspsalmen, die ja in der Passionstradition einen bedeutenden Platz haben) belegt wird — vgl. aber Apg 13,29 —, sondern der kontroverse Inhalt wird indirekt dadurch als schriftgemäß erwiesen, daß er als Implikation der in der Schrift geweissagten Auferweckung des Christus von den Toten dargestellt wird: weil der Christus auferweckt wird gemäß der Schrift, „muß" er leiden, um so in seine Herrlichkeit einzugehen. Die Voraussage der Auferweckung des Christus enthält die Vorstellung des Leidens und Sterbens als des vorherbestimmten Messias-Schicksals.

Der Tod des Messias wird also nur indirekt „im Hinblick auf die Auferstehung" (vgl. Apg 2,31 mit Bezug auf Ps 16,10 LXX) in der Schrift thematisch. Da es keine unmißverständliche Ankündigung der Passion des Christus gibt, hält Lukas den falschen Messiasbegriff der Juden so lange für entschuldbar, als die ἄγνοια nicht durch das Osterereignis selbst aufgedeckt ist.

aus gesprochen werden — des Paulus nicht nur einen psychologisch begründeten Zusammenhang, sondern eine heilsgeschichtlich begründete Identität des Bekehrten mit sich selbst. Dies verdient umso größere Beachtung, als diese Kontinuität aus dem antithetischen Gegenüber der beiden Rollen des Saulus als Verfolger und Christ — so die legendarische Redaktion — herausgelesen wird. Der scharf pointierten Antithetik der beiden Rollen des Saulus entspricht die lukanische Beurteilung des Verhältnisses von Judentum und (Juden-)Christentum: Bei aller Härte, mit der er die Gruppen konfrontiert, macht er doch deutlich, daß sie sich nur in einem einzigen Punkt wirklich unterscheiden: dem Verheißungsverständnis in Bezug auf den Messiasbegriff. Wird die ἄγνοια in dieser kontroversen Frage überwunden, zeigt sich schlagartig die Kontinuität im christlichen Verheißungsverständnis.

Die Möglichkeit und Wahrscheinlichkeit der plötzlichen Bekehrung des mordschnaubenden Christenverfolgers Saulus erklärt sich also aus dem lukanischen ἄγνοια-Topos in seiner Anwendung auf Juden. Leidenschaft und Haß des Verfolgers sind die dem Lukas als typisch[58] geltenden Beweggründe für die Feindschaft der Juden gegenüber den Christen im Streit um das legitime Verständnis der Verheißung, auf die sich die streitenden Gruppen je auf ihre Weise berufen. Nach Lukas liegen Juden und Christen nicht deshalb im Streit, weil jüdische Tradition und christlicher Glaube einander ausschließen, sondern im Gegenteil deshalb, weil sie beide als Erben der Verheißung konkurrieren[59].

3. Zusammenfassung

Die lukanische Interpretation der Feindfigur in der Saulustradition, d. h. in lukanischer Sicht: der Verfolgertätigkeit und der Bekehrung des Saulus, läßt jeweils unter anderem Aspekt erkennen, daß

[58] Daß Saulus — modern gesprochen — als „typischer Jude" gekennzeichnet wird (so Klein, Die Zwölf Apostel, S. 130), braucht nicht bestritten zu werden (gegen Roloff, Apostolat, S. 200 A 97), wenn man das „Typische" nicht (wie Klein) als das Durchschnittliche, am Durchschnitt mensurabel Gemachte, sondern als das Repräsentative versteht.

[59] Abschließend ein Wort zum methodischen Vorgehen an dieser Stelle: Das Verfahren, von der Struktur der lukanischen Reden vor jüdischem Publikum auf die Verfaßtheit des Christenverfolgers Saulus zu schließen, mag auf den ersten Blick willkürlich erscheinen. Die oben angestellten Überlegungen setzen tatsächlich Ergebnisse späterer Untersuchungen voraus (s. § 4,II). Dort geht es um das lukanische Argumentieren mit der Vergangenheit des Paulus als *Pharisäer*. Es wird sich dabei herausstellen, daß Lukas den Pharisäismus als eine besondere Form jüdischen Verheißungsglaubens versteht, also auch dort den oben dargestellten Sachzusammenhang voraussetzt.

Lukas den „Fall Saulus" als propagandistisch hochbedeutsam einstuft; darin entspricht seine Wiedergabe der ursprünglichen Intention der Saulusnovelle. Die Bedeutung des „Falles Saulus" liegt aber für Lukas nicht so sehr darin, daß hier die himmlische Protektion einer Christengemeinde epiphan geworden ist, so daß der „Fall" geeignet erscheint, Außenstehende für den Eintritt in diese Gemeinde zu werben, sondern darin, daß mit Saulus ein Exponent des Judentums durch den von den Juden abgelehnten Christus Jesus in den Dienst genommen wird. Auf diese Weise wird der „Fall Saulus" für das Verhältnis von Judentum und Christentum relevant. In der lukanischen Darstellung erscheint das Vorgehen des Saulus ja nicht einfach als Bedrohung bestimmter Christen, sondern als *offizielle* Aktion Jerusalemer Instanzen gegen *alle* Christen. Ferner versteht Lukas die Bekehrung des niedergestürzten Feindes der Christen im Unterschied zur Novelle nicht als Schonung durch den übermächtigen himmlischen Kyrios, sondern als inneren Vorgang, der in seiner Plötzlichkeit nur zu verstehen ist, wenn man in Saulus auch im positiven Sinn einen Exponenten des Judentums sieht, nämlich einen Repräsentanten des Väterglaubens, der Heilshoffnung Israels.

Die Erhebung des lukanischen Verständnisses der Saulustradition hat damit den Punkt erreicht, an dem sich abzeichnet, daß Lukas diesen Stoff deshalb bevorzugt behandelt, weil er ihm zur Argumentation innerhalb eines bestimmten Problemkreises besonders geeignet zu sein scheint. Es zeigt sich auch bereits hier, welcher Art das Problem ist, zu dessen Behandlung Lukas die Saulusfigur „braucht": Es geht um eine Konfrontation von christlicher und jüdischer Hoffnung. Wenn die Richtung dieser Interpretation dem lukanischen Befund entspricht, so ergibt sich daraus die Konsequenz, daß auch die christliche Rolle des lukanischen Paulus im Rahmen dieser Konfrontation interpretiert werden muß, also anders als es diejenigen vorschlagen, welche als eigentliche Intention des lukanischen Paulusbildes die Rettung einer innerkirchlich umstrittenen Figur für die christliche Orthodoxie sehen (vgl. unten, S. 183 A 135). Der folgende Teil wird auf diese Frage näher eingehen. Er beschäftigt sich mit der Art, wie die lukanische Redaktion den Stoff der Saulustradition argumentierend auswertet.

§ 4 DIE LUKANISCHE ARGUMENTATION MIT DER SAULUSTRADITION

Über die lukanische Argumentation mit der Saulustradition geben primär die beiden Redevarianten Auskunft, da sie als „Apologien" im ganzen eine Form der Argumentation darstellen.

Es kann von den bisherigen Ergebnissen her vermutet werden, daß das Strukturgesetz dieser lukanischen Argumentation zusammenhängt mit der Antithetik der beiden Rollen der Saulusfigur. Wenn diese Vermutung zutrifft, liegt die Pointe der Argumentation in der Kontinuität der beiden Rollen. Das bedeutet für das Verfahren im folgenden Teil, daß zunächst von der christlichen Rolle des Paulus zu handeln ist, um darauf in der Beurteilung dieser Rolle im Zusammenhang mit der einstigen Anti-Rolle den Skopus der lukanischen Argumentation entdecken zu können.

I. Sendung und Auftrag des Paulus

Vergleicht man die Formulierungen der beiden Redevarianten über die christliche Rolle des Paulus mit denen im Grundbericht, so fällt sofort das geringe Maß an terminologischer Übereinstimmung auf. Aus der Tatsache, daß die Reden an diesen Stellen den Wortlaut der Tradition ignorieren, läßt sich entnehmen, daß Lukas über Sendung und Auftrag des Saulus Auffassungen vertritt, die leichter mit eigenen als mit den in der Saulustradition vorgegebenen Worten wiederzugeben sind. Apg 22,14 f. und 26,16b—18 müssen daher als Präzisierungen der von Lukas redaktionell in Apg 9,15 f. eingetragenen Anschauungen interpretiert werden.

1. Die Form der Berufung des Paulus

Die oben (S. 109 ff.) erörterte Tendenz des Lukas, vom ursprünglichen Schluß der Saulustradition abzurücken, führte bereits zu der Erkenntnis, daß Lukas im Grundbericht konsequent zwischen Bekehrung (Taufe) und Berufung (Sendung) des Saulus unterscheidet und dabei dem Taufvollzug durch Ananias nur die Bedeutung des vorläufigen Abschlusses der Damaskusgeschichte zuerkennt, während er die Berufung des Saulus mit dem „Damaskusereignis" im engeren Sinn, d. h. mit der Christusvision vor Damaskus in Verbindung bringt (vgl. oben, S. 110 f.) und darin den für die christliche Rolle des Saulus grundlegenden Vorgang sieht.

Was Lukas im Grundbericht nur durch einen Rückverweis (Ἰησοῦς ὁ ὀφθείς σοι ἐν τῇ ὁδῷ ᾗ ἤρχου V. 17 b) auf die Christuserscheinung andeutet, stellt er in den Redevarianten in den Vordergrund: Die Sendung des Saulus beruht auf einer Erscheinung des Auferstandenen. Das bedeutet gegenüber der ursprünglichen Funktion des Lichtmotivs in der Saulustradition eine bedeutsame Änderung. Das Licht, das Saulus umstrahlt, ist nicht mehr wie in der Novelle die den Frevler zu Boden werfende himmlische Übermacht, sondern das Licht ist nach Lukas die Erscheinung des sich offenbarenden erhöhten Jesus. Bereits der Grundbericht formuliert dies unmißverständlich: ὀφθείς ist terminus technicus der (Gottes-)offenbarung. Die zweite Redevariante insistiert auf dieser Terminologie: Εἰς τοῦτο γὰρ ὤφθην σοι (26,16b). Zudem wird auch das Wort ἰδεῖν (22,14) in der ersten Redevariante als Bestandteil der Offenbarungsterminologie verwendet, wie das Nebeneinander von εἶδες und ὀφθήσομαι in 26,16 fin bestätigt. Ὀφθῆναι wird von keinem neutestamentlichen Autor so häufig verwendet wie von Lukas[1]. Man darf diesen Befund jedoch nicht dahin mißdeuten, als habe dieser Terminus bei Lukas sein Gewicht verloren[2]. Es ist auf die nähere Differenzierung der Bedeutung von ὀφθῆναι zu achten, die durch den jeweiligen Offenbarungsinhalt gegeben ist. Ὀφθῆναι kann zunächst auf jede Art von ὀπτασία bezogen gebraucht werden und hat dann keine spezifische Bedeutung. Als ὀπτασίαι im Sinne einer traditionellen Topik sind zu werten: Lk 1,11; 9,31; 22,43; Apg 2,3[3]; 16,9. Von den übrigen Stellen brauchen die auf Figuren des AT Bezug nehmenden nicht näher erörtert zu werden (es handelt sich um Apg 7,2.26.30.35), zumal sie wahrscheinlich sämtlich vorlukanischen Schichten entstammen bzw. unter LXX-Einfluß formuliert sind. Von den fünf verbleibenden Stellen beziehen sich zwei auf die Ostererscheinungen (Lk 24,34 vor Simon; Apg 13,31 vor allen Aposteln)[4] und drei auf die Christusoffenbarung an Saulus vor Damaskus[5]. Das sollte man nicht auf die leichte Schulter nehmen, zumal — wie gesagt — der Zusatz ὁ Ναζωραῖος in Apg 22,8

---

[1] Vierzehnmal; dagegen Paulus nur in 1 Kor 15,5—8 (insgesamt viermal); Apk zweimal; Mk (Mt), 1 Tim und Hebr je einmal.

[2] Z. B. ist es unangebracht, in diesem Zusammenhang darauf hinzuweisen, daß Paulus in der Apostelgeschichte „als beständiger Empfänger himmlischer Gesichte geschildert" wird (gegen Haenchen, Komm., S. 612).

[3] Hier liegt zwar ein Bezug zur apostolischen Sendung vor, aber unabhängig vom ὀφθῆναι der Feuerzungen.

[4] Gedacht ist an die Elf; nach Lk 24,13 ff.; 24,36 ff. gegenüber V. 33; Apg 1,15 ff. gibt es weitere Osterzeugen.

[5] Dies gilt für das ὀφθήσομαι in Apg 26,16 nur mittelbar; vgl. dazu unten, S. 140 f.

darauf verweist, daß der Offenbarungsinhalt der Damaskusoffenbarung mit der Osterthematik zusammenhängt.

Daß Lukas ein Interesse daran habe, Paulus von den Aposteln dem Rang nach zu distanzieren[6], wird man angesichts der lukanischen Aufwertung der Lichterscheinung in der Saulusnovelle zu einem Offenbarungs- und Berufungsgeschehen mit Bezug zur Osterthematik nicht länger behaupten dürfen. Andererseits wird man nicht folgern können, Lukas habe hier faktisch Paulus den Zwölf Aposteln gleichgestellt[7]. Um die lukanische Position zu umreißen, sind zwei abgrenzende Feststellungen erforderlich: Die lukanische Interpretation der Lichterscheinung der Saulusnovelle zeigt eindeutige Berührungspunkte mit dem paulinischen Verständnis des Ereignisses, auf das die Saulustradition Bezug nimmt. Die entscheidenden Elemente, die diese Tendenz anzeigen, die Interpretation des Geschehens vor Damaskus als Berufung zum missionarischen Dienst (Sendung) durch eine Offenbarung des Auferstandenen in einer Erscheinung, sind sämtlich einerseits nicht in der vorlukanischen Fassung der Saulustradition enthalten, andererseits mutatis mutandis konstitutiv für das apostolische Selbstverständnis des authentischen/historischen Paulus, das nach Gal 1,12 δι' ἀποκαλύψεως Ἰησοῦ Χριστοῦ grundgelegt ist. Auch das paulinische Anliegen, die Unmittelbarkeit der eigenen Sendung (vgl. Gal 1,1) zu erweisen, hat seine Entsprechung in der lukanischen Darstellung (im Zurücktreten der Figur des Ananias und der Überlagerung des Bekehrungsmotivs durch das Berufungsmotiv).

Dagegen die zweite Feststellung: Mit dieser Annäherung an die paulinische Interpretation des Damaskusereignisses beabsichtigt Lukas keine Annäherung an den paulinischen Apostelbegriff, weil der lukanische Apostelbegriff nicht der paulinische ist[8]. Dazu im einzelnen folgende Hinweise:

[6] So am entschiedensten Klein mit der These, „schlechthin konstitutiv" für das lukanische Paulusbild sei die „Idee der Mediatisierung" (aaO., S. 158), aber auch Schmithals, der die Ausführungen Kleins in dieser Beziehung für „schlechthin beweisend" (Apostelamt, S. 270) hält.

[7] Diese These wird mit anderer Begründung, nämlich unter Hinweis auf die lukanische μάρτυς-Terminologie, vertreten; dazu unten, S. 137 f.

[8] Das corpus paulinum und das lukanische Werk stellen wortstatistisch den Schwerpunkt neutestamentlicher Aussagen zum Apostolat dar. Sie bilden aber darin keine Einheit, sondern bieten alternative Apostolats-Ideen: Der lukanische Apostelbegriff stellt „so etwas wie das Kontinuitätsprinzip der Kirche" dar (E. Güttgemanns, Literatur zur neutestamentlichen Theologie, in: Verkündigung und Forschung [= EvTh, Beih. 2/1967] 38—87, hier: S. 63). während (nach E. Güttgemanns, Der leidende Apostel und sein Herr, Studien zur paulinischen Christologie, Göttingen 1966 [= FRLANT 90]) der paulinische Apostolatsbegriff vom Gedanken der den linearen Zeitverfall zerbre-

1. Der Apostolat der Zwölf ist nach Lukas nicht durch die Ostererscheinungen begründet, sondern diese sind eine von mehreren
positiven Bedingungen des Apostolats.
2. Die Berufung der Zwölf ist nach Lukas nicht identisch mit ihrer
Sendung.
3. Die Idee der Sendung ist nach Lukas nicht schlechthin konstitutiv
für den Inhalt des Apostolats der Zwölf.
4. Das Kriterium der Unmittelbarkeit der apostolischen Berufung
und Sendung hat für Lukas keine praktisch-rechtliche Bedeutung.
Diese Feststellungen gehen vom paulinischen Apostelbegriff aus;
vom lukanischen Apostelbegriff her ergeben sich die folgenden:
5. Die symbolische Bedeutung der Zwölfzahl macht eine Gleichstellung des Paulus mit den Aposteln unmöglich.
6. Die Beschränkung der eigentlichen Ostererscheinungen auf vierzig
Tage spricht gegen eine Annäherung des Paulus an die Apostel.
7. Paulus erfüllt nicht die Bedingungen des lukanischen Apostelbegriffs.
Diese Punkte erheben weder Anspruch auf Originalität noch auf
Vollständigkeit[9]. Auch die folgenden Erläuterungen greifen nur
einige Aspekte heraus, die in diesem Zusammenhang von besonderem Interesse sind:
zu 1.:
Die Ostererscheinungen können nach Lk 24,33.36 ff. vor allen Jüngern stattgefunden haben. Nach Apg 1,15 ff. gibt es mehrere (viele?)
Kandidaten, die auch die weiteren Bedingungen für den Apostolat
erfüllen (vgl. V. 21 f.). Die Bedingungen, die Lukas aufzählt, haben
offensichtlich nicht den Sinn, personae non gratae vom Apostolat
auszuschließen, sondern sollen den Inhalt des apostolischen Zeugnisses dartun. Sie haben also positiven, nicht exklusiven Sinn. Deshalb bedeutet es keine exklusive Qualifizierung des Saulus, daß er
den Auferstandenen sieht; ungewöhnlich sind nur das Wie und das
Wann.
zu 2.:
Apostel wird man nach Lukas durch Wahl; entweder wählt Jesus

chenden Realpräsenz Christi an der apostolischen Verkündigungsexistenz
bestimmt ist (vgl. in: EvTh, Beih. 2/1967, S. 63). — Dies ist nur eine unter
anderen Möglichkeiten, den paulinischen und den lukanischen Apostelbegriff
als Alternativen zu kennzeichnen. Vgl. bes. noch H. v. Campenhausen, Der
urchristliche Apostelbegriff, in: StTh 1 (1948) 96—130.
[9] Aus der Fülle diesbezüglicher Literatur sind außer den bereits erwähnten als
am meisten informative Beiträge zu nennen: E. M. Kredel, Der Apostelbegriff
in der neueren Exegese, in: ZKTh 78 (1956) 169—193, 257—305; K. H. Rengstorf, in: ThW I, 397—448. Weitere Hinweise bei Schürmann, Komm., S. 314,
Anm. a, und (zum Zwölfer-Institut) S. 315 Anm. b.

persönlich, die er will (vgl. Lk 6,13; ἐκλέγεσθαι gegenüber markinischem ποιεῖν), oder das Losorakel entscheidet (Apg 1,23—26; zu beachten V. 24: ὃν ἐξελέξω; vgl. 1,2). Die Sendung ist niemals mit dem Wahlakt verknüpft. Wie immer man die vorösterliche Sendung der Zwölf Apostel (vgl. Lk 9,1 ff.) im Verhältnis zu ihrer nachösterlichen Funktion bestimmt — Apostel sind sie seit ihrer Wahl durch Jesus, d. h. relativ unabhängig von der Ausübung des Sendungsauftrags in seinen verschiedenen Ausprägungen. Das Ausgesandtwerden durch den irdischen (vgl. Lk 9,1 ff. neben 10,1 ff.) oder den auferstandenen Jesus (dies übrigens in eindeutiger Weise nur Apg 26,17; 22,21!)[10] bedeutet also als solches keine Qualifizierung in Richtung auf den Apostolat.

zu 3.:

Die Funktionen der Zwölf Apostel umfassen nach Lukas sowohl kirchenamtliche als auch missionarische[11]. Es besteht zwischen beiden ein urtümlich enger Zusammenhang. Die missionarische Seite der Zwölf-Apostel-Funktion ist vor allem im Gegenüber des Apostelkollegiums zum λαός gesehen (vgl. Apg 13,31), besteht also weniger in den Einzelaktionen der Apostelpaare, von denen die Traditionen wissen. Dieses Verständnis bedeutet eine sehr spezielle Interpretation von ἀποστολή. Es kommt dabei nicht auf den formellen Aspekt der Sendung, sondern auf deren Inhaltlichkeit an.

zu 4.:

Unmittelbare Beauftragungen, die manchmal sogar mit dem Verb ἀποστέλλειν gekennzeichnet werden (z. B. Apg 9,17), gehören zu den von Lukas ohne besonderes Gewicht gebrauchten literarischen Darstellungsmitteln. Insbesondere neigt Lukas dazu, alle wichtigen missionarischen Neuansätze und Vorstöße auf unmittelbare himmlische Anweisungen zurückzuführen — ohne Rücksicht auf den amtlichen Rang des Beauftragten (vgl. Apg 8,26.29: Philippus; 9,10 ff.: Ananias; 10,11—16.19 f.: Petrus usw.). Lukas interessiert sich also wenig für den Unterschied zwischen mittelbarer und unmittelbarer Bevollmächtigung, was die amtliche Stellung der Beauftragten angeht[12]; dagegen ist die Form unmittelbarer Beauftragung häufig ein Indiz für die Bedeutsamkeit des Auftragsinhalts.

---

[10] Vgl. dagegen Apg 1,2.4, wo der „Auftrag" gerade besagt, die Apostel sollten auf das Kommen des Geistes *warten* (vgl. Lk 24,49); der Geist setzt die bis dahin ruhende „Apostolizität" der Kirche frei. (Wird von Roloff, aaO., S. 188 ff., zu wenig beachtet.)

[11] Roloff faßt den lukanischen Apostolat den Funktionen nach als διακονία und μαρτυρία zusammen (vgl. aaO., S. 196 und passim), wobei er allerdings das Zeugenamt (μαρτυρία) primär als Kirchenamt versteht, kaum zu Recht (s. u., Abschnitt 2).

[12] Man würde sonst ein lukanisches Beispiel für die förmliche mittelbare Sen-

Davon unberührt ist die Tatsache, daß Lukas konsequent unterscheidet zwischen der primären Autorität der Gemeindegründer und der davon abgeleiteten der Gemeindeämter; dies ist besonders deutlich an der Paulusfigur abzulesen: vgl. Apg 14,23; 20,18 ff. (bes. VV. 28—35); Apg 6,1—7 ist nicht anders zu beurteilen. Festzuhalten ist, daß unter den primären Autoritäten nicht nochmals zwischen unmittelbar und mittelbar Beauftragten unterschieden wird.

zu 5.:

Der von Roloff geäußerten Behauptung, daß Lukas die Bedeutung der Zwölfzahl nicht mehr vertraut gewesen sei[13], widerspricht die Tatsache, daß er die Zwölf Apostel fest dem heiligen Ort Jerusalem (mit dem Tempel) zuordnet (vgl. 8,1 fin) und die Funktion nach der missionarischen Seite hin als Zeugnis πρὸς τὸν λαόν (Apg 13,31) definiert. Diese Verknüpfung mit den Topoi „Jerusalem" und „Volk" ist nur als lukanische Wiedergabe der ursprünglich apokalyptischen Zwölfer-Idee zu verstehen. Sofern die Symbolik an der Zahl Zwölf hängt, liegt eine Erweiterung des Apostelkreises für Lukas außerhalb des Diskutablen oder auch nur Denkbaren.

dung vermissen, die selbstverständlich die Apostel vorzunehmen hätten. (Der Vorgang Apg 13,2 f. ist kein Ersatz dafür, zumal mit 13,4 die Mittelbarkeit der Sendung wieder durch den Gedanken unmittelbarer Geistführung — vgl. noch 16,6 ff — verundeutlicht wird. Die Bestallung der hellenistischen Sieben (Apg 6,1 ff.) ist ebenfalls kein Beleg, weil sich die amtliche Beauftragung hier gerade nicht auf die missionarischen, sondern auf die gemeindlichen Aufgaben bezieht.) Lukas deutet die Fortführung der Sendung der Apostel durch die Missionare der anschließenden Phase der außerjudäischen Mission also nicht im Kontinuitätsschema der apostolischen Sukzession. Die Kontinuität wird auf andere Weise interpretiert (vgl. etwa die juristisch nicht aufzurechnende Rückbindung der Samaria-Mission des Philippus durch die Aposteldelegation Apg 8,14).

[13] Vgl. aaO., S. 197 in kritischem Bezug auf K. H. Rengstorf, The election of Matthias, in: Current issues in N. T. interpretation. Essays in honor of O. A. Piper, London 1962, S. 178—192. Es ist zwar richtig, daß Lukas die Zwölfzahl nicht mehr als eschatologisches (besser: apokalyptisches) Zeichen deutet. Gegen Roloff ist aber zweierlei zu betonen:

1. Die Umpolung apokalyptischer Topoi an den „Anfang" ist ein bewußtes Interpretationsverfahren des Lukas.
2. Entscheidend ist für das lukanische Apostelbild, daß die Apostel als Zwölf (vor den 120 [!] Brüdern stehend; vgl. Apg 1,15) durchaus ein „Zeichen für Israel" sind und nicht, wie Roloff meint, nur διάκονοι und μάρτυρες für die Kirche.

(Zu Recht kritisiert Roloff Rengstorfs Erklärung des Verschwindens der „Zwölf" aus der lukanischen Darstellung nach Apg 6,2 mit der „Erfüllung" der Sendung an Israel. Allerdings: Das Verschwinden hängt damit zusammen, daß die anschließend — Apg 6,8—8,4 — berichteten Ereignisse diese Erfüllung verhindern.)

9*

zu 6.:

Trotz der quasipaulinischen Interpretation des Damaskusereignisses durch Lukas ist eine Verwechslung mit den Ostererscheinungen vor allem deshalb ausgeschlossen, weil diese als Fortsetzung der Gemeinschaft mit dem Jesus der Erdentage über Ostern hinaus dargestellt sind. Der Abschluß der Erscheinungen nach einer bestimmten Zeit hat allerdings keinen primär exkludierenden Sinn[14], ist also nicht im Hinblick auf das Damaskusereignis konzipiert, sondern besagt positiv, daß die Zeugen Jesu eine gesicherte Erfahrungsbasis haben.

zu 7.:

Paulus ist weder Augenzeuge des Wirkens Jesu, „angefangen von der Taufe des Johannes" bis zur Himmelfahrt (vgl. Apg 1,22), noch ist er gewähltes Mitglied des Apostelkollegiums.

Dieser Befund läßt sich so zusammenfassen: Die Berufung des Paulus wird von Lukas in einer Weise interpretiert, die dem paulinischen Selbstverständnis relativ, gemessen an der Aussage der Saulusnovelle, nahekommt, nicht aber dem lukanischen Apostelbegriff. Die formellen Merkmale der Berufung des Paulus der Apostelgeschichte machen diesen nicht zu einem Apostel, ordnen ihn aber auch nicht der apostolischen Autorität unter; der Sendungsvorgang im Fall des lukanischen Paulus ist einmalig und inkommensurabel. Auch dieses Merkmal entspricht — mutatis mutandis — dem paulinischen Selbstverständnis. (Näheres dazu im folgenden Abschnitt.)

Dieser Befund läßt sich kaum anders deuten als durch die Annahme, daß die Zwölf-Apostel-Konzeption und das lukanische Verständnis der missionarischen Rolle des Paulus von Lukas nicht als korrelative Ideen konzipiert sind, sondern auf verschiedenen Traditionen beruhen. Dabei wird hier (mit Schmithals, Apostelamt, S. 269; Roloff, Apostolat, S. 232) vorausgesetzt, daß der Prozeß der Verknüpfung der Apostolatsidee mit der Zwölfer-Idee bereits vorlukanisch zur definitiven Eingrenzung des Apostelkreises auf die Zwölf gediehen ist.

Das bedeutet einmal, daß die Nichtzugehörigkeit des Paulus zum Apostelkreis für Lukas bereits vorgegeben ist, zum andern daß Lukas die für ihn selbstverständlich zu unterscheidenden Rollen

---

[14] Die Begrenzung der Ostererscheinungen auf vierzig Tage ist, wie Roloff, Apostolat, S. 194—196, ausführt, wahrscheinlich ein vorlukanisches Motiv. Es hat — ebenfalls nach Roloff — bei Lukas nicht primär exklusiven Sinn, sondern besagt positiv, daß die Gemeinschaft der Zwölf mit dem Auferstandenen diese zu dem Zeugnis qualifiziert, auf das die Kirche bleibend angewiesen ist.

(der Apostel einerseits und des Paulus andererseits) in seiner Darstellung der Mission auf unjuridische Weise parallelisieren kann, und zwar desto mehr, je weniger ihm selbst an einer Kompetenzunterscheidung beider Autoritäten liegt. (Dazu ist anzumerken, daß auch die vorlukanische Zwölf-Apostel-Idee an einer Kompetenzunterscheidung dieser Art kein Interesse gehabt haben dürfte.[15]) Bestätigt wird diese These durch die Beobachtung, daß Lukas am Aufweis der Inkommensurabilität der Berufung des Paulus in formell-rechtlicher Hinsicht nicht interessiert ist, sondern den ἔκτρωμα-Topos (vgl. 1 Kor 15,8) in rechtlich irrelevanter Form auf den *Inhalt* der Sendung des Paulus bezieht (vgl. dazu unten). Lukas arbeitet die Außerordentlichkeit der Berufung also nicht heraus, um Paulus auf außerordentlichem Weg den Apostolat zu sichern, sondern um die inhaltliche Besonderheit seiner Sendung gegenüber der der Apostel zu unterstreichen[16]. Die Rechtsfrage, welche Kompe-

---

[15] Da die Verschmelzung von Apostolats- und Zwölfer-Idee — darin sind sich Klein und Schmithals einig (zu Schmithals vgl. aaO., S. 61—64,217 ff.) — späten Datums ist, kann sie nicht im Interesse einer sendungsrechtlichen Monopolisierung der Zwölf gegenüber anderen Aposteln erfolgt sein, weil bekanntlich der historische Zwölferkreis sehr früh gegenüber anderen Formen kirchlicher und missionarischer Organisation, insbesondere gegenüber dem Apostolat in den Hintergrund tritt. Den nachapostolischen Konzipienten der Zwölf-Apostel-Idee ging es wahrscheinlich um die Verschmelzung der Vorstellung von dem Apostolat als dem Fundament der Kirche (vgl. Eph 2,20) mit den ursprünglich apokalyptischen, jetzt ekklesiologisch gedeuteten Dodeka-Motiven; vgl. Apk 21,14 und die entsprechenden Stellen im Kontext (bes. 21,12.16.19 ff.; 22,2) gegenüber Mt 19,28. (Vgl. Güttgemanns, in: EvTh, Beih. 2/1967, S. 73.) D. h. in der Zwölf-Apostel-Idee steckt primär ein Kirchenbild, nicht ein Apostelbild. So ist überhaupt zu erklären, daß Lukas nicht mehr gezwungen ist, die klassischen Apostelkriterien in der Darstellung der Bekehrung des Paulus als solche zu bewerten: Diese Kriterien stehen nur noch in lockerer Beziehung zum überlieferten Bild der Zwölf (Apostel). Die Untersuchung der Zusammenhänge zwischen der lukanischen Zwölf-Apostel-Idee und den Fragmenten des in Apk 21,14 bezeugten Typs derselben Idee müßte erneut durchgeführt werden, da die entsprechenden traditionsgeschichtlichen Analysen Kleins (vgl. aaO., S. 75—80) den Befund vereinfachen. Güttgemanns äußert demgegenüber den „Verdacht", „daß Lukas zwar der Hauptvertreter der Zwölf-Apostel-Idee ist, daß deren Geschichte jedoch weitaus komplexer ist, als bei der Annahme spezifisch lukanischen Ursprungs zur Geltung kommt!" (aaO., S. 73). Nach Schürmann, Komm., S. 318 (mit Anm. 55) wären Spuren der Zwölf-Apostel-Idee bereits für Q nachweisbar (hinter Lk 6,13b mit Mt 10,2 gegen Mk 3,14). Darüber hinaus ist zu fragen, ob nicht hinter der Doppelfunktion der Zwölf in Mk 3,14 f. (εἶναι μετ' αὐτοῦ und ἀποσταλῆναι!) eine ähnliche Tendenz wirksam ist, nämlich eine apostolisierende Interpretation des Zwölfer-Instituts (vgl. auch Güttgemanns, aaO.).

[16] Die entscheidenden Formulierungen sind deutlich aufeinander abgestimmt: μάρτυρες πρὸς τὸν λαόν (Apg 13,31) — μάρτυς πρὸς πάντας ἀνθρώπους (Apg 22,15).

tenzen mit dieser inhaltlich besonderen Beauftragung verbunden sind, insbesondere wie das Kompetenzverhältnis gegenüber den Aposteln zu bestimmen wäre, läßt Lukas unberührt. Dieses Desinteresse darf man nicht in Befangenheit ummünzen (gegen Klein). Hier ergibt sich einer der entscheidenden Anhaltspunkte für die Abgrenzung der leitenden Interessen der lukanischen Redaktion: Wenn Lukas sich einer Stellungnahme zu einem scheinbar unausweichlich sich stellenden Verfassungs- und Autoritätsproblem von höchster Bedeutung enthält, können seine Interessen nicht primär mit doktrinären oder disziplinären *innerkirchlichen* Problemen zu tun haben. Wenn Lukas an der Diskussion um den paulinischen Apostolat nicht teilnimmt, dabei aber Paulus neben den Aposteln eine durch nichts eingeschränkte Autorität (gegenüber den Gemeinden) einräumt, ohne die Kompetenzen der führenden Autoritäten gegeneinander abzugrenzen, so kann das nur bedeuten, daß die Probleme, die Lukas vor Augen hat, mit dem Verhältnis der amtlichen Stellung des Paulus zu der der Apostel nichts zu tun haben.

Von diesem negativen Ergebnis ist auszugehen, wenn im folgenden die lukanischen Anschauungen über den Inhalt der Sendung des Paulus darzulegen sind. Es wird sich nämlich zeigen, daß Lukas die Berufung des Paulus inhaltlich in Relation zu der der Apostel beschreibt.

2. Der Inhalt der Berufung des Paulus

Zunächst ist die im vorigen Abschnitt angedeutete These zu entfalten, daß die lukanische Interpretation des Damaskusereignisses als Offenbarungs- und Sendungsvorgang besonderer Art trotz relativer Annäherung an die paulinische Interpretation desselben Geschehens nicht in der Absicht erfolgt, Paulus auf außerordentlichem Weg den Aposteln gleichzustellen, sondern seinen Auftrag als singulär zu kennzeichnen[17].

a) Die Schlüsselstellung des Paulus im Plan Gottes

Die Traditionsbasis der hier zu behandelnden Anschauung ist unmittelbar die Wendung σκεῦος ἐκλογῆς; die herkömmliche Übersetzung mit „ein auserwähltes Werkzeug" entspricht dem lukani-

---

[17] Daß auch dieser Aspekt des lukanischen Paulusbildes einen „Paulinismus" darstellt (vgl. Gal 1,15 f.: ἀφορίσας ... ἵνα εὐαγγελίζωμαι αὐτὸν ἐν τοῖς ἔθνεσιν; Rö 1,1: ἀφωρισμένος εἰς εὐαγγέλιον θεοῦ gegenüber lukanischem προχειρίσασθαί σε ὑπηρέτην καὶ μάρτυρα... ἐξαιρούμενός σε ἐκ τοῦ λαοῦ καὶ ἐκ τῶν ἐθνῶν, εἰς οὓς ἐγὼ ἀποστέλλω σε; Apg 26,16b.17; vgl. 22,14 f.), sei am Rande vermerkt.

schen Verständnis der Stelle. Die deutsche Übersetzung läßt jedoch nicht erkennen, ob das in ἐκλογή enthaltene Element des Besonderen sich auf die amtliche Stellung des Paulus oder auf seinen Auftrag bezieht. Man könnte schließlich ἐκλογή als Pendant zu jenem ἐκλέγεσθαι interpretieren, welchem die Apostel ihr Amt verdanken (vgl. Lk 6,13; Apg 1,24).

Die Redevarianten zeigen, daß Lukas diese Beziehung nicht im Auge hat[18]. Beide Versionen stimmen nämlich darin überein, daß Paulus kraft besonderer Berufung nicht eine besondere Stellung in der Kirche, sondern gegenüber „allen Menschen" (22,15), d. h. näherhin gegenüber „dem Volk und den Heiden" (26,17) hat[19]. Σκεῦος ἐκλογῆς bedeutet also nach Lukas strenggenommen „zu einem besonderen Auftrag vorherbestimmtes Werkzeug Gottes". Damit hängt auch zusammen, daß das „Amt" des Paulus, wenn überhaupt von einem solchen im Sinne des Lukas gesprochen werden darf, keine Bezeichnung trägt, die es mit anderen Ämtern dem Range nach mensurabel machen würde, und zwar nicht etwa deshalb, weil Lukas eine formelle Gegenüberstellung scheut, um nicht die Rolle des Paulus einengen zu müssen[20], sondern weil ihm an einer innerkirchlichen Einordnung der Paulusfigur nichts liegt.

Lukas kehrt die Singularität der Rolle des Paulus vor allem durch die Technik der Anspielung auf alttestamentliche Wendungen heraus. Die Bezüge gelten nicht so sehr der Hervorhebung bestimmter Inhalte — weder auf lukanischer Seite[21] noch auf der Seite des zi-

---

[18] Das Wort ἐκλέγεσθαι reflektiert bei Lukas nicht die Vollmacht bestimmter Amtsträger, sondern bezieht sich auf die Weise, wie Gott durch unmittelbares Handeln an bestimmten Menschen seinen Plan verwirklicht (vgl. bes. Apg 13,17; 15,7 in der Bedeutung von εὐδόκησεν).

[19] Das Wort ἐξαιρεῖσθαι wird man freilich nicht mit „herausnehmen" übersetzen dürfen, sondern wie in Apg 7,10.34; 12,11; 23,27 und in den atl. Wendungen, auf die mit Apg 26,17 angespielt wird (vgl. Jer 1,7 LXX; 1 Chr 16,35 LXX), mit „erretten" (vgl. Haenchen, Conzelmann z. St.). Die Bedrohung des Paulus durch „das Volk und die Heiden" ist die Kehrseite seiner Sendung, wie es auch Apg 9,15 f. zum Ausdruck kommt.

[20] Nach Klein hat Lukas ausdrücklich die Absicht, die Stellung des Paulus auch vom Inhalt seines Auftrags her zu limitieren. Diese Tendenz soll u. a. in dem Wort ὑπηρέτης zum Ausdruck kommen, das anders als in Lk 1,2, aber ähnlich wie das ὑπηρετήσας in Apg 13,36 eine Einschränkung der Bedeutsamkeit einer Funktion beinhalte; vgl. aaO., S. 157 f. Dagegen wird man sagen müssen, daß der König David Apg 13,36 nicht etwa deshalb ein dem Ratschluß Gottes „Dienender" genannt wird, weil seine Rolle in der Heilsgeschichte gegenüber der des Auferweckten, von der im folgenden Vers die Rede ist, limitiert werden müßte, sondern weil er der „Mann nach dem Herzen" Gottes ist, der in allem Gottes Willen tut (vgl. 13,22).

[21] Dies wurde bereits im Hinblick auf den „Schriftbeweis" in den Apostelreden vor jüdischem Publikum erläutert; vgl. oben, § 3, Anm. 57.

tierten Wortlauts[22] — wie der Absicht, die Rolle des Paulus mit dem in der Schrift geoffenbarten Verheißungswillen[23] Gottes in Verbindung zu bringen, was schon durch die Vorsilbe προ- vor χειρίσασθαι und den Terminus ὑπηρέτης angedeutet ist. Apg 26,16 spielt mit der Wendung στῆθι ἐπὶ τοὺς πόδας σου — isoliert betrachtet eine Banalität — auf Ez 2,1.3 LXX an, auf eine Propheten-Berufung also, jedoch nicht, um Paulus als Propheten zu kennzeichnen[24], sondern um anzudeuten, daß er im Ratschluß Gottes eine Schlüsselfigur ist. Für den Leser der Apostelgeschichte ist dies nicht der erste Hinweis dieser Art (vgl. schon Apg 13,47; später 28,26—28). Auch der Inhalt des Auftrags, den der Kyrios in Kap 26 unmittelbar an Paulus erteilt, wird in alttestamentlichen Wendungen formuliert.

Zu vermerken ist, daß es Lukas nicht darauf ankommt, den Auferstandenen als Subjekt der Sendung zu kennzeichnen, sondern — vor allem in 22,14 f. ist dies eindeutig — Paulus unmittelbar als Instrument Gottes darzustellen. Die Formulierung in 26,16 f., die Jesus als den προχειρίζων erscheinen läßt, ist gegenüber 22,14 die für Lukas ungewöhnlichere. Jedenfalls geht es in beiden Redevarianten nicht um den Sonderfall einer Autorisierung durch den Auferstandenen, sondern um den Sonderfall der Bekundung einer spezifischen Absicht Gottes und um die Indienstnahme des dazu vorgesehenen Werkzeugs. Dem entspricht, daß auch der Offenbarungsgehalt der Christusvision vor Damaskus in auffälliger Weise formalisierend als Mitteilung des „Willens" Gottes (22,14a), und zwar vorrangig vor dem „Sehen" des Auferstandenen (22,14b), verstanden wird. Auch dies bedeutet eine Vernachlässigung sendungsrechtlich relevanter Details zugunsten der Hervorkehrung der Schlüsselstellung des Paulus im Heilsplan Gottes.

Wir fassen zusammen: Obwohl Lukas im Unterschied zu der ihm vorgegebenen Tradition die Christusvision vor Damaskus als Berufungserscheinung des Auferstandenen deutet, nimmt er die damit gegebene Möglichkeit einer „paulinistischen" Begründung des

[22] Darin unterscheidet sich Lukas vom paulinischen Anspielungsverfahren in Gal. 1,15.

[23] Die βουλή bzw. πρόγνωσις Gottes ist der sich in der Schrift als ἐπαγγελία niederschlagende Heilswille Gottes (gegen S. Schulz, Gottes Vorsehung bei Lukas, in: ZNW 54 (1963) 155—187); zum Vorstellungszusammenhang vgl. Conzelmann, Mitte, S. 147 f.: Indem Lukas das markinische καθὼς γέγραπται (Mk 14,21) durch κατὰ τὸ ὡρισμένον (Lk 22,22) wiedergibt, interpretiert er die Schrift als Spiegelung des Planes Gottes. Vgl. ferner Robinson, Der Weg des Herrn, S. 39—43.

[24] Gegen D. M. Stanley, Paul's conversion in Acts: Why the three accounts?, in: CBQ 15 (1953) 315—338; A. Girlanda, De conversione Pauli in Actibus Apostolorum tripliciter narrata, in: VD 39 (1961) 66—81; 129—140; 173—184.

Apostolats des Paulus nicht wahr, sondern beschreibt ohne sen-
dungsrechtlich eindeutige Aussagen die missionarische Rolle des
Paulus als einen singulären Dienst zur Erfüllung eines besonderen
Inhalts des Planes Gottes.

b) Der lukanische Zeugen-Begriff

Die konkrete Inhaltlichkeit dessen, was hier zunächst formal als
„Plan" Gottes und „Auftrag" des Paulus gekennzeichnet ist, ergibt
sich aus der Analyse des lukanischen Gebrauchs des Wortes μάρτυς.
Die Wendung ὑπηρέτην καὶ μάρτυρα ist Hendiadyoin; sie besagt,
daß Paulus „als Zeuge dient".
Daß das Wort μάρτυς für Lukas prägnante Bedeutung hat, hat
N. Brox[25] nachgewiesen. Es ist nach Brox Bezeichnung derer, die
„primär" (S. 68) zur Fortsetzung des Werkes der Verkündigung
Jesu beauftragt sind, nämlich der Apostel (Lk 24,48; Apg 1,8.22;
2,32; 3,15; 5,32; 10,39.41; 13,31). Sie sind μάρτυρες im prägnanten
Sinn als Zeugen der Auferstehung Jesu; mit der Bezeugung der
Auferstehung durch die Apostel steht und fällt die Zuverlässigkeit
der christlichen Verkündigung und des Glaubens (vgl. ebd.).
Dasselbe Wort μάρτυς begegnet aber noch häufiger, und zwar einige-
mal in einem eindeutig unspezifischen Sinn (z.B. Lk 11,48; Apg
6,13; 7,58; es bezeichnet hier Belastungs- bzw. Exekutionszeugen,
Lk 11,48 metaphorisch). Damit stellt sich die Frage, wo die Grenze
zwischen prägnantem und nicht prägnantem Sinn gezogen werden
muß. Es geht dabei um die Beurteilung von Apg 22,15; 26,16 und
22,20, wo Paulus und Stephanus „Zeugen" genannt werden.
Brox entscheidet, daß die auf Paulus bezüglichen Stellen zur Zeugen-Terminologie gehören, während 22,20 „den Begriff und das
Wort μάρτυς in einer für Lukas sonst unmöglichen Wendung und
Bedeutung enthält" (S. 66), also eine „Ausnahme" darstellt, „die
sich letztlich nicht zwingend erklären läßt" (S. 67). Das Kriterium
für diese Entscheidung ist für Brox, daß dies die einzige Stelle ist,
die einen Christen als μάρτυς bezeichnet, ohne daß dabei ein Bezug
zur Osterzeugenschaft gegeben ist.
Dies deutet bereits auf die in diesem Zusammenhang am meisten
interessierende Frage nach der Interpretation des Damaskusereignisses in Apg 9 hin. Brox setzt voraus, daß Lukas das Damaskusereignis paulinistisch in dem Sinn versteht, daß Paulus durch die
Christusvision primär zum Osterzeugen gleichrangig neben die
Zwölf Apostel aufrückt (vgl. S. 55—61)[26].

---

[25] Zeuge und Märtyrer, Untersuchungen zur frühchristlichen Zeugnis-Terminologie, München 1961 (= Studien ANT 5), S. 43 ff.

[26] „…indem Lukas den Paulus Zeuge nennt, macht er ihn zum Apostel; indem

Zum engeren Kreis der μάρτυς-Terminologie zählt Brox auch die
Substantive μαρτυρία (Apg 22,18 von Paulus gesagt) und μαρτύριον
(Apg 4,33 von den Aposteln; Apg 7,44 scheidet als Septuagintismus
aus). Dagegen hält er (δια-)μαρτύρεσθαι und vor allem μαρτυρεῖν
nicht für prägnante Termini; die Verben seien „geeignet, die Zeu-
gentätigkeit der Apostel wiederzugeben", ohne daß „vom normalen
Gebrauch" des Wortes abgewichen werde (S. 67).
Die für unseren Zusammenhang entscheidende These, daß die
μάρτυς-Terminologie Paulus als Auferstehungszeugen gleichrangig
neben die Apostel stelle, ohne die Zwölf-Apostel-Terminologie
stören zu müssen[27], ist eine Umkehrung der Subordinierungs-
(„Entapostolisierungs")-these Kleins, sofern die Auffassung Brox'
auf eine Relativierung der Zwölf-Apostel-Idee hinausläuft. Roloff,
der beide Positionen vor Augen hat, entscheidet sich im Prinzip für
die von Brox vertretene: „So stehen wir vor der Tatsache, daß
Lukas das Amt des Paulus mit dem der ‚Zwölf Apostel' durch den
μάρτυς-Begriff zusammenschließt" (Apostolat, S. 202). Conzelmann
(Komm., zu 22,14 f.) enthält sich einer Entscheidung: Der an sich
den Augenzeugen des Wirkens und der Auferstehung Jesu vorbe-
haltene μάρτυς-Begriff werde in der Anwendung auf Paulus „so
erweitert, daß auch Paulus einbezogen und zum Bindeglied zwischen
der apostolischen und nachapostolischen Zeit werden kann" (S.
126 f.). Es käme darauf an, was „einbezogen" dabei bedeutet.
Daß es in der Absicht des Lukas liege, Paulus zum Apostel zu
machen — sei es auch auf verstecktem Wege —, wurde bereits in
anderem Zusammenhang verneint (vgl. oben, S. 128 ff.). Dennoch
lassen sich die Aufstellungen von Brox nicht abtun, zumal sie in
dieselbe Richtung weisen wie die terminologischen Bezüge im Umgang mit dem Wort ὀφθῆναι (vgl. oben, S. 127 f.). Das bedeutet,

er den einen Begriff auf Paulus ausdehnt, geschieht dasselbe mit dem anderen" (S. 55). Wenn man zählt, hätte Lukas damit dreizehn Apostel. Der
Fehlschluß resultiert daraus, daß Brox für Lukas eine paulinistische Bewer-
tung der Osterzeugenschaft als Apostelkriterium voraussetzt (vgl. oben,
S. 128 ff.).
[27] Daß Lukas mit Apg 14,4.14 nicht seinen eigenen, auf die zwölf galiläischen
„Zeugen" eingegrenzten Apostel-Begriff auch auf Paulus (und Barnabas) aus-
dehnen will, sondern einen älteren Sprachgebrauch übernimmt und toleriert,
betont m. R. Brox, aaO., S. 50. Von „Mimikry" zu reden, ist völlig überflüssig (gegen Klein, Die Zwölf Apostel, S. 212). Nach Dibelius (Aufsätze zur
Apostelgeschichte, S. 13) ist der ältere Sprachgebrauch aus dem Itinerar
(14,4) und der Lystra-Tradition (14,14) übernommen. Lehnt man die Itinerar-
Hypothese ab, ist 14,14 als vorlukanische und 14,4 als davon terminologisch
beeinflußte lukanische Formulierung zu beurteilen. Im zweiten Fall würde
deutlich, wie gering Lukas die Gefahr einschätzt, daß man Paulus (und Barnabas) mit Aposteln im prägnanten Sinn verwechselt.

daß die These von der Zuordnung des Paulus zu den Aposteln mittels der μάρτυς-Terminologie dann zu halten ist, wenn man nicht, wie dies bei Brox und Roloff der Fall ist, damit den Gedanken der Gleichstellung dem Rang und der Autorität nach verbindet, d. h. wenn man μάρτυς nicht als ekklesialen Amtsbegriff versteht, sondern als einen evangelikalen Funktionsbegriff, der angibt, welchen Verkündigungsauftrag die Apostel und der selbstverständlich nicht zu ihnen gehörige Paulus haben — wobei „Verkündigung" nicht im abgeschwächten Sinn einer innerkirchlich etablierten Predigttätigkeit zu verstehen ist, sondern als Element der weltweiten Bewegung, die Lk 24,47 angekündigt und die in der Apostelgeschichte beschrieben wird. Welcher Art die Zuordnung ist, die Lukas zwischen dem Missionar Paulus und den Aposteln herstellen will, indem er ihre Aufgaben mit demselben Begriff bezeichnet, hängt von der konkreten Füllung des Wortes μάρτυς in beiden Fällen ab, die wiederum mit der näheren Bestimmung des ὀφθῆναι und des damit gegebenen ἰδεῖν zusammenhängt; denn daß es sich in beiden Fällen für Lukas um eine spezifische Augenzeugenschaft handelt, kann nicht bezweifelt werden[28].

Daß die Zuordnung der Apostel und des Paulus der Zeugenfunktion nach nicht auf eine — auch nur funktionale — Gleichstellung hinauswill[29], ergibt sich aus den unterschiedlichen Inhalten des die Zeugenschaft begründenden „Sehens" in beiden Fällen: Der Apostel(-Kandidat) muß nach Apg 1,21 f. nicht nur Osterzeuge, sondern Augenzeuge des gesamten öffentlichen Lebens Jesu sein, „angefangen von der Taufe des Johannes[30] bis zu dem Tage, an welchem

---

[28] Mit Brox, aaO., S. 46 f. gegen Strathmann, ThW IV, 498, der zwischen „Tatsachenzeuge" und „Wahrheitszeuge" unterscheidet.

[29] Dies muß nun gegen Brox betont werden, wobei die Überlegungen Kleins, aaO., S. 156 f. zu berücksichtigen sind, der die je verschiedene Füllung des μάρτυς-Begriffs zur Unterscheidungsgrundlage zwischen der „einmaligen" Disposition zum Zeugnis im Falle der Apostel und der „sukzessiven" im Falle des Paulus macht, um die „Partialität" der Offenbarung an Paulus als Indiz für die Inferiorität seiner Stellung hinzustellen.

[30] Merkwürdig ist, daß die Johannestaufe als „Anfang" des Weges Jesu gilt. Lukas denkt nämlich dabei nicht an die Taufe Jesu, sondern an die Wirksamkeit des Täufers, die Apg 10,37 als κηρύσσειν (vgl. 13,24 προκηρύσσειν) bezeichnet und damit grundsätzlich gemäß Lk 16,16 von der Weissagung abgehoben und auf die Seite der Erfüllung gestellt wird. (So ist m. E. Lk 16,16 zu verstehen, also anders, als Conzelmann, Mitte, S. 15 u. ö. vorschlägt.)
Die Erklärung ergibt sich daraus, daß nach Lk 3,21 das „ganze Volk" von Johannes getauft wurde und damit für den εἴσοδος (Apg 13,24) Jesu, des verheißenen Christus (vgl. Apg 13,25), disponiert wurde.
Der Sinn der Terminierung der Augenzeugenschaft der Apostel ist also, sie zu Zeugen aller Ereignisse zu machen, die Gott nach seinem Plan eintreten ließ, um seinem „Volk" die „Verheißung" zu „erfüllen". Das bedeutet, daß der

er von uns weg hinaufgenommen wurde" (1,22). Auf dieser Forderung, die der bekehrte und durch Offenbarung Jesu berufene Paulus nicht erfüllt, insistiert Lukas nochmals an einer Stelle, die in diesem Zusammenhang sehr aufschlußreich ist: in der Paulus-Rede in Apg 13,31. Dort wird der geforderte terminus a quo der apostolischen Zeugenschaft mit einer geografischen Angabe umschrieben: Die Osterzeugen müssen mit Jesus von Galiläa bis nach Jerusalem[31] gezogen sein. Ihre Zeugenschaft wird dementsprechend ausdrücklich auf zwei verschiedene Inhalte bezogen: auf das irdische Wirken Jesu (Apg 10,39a) und auf das Osterereignis (Apg 10,41). In Apg 13,31 wird zwar das Wort μάρτυρες nur einmal gesetzt, aber die beiden entscheidenden Inhalte des apostolischen „Zeugnisses" im prägnanten lukanischen Verständnis werden in deutlicher Abhebung voneinander ausgesprochen. So verwundert es nicht, wenn der Prediger Paulus sich in seiner Predigt von den apostolischen Zeugen selbst unterscheidet. Dies geschieht durch den formalen Neueinsatz der Rede mit V. 32: καὶ ἡμεῖς ὑμᾶς εὐαγγελιζόμεθα κτλ. Diese Wendung besagt, daß das folgende dem Zeugnis der Apostel entspricht und übereinstimmend mit diesem verkündet wird. Dabei wird die Abhängigkeit des paulinischen Kerygmas von dem der Apostel weder ausdrücklich bestätigt noch dementiert. Wenn es Lukas darum ginge, Paulus de facto als Apostel hinzustellen, so wäre nicht einzusehen, weshalb er an Apg 13,31 nicht ein ὤφθη καὶ μοί anfügt. Hier liegt ein deutlicher Hinweis dafür vor, daß Lukas die μαρτυρία des Paulus anders bestimmt als die der Apostel.

Um den Unterschied zu fassen, ist an dem Sachverhalt der doppelten inhaltlichen Bestimmung des μάρτυς-Begriffs im Falle der Zwölf Apostel anzuknüpfen: Auch für Saulus nimmt Lukas eine formal ähnliche, inhaltlich aber abweichende Doppelbestimmung seines Zeuge-Seins vor. Die dritte Redevariante bezeichnet Saulus als μάρτυρα ὧν τε εἶδές με ὧν τε ὀφθήσομαί σοι (Apg 26,16b). Die Formulierung ist dunkel[32], offensichtlich mit Absicht rätselhaft gehalten. Klar ist, daß im Zeugnis des Saulus zwei inhaltliche Aspekte der Zeit

Gedanke der Augenzeugenschaft nicht so sehr mit dem Gedanken der Kontinuität zwischen Jesuszeit und Zeit der Kirche zusammenhängt wie mit dem der Kontinuität zwischen Verheißung und Erfüllung in Bezug auf die Kirche. Darauf wird zurückzukommen sein.

[31] Vgl. neben Apg 13,31 dasselbe Schema in Lk 23,5; Apg 10,37. Die geografische Definition der ἀρχή der Zeugenschaft ist deshalb für Lukas wichtig, weil nach seiner Darstellung noch weniger als nach markinischer die Zwölf Apostel als Augenzeugen der Taufe Jesu gelten können. Vgl. Robinson, Der Weg des Herrn, S. 37—39. Vgl. aber die vorige Anm.

[32] „Eine alte crux interpretum" (Klein, aaO., S. 156). Der Handschriftenbefund zeigt die Unsicherheit der Abschreiber: Das με wird u. a. von P[74] ℵ A und

nach unterschieden werden[33]. Der Aorist εἶδες konstatiert das Offenbarungsgeschehen vor Damaskus[34], das ὀφθήσομαι bezieht sich auf ein Offenbarungsgeschehen, das — vom Damaskusereignis an gerechnet — zukünftig ist. Ob es vom Zeitpunkt der Rede des Paulus vor Agrippa her als vergangen oder zukünftig zu bezeichnen wäre, ist zunächst offen. Im strengen Sinn zukünftig kann es jedoch allein deswegen nicht gedacht sein, weil so der Zeugendienst des Paulus bis zur Agrippa-Rede überhaupt noch nicht richtig begonnen hätte. Betrachtet man die Aussage und ihr Zeitgefälle weniger von der Perspektive der Figuren, sondern stärker von der auf den Leser abgestimmten erzählerischen Ökonomie des Lukas her, hat man den Eindruck, daß Lukas nicht an ein bestimmtes Einzelereignis denkt, das der Leser bereits kennt, sondern an die gesamte missionarische Rolle des Paulus von seiner Berufung bis zur Gefangennahme in Jerusalem. Es gibt ja keine bestimmte Einzeloffenbarung an Paulus — weder vor noch nach der Rede vor Agrippa —, die sich in der Bedeutung mit dem Damaskusgeschehen vergleichen ließe[35]. Lukas will also die Erfahrungen, die Paulus als Missionar bis zum erreichten Zeitpunkt der Rede vor Agrippa gemacht hat, unter einem noch näher zu bestimmenden Gesichtspunkt als Offenbarungsgeschehen hinstellen, für das Paulus — und nur er — der „Zeuge" ist.

Damit wäre eine vorläufige Bestimmung des Verhältnisses der μαρτυρία des Paulus zu der der Apostel möglich: Beide „Zeugnisse" sind durch einen doppelten inhaltlichen Aspekt gekennzeichnet. Die μαρτυρία der Apostel betrifft den Weg Jesu von Galiläa nach Jerusalem und das Osterereignis; die μαρτυρία des Paulus betrifft das

---

dem Koine-Text übergangen, von C getilgt; den Text bieten als prominenteste Zeugen B C*. Eine konsequente Tilgung der störenden Zweiheit von persönlicher und sachlicher Objektbestimmung macht eine Veränderung auch des ὀφθήσομαι nötig. Dibelius, Aufsätze zur Apostelgeschichte, S. 83 rekonstruiert entsprechend als ursprünglichen Wortlaut ὧν τε εἶδες ὧν τε ὀφθήσεταί σοι (letzteres mit sachlichem Inhalt gedacht). Klein baut darauf auf (vgl. aaO., S. 156). — Gegen den Emendationsvorschlag von Dibelius sprechen zwei Gründe: Der in B C* gebotene Text ist an zwei Stellen difficilior lectio. Das Argument von Dibelius, die Verderbnis sei durch voraufgehendes ὤφθην bedingt, kann auch umgekehrt werden: ὤφθην meint hier sicher eine Person als Erscheinungsinhalt; dem entsprechen im folgenden με und die 1. Pers. Sing. in der Verbform.

[33] So zutreffend Klein, aaO., S. 156.
[34] Daß damit der Kyrios etwas als abgeschlossenes Ereignis konstatiert, das der vorausgesetzten erzählten Situation nach eigentlich nicht abgeschlossen ist, sondern sich gerade ereignet, hängt mit der Perspektive der Rede vor Agrippa zusammen: Paulus blickt auf das Geschehen zurück und konstatiert es. Den Aorist auf ein Geschehen vor dem Damaskusereignis zu beziehen, wäre sinnlos.
[35] Gegen Haenchen, Komm., S. 612.

Osterereignis und seine eigenen spezifischen Missionserfahrungen. Man erkennt daran, daß Lukas die beiden Formen der μαρτυρία im Punkt der Osterzeugenschaft einander *entsprechen* lassen will, während die *Differenz* zwischen apostolischem und paulinischem Zeugendienst jeweils durch das andere inhaltliche Element betont ist. Es kann jedoch vermutet werden, daß auch in den differierenden Elementen ein Entsprechungsverhältnis intendiert ist: Wenn die Apostel — im Unterschied zu Paulus — für den Weg Jesu von Galiläa nach Jerusalem Zeugen sind, wenn auf der anderen Seite Paulus — im Unterschied zu den Aposteln — derjenige ist, dessen Weg als Missionar von Jerusalem nach Rom führt, ist dann nicht zu folgern, daß der Offenbarungsgehalt der missionarischen Erfahrungen des Paulus, den Lukas mit dem rätselhaften ὀφθήσομαι in Apg 26,16 andeutet, mit eben diesem „Weg" zu tun hat? Nach Apg 13,31 sind die Apostel μάρτυρες αὐτοῦ πρὸς τὸν λαόν, dagegen Paulus nach Apg 22,15 μάρτυς αὐτῷ πρὸς πάντας ἀνθρώπους. Darin wird sichtbar, daß die μαρτυρία des Paulus ihr Spezifikum im Radius seiner missionarischen Wirksamkeit hat, nicht im besonderen Inhalt der Predigt[36]. Paulus, nicht aber den Aposteln in Jerusalem, ist es vorbehalten, das Programm von Apg 1,8 zu Ende zu führen ἕως ἐσχάτου τῆς γῆς[37].

Klein gibt zwar zu, daß Paulus das ἕως ἐσχάτου τῆς γῆς erfüllt, sieht aber in der Tatsache, daß die Aufgabe in Apg 1,8 als Zeugenauftrag an die Apostel formuliert wird, die Bestätigung seiner

---

[36] Klein legt Wert auf die Feststellung, daß das Zeitgefälle in der Formulierung von 26,16, das er als sukzessive Disposition zum Zeugnis deutet (vgl. aaO., S. 157), den Unterschied zum Ausdruck bringen solle gegenüber den Formulierungen, die die Disposition der Apostel als endgültig kennzeichnen: μου μάρτυρες (Apg 1,8; vgl. 13,3 f.) bzw. τούτων (Lk 24,48), πάντων (10,39) und τῆς ἀναστάσεως αὐτοῦ (Apg 1,22). Dasselbe würde jedoch nach Apg 22,15 (μάρτυς αὐτῷ in sachlicher Entsprechung zu 26,16 in der Lesart von B C*) auch für Paulus zutreffen. Der christologische Gehalt des Zeugnisses des Paulus ist nach Darstellung des Lukas also kein Unterscheidungsmerkmal.

[37] Die „Enden der Erde" erreicht man nach lukanischer Darstellung, indem man die Mitte der οἰκουμένη, Rom, erreicht, so wie beim Weg von Galiläa nach Jerusalem „ganz Judäa" (Lk 23,5) durchwandert wird. Das bedeutet für den Sinn von ὀφθήσομαι in Apg 26,16, daß Lukas hier nicht nur auf die mit der Gefangenschaft in Jerusalem vorläufig abgebrochene missionarische Wirksamkeit des Paulus zurück, sondern schon auf das Ende der Apostelgeschichte, das Wirken des Paulus in Rom, vorausblickt. Das ὀφθήσομαι enthält also in der Tat die Ankündigung einer noch ausstehenden „Offenbarung", allerdings nicht im Hinblick auf Paulus, als werde ihm etwas bis dahin vorenthalten, sondern im Hinblick auf den Leser, dem damit — in der letzten Prozeßrede! — das Ende des Buches und sein inhaltlicher Abschluß (Apg 28,25 ff.) angedeutet wird.

Sukzessionsthese[38]. Dagegen ist zu betonen, daß die Formulierung von Apg 1,8 in ihrem entscheidenden Teil durch Apg 13,47 ausdrücklich auf Paulus[39] bezogen wird — von ihm konnte in Apg 1,8 schlecht schon gesprochen werden —, wobei die Wendung ἕως ἐσχάτου τῆς γῆς erst hier eindeutig als alttestamentliches Zitat (Is 49,6) gekennzeichnet und mit dem Topos „Licht der Heidenvölker" präzisiert wird[40].

So wird man dann festhalten, daß ἕως ἐσχάτου τῆς γῆς die Rolle des Paulus im Auge hat, während die Apostel als Kollegium dem Ort Jerusalem fest verbunden bleiben. Entsprechend wird der Zeugenauftrag beider durch die Adressenangabe eindeutig spezifiziert: πρὸς τὸν λαόν — πρὸς πάντας ἀνθρώπους[41].

Bevor die damit angedeutete Polarität der Zeugenfunktionen der Apostel und des Paulus entfaltet wird, ist ein Rückblick nötig, um die inzwischen angewandten Unterscheidungen zu systematisieren: Wir gingen davon aus, daß Lukas Paulus mit den Aposteln in einen bestimmten Zusammenhang bringt (terminologisch durch ὀφθῆναι und μάρτυς), stellten aber fest, daß dies nicht eine amtliche Einstufung bedeute, sondern eine funktionale Zuordnung („Zeugnis" als Auftrag, der erfüllt wird, nicht „Zeuge" als Titel).

Die Art der Zuordnung muß demnach am Inhalt des Auftrags (μαρτυρία) abgelesen werden.

Wir stellten fest, daß *ein* Inhalt der μαρτυρία übereinstimmend in allen Fällen das Osterereignis ist, daß aber eine Differenzierung durch eine je spezifische weitere Terminierung des Auftrags und des Zeugnisinhalts erfolgt, die sich auf Erfahrungen bezieht, die jeweils nur entweder die Apostel oder Paulus machen: Die Apostel

---

[38] Vgl. aaO., S. 209 f.; unter etwas anderem Aspekt auch: ders., Lk 1,1—4 als theologisches Programm, in: Zeit und Geschichte, S. 202 A 59; auch in: Klein, Rekonstruktion und Interpretation, S. 246 A 59. Im übrigen decken sich die in diesem Aufsatz entwickelten Vorstellungen über den Inhalt der Zeugenschaft, soweit es um die Apostel geht — vgl. ebd., S. 201 ff. — durchaus mit den oben vorgetragenen.

[39] Es braucht nicht geleugnet zu werden, daß in Apg 13,47 Paulus und Barnabas gemeinsam sprechen (vgl. εἶπαν in V. 46); daß es Lukas dennoch in besonderem Maß um die Rolle des Paulus geht, ergibt sich daraus, daß es diesem vorbehalten bleibt, die mit den Ereignissen im pisidischen Antiochien anhebende Wende in der Adressierung des Evangeliums wirklich herbeizuführen (Näheres unten, S. 155 ff.).

[40] Das „Licht" ist der verkündigte Christus. Dies kann Lukas in eigentümlicher Verquickung von Inhalt und Akt der Verkündigung auch so formulieren: „...daß der Christus... ein Licht verkünden werde dem Volk und den Heiden" (Apg 26,23).

[41] Daß Lukas das πάντας nicht den Aposteln reserviert, spricht gegen Kleins oben, Anm. 36, genannte These.

sind Zeugen „von Anfang an" als Begleiter Jesu von Galiläa bis
Jerusalem, von der Taufe des Johannes bis zur Himmelfahrt Jesu.
Paulus ist Zeuge der mit ὀφθήσομαι (Apg 26,16) angedeuteten Entwicklung der Mission bis zu dem am Schluß des lukanischen Werkes
dargestellten „Ende". (Daß dieses Wort angebracht ist, muß noch
gezeigt werden.)
Was das Zeugnis im Sinne des Kerygmas betrifft, gibt es zwischen
dem Auftrag der Apostel und dem des Paulus überhaupt keinen
Unterschied. (Denn obwohl Paulus als Zeuge den Weg Jesu nicht
verbürgen kann, macht Lukas diesen dennoch zum Inhalt der paulinischen Predigt: Apg 13,23 ff.) Was den „Weg" angeht, den die
Verkündigung nimmt — nach Lk 16,16 bilden der Weg Jesu und
der der Mission nach Ostern eine Einheit im Gegenüber zur Verheißung („Gesetz und Propheten") — bürgen die Apostel und
Paulus für Verschiedenes.
Die beiden Inhalte liegen auf verschiedenen Ebenen. Der gemeinsame ist das Kerygma, der unterscheidende betrifft den Weg, den
die Verkündigung nimmt. Beide haben Offenbarungscharakter. In
der sprachlichen Gestaltung der inhaltlichen Bestimmungen des
Zeugenbegriffs kommt diese Duplizität von Botschaft und Weg
der Botschaft im Nebeneinander personaler und sachlicher Objekt-
angaben zum Ausdruck: μάρτυρες μου / αὐτοῦ (personaler Inhalt,
Kerygma) gegenüber μάρτυρες πάντων / τούτων (sachlicher Inhalt,
Weg der Botschaft); vgl. damit die Verschmelzung Apg 26,16:
ὧν τε (sachlich) εἶδές με (persönlich) ὧν τε (sachlich) ὀφθήσομαί σοι
(persönlich). Da der Weg der Botschaft die Adressierung des Kerygmas betrifft, kann der zweite Aspekt auch in personalisierter Form
ausgedrückt werden: πρὸς τὸν λαόν (Apg 13,31) gegenüber πρὸς
πάντας ἀνθρώπους (22,15).
Es ergibt sich damit, daß der lukanische Zeugenbegriff auf die
Verbürgung des „Richtungssinnes" der Verkündigungsgeschichte[42]
abhebt, wobei „Verkündigung" als Pendant zu „Verheißung" zu
denken ist, da nach lukanischer Darstellung die Verheißung im
Modus der Verkündigung realisiert wird[43].

---

[42] Daß es Lukas überhaupt um den „Richtungssinn des Geschehens" geht, hat
Dibelius richtig erkannt (vgl. Aufsätze zur Apostelgeschichte, S. 141); diese
Formulierung bedarf nur der Spezifikation, unter welchem Aspekt die „Er-
eignsse" einen „Richtungssinn" haben, obschon auch dies angedeutet ist
(vgl. ebd.).

[43] Der Zusammenhang kann hier nur skizziert werden. Eine Voraussetzung dieser Auffassung ist, daß in Lk 16,16 „Gesetz und Propheten" nicht die „Zeit
Israels", sondern die „Schrift" meint. Eine zweite ist, daß man zu unterscheiden hat zwischen der prophetischen Weissagung bestimmter Ereignisse, deren
Eintreffen als Erfüllung konstatiert werden soll (z. B. des Todes Jesu), und

c) Die Ausrichtung des lukanischen Zeugenbegriffs auf die Auseinandersetzung zwischen Juden und Christen um das Verheißungsverständnis

Die Zeugenfunktion der Zwölf Apostel und des lukanischen Paulus, in deren Ausübung beide auf je eigene Weise „Diener" sind[44], lassen sich von den äußersten Punkten des „Weges", auf dem die Erfüllung des Plans (bzw. der Verheißungen) Gottes sich ereignet, vom „Anfang" in Galiläa und dem „Ende" in Rom her, am deutlichsten unterscheiden. Das Aufeinander-Bezogensein beider Funktionen wird bereits darin sichtbar; es kommt zudem in dem gemeinsamen kerygmatischen Auftrag beider zum Ausdruck. Es bleibt die Frage zu klären, in welcher Weise Lukas die Verzahnung der Verwirklichung dieser aufeinander bezogenen Funktionen im kontinuierlichen Fortgang der Bewegung des Evangeliums „von Jerusalem . . . bis zu den Enden der Erde" gestaltet und versteht. Die spezifischen Adressierungen (πρὸς τὸν λαόν — πρὸς πάντας ἀνθρώπους) lassen diese Frage nicht nur offen, sondern verschärfen sie noch. Flender[45], der mit den Formulierungen in Apg 13,31 und 22,15 sicher gut in seinem Sinn hätte argumentieren können, spricht mit anderer Begründung[46] im Hinblick auf das Verhältnis des luka-

---

der ἐπαγγελία, die den Menschen das Heil verheißt und ebenfalls in den Weissagungen der Schrift enthalten ist (vgl. den unterschiedlichen Gebrauch von πληροῦν in Apg 13,27 gegenüber 13,33). Weissagung und Verheißung bilden neben dem „Gesetz" im eigentlichen Sinn (vgl. Lk 16,17) die Inhalte der „Schrift". (Gegen Conzelmann, Mitte, S. 146 ff.).

[44] Der Ausdruck ὑπηρέτης/ὑπηρετεῖν bezeichnet bei Lukas häufig die Funktion irdischer Figuren in Bezug auf die Realisierung des Plans Gottes; das gilt für die Apostel als Verkündiger (vgl. Lk 1,2), für Paulus als Zeugen (vgl. Apg 26,16) und für David als denjenigen, der als König nach dem Willen Gottes ein Verheißungsbild des Christus war (vgl. Apg 13,22 gegenüber VV. 33 ff. bes. V. 34). (Gegen Klein, Die Zwölf Apostel, S. 157 f.) Vom ὑπηρέτης-Begriff ist die Wortgruppe διακονία / διακονεῖν zu unterscheiden, die meistens in irgendeiner Form auf das Verhältnis von Amt und Gemeinde abhebt. (Beide Wortgruppen begegnen auch in ihrer gewöhnlichen Bedeutung und sind dann dem Sinn nach nicht zu trennen; vgl. z. B. Apg 13,5 gegenüber 19,22.)

[45] H. Flender, Heil und Geschichte in der Theologie des Lukas, München 1965 (= BEvTh 41)

[46] Die Argumentation ist im einzelnen wenig überzeugend. Z. B. ist es nicht möglich, in Umkehrung der Beurteilungskriterien Kleins das Leiden, von dem Apg 9,16 die Rede ist, als Auszeichnung des Paulus vor den Aposteln zu beurteilen (vgl. S. 118 f.), weil erstens dieses Motiv nicht zum unverzichtbaren Bestand lukanischer Darstellung der Berufung des Paulus gehört und weil zweitens auch die Apostel durch Leiden „ausgezeichnet" werden (vgl. Apg 5,41; 12,1 ff.). — In der Besprechung der drei Versionen der Saulusbekehrung wird ihm seine Bereitwilligkeit, die Spannungen zwischen Tradition und Redaktion mit dem dialektischen Gestaltungswillen des Redaktors zu er-

nischen Paulus zu den Zwölf Aposteln von „überbietender Parallelität" (S. 119), also nicht nur von „Gleichstellung", sondern sogar
von „Überlegenheit des Paulus über die Apostel" (S. 117). Diese
entspricht nach Flender der „Spannung zwischen dem ordentlichen
Amt und dem außerordentlichen Auftrag im lukanischen Kirchen-
begriff" (S. 117). Die „Sonderstellung" des Paulus (ebd.) wäre so
als charismatisch zu beurteilen, der Apostolat demgegenüber als
Amt zu den „ordentlichen" Kirchenphänomenen zu rechnen.
In dieser Auffassung sind manche richtige Ansätze enthalten. Allerdings ist Flenders These kaum ganz zutreffend, da sie den Tren-
nungsstrich zu prinzipiell zieht; die Zeugen-Terminologie — deren
Bedeutsamkeit sieht Flender nicht — verhindert eine solche säuber-
liche Scheidung. Es ist vielmehr davon auszugehen, daß Lukas die
Funktionen der Zwölf Apostel und des Paulus mit dem μάρτυς-
Begriff zusammenfaßt, um sie unter einem einheitlichen — wie
gesagt: unjuridischen — Aspekt als zusammengehörig zu beschreiben. Wenn aufgrund der Adressenangaben schon von „überbietender Parallelität" gesprochen werden darf oder muß, wäre damit
eine durch keine Distinktion mehr aufzuweichende universale
Bedeutsamkeit der missionarischen Rolle des Paulus für die Kirche
— besser: für die nachösterliche Bewegung des Evangeliums — ausgesagt. Dies ist zu überprüfen.
Näheren Aufschluß über die spezifische Inhaltlichkeit des paulinischen Zeugendienstes gibt die Rede vor Agrippa in dem Abschnitt,
welcher nicht mehr zum Bereich der Saulustradition gehört: 26,19—
23. Lukas interpretiert hier durch eine summarische Vollzugsangabe den in den Versen 16—18 formulierten Sendungsauftrag.
Das Partizip μαρτυρόμενος in V. 22 zeigt, daß das Summarium über
die Wirksamkeit des Paulus unter dem Aspekt der μαρτυρία gesehen
ist[47]. Daraus ergibt sich die Möglichkeit, den doppelten inhaltlichen
Aspekt der μαρτυρία des Paulus von dieser Stelle her näher zu
beleuchten.
Nachdem Lukas mit V. 19 auf die gehorsame Befolgung des himmlischen Befehls verwiesen hat, faßt er mit V. 20 das Wirken des
Paulus zuerst unter dem Gesichtspunkt des Weges zusammen, den
die Verkündigung[48] durch Paulus genommen hat: „zuerst" wirkt

klären („Die drei Bekehrungsberichte enthalten eine wechselnde Spannung von
Mittelbarkeit und Unmittelbarkeit" [S. 118 gegen Klein]), zum Hindernis für
die Erkenntnis, daß Lukas hier eindeutige Vorstellungen äußert.

[47] Das Verbum μαρτύρεσθαι kann an dieser Stelle, da es dem μάρτυς-Begriff
von V. 16 im Schema Auftrag-Vollzug gegenübersteht, als Bestandteil der
prägnanten Zeugnis-Terminologie des Lukas gelten.

[48] Lukas verweist in V. 20 nur auf den „Bußruf" (ἀπήγγελον μετανοεῖν) und
nimmt damit ein Motiv aus V. 18 wieder auf. Er will also mit dem Stich-

Paulus in Damaskus und Jerusalem, dann im ganzen Land Judäa und bei den Heiden. In der Formulierung von V. 20 fällt besonders die logische Unschärfe der Gliederung (τε καί . . . τε . . . καί) ins Auge; der mit πρῶτον angedeutete Gegensatz wird nicht ausdrücklich wieder aufgegriffen und weitergeführt; er wird auch nicht, wie man erwartet, auf das Gegenüber von Juden und Heiden bezogen, sondern dient zur Abhebung der ersten Phase des Wirkens des Paulus in Damaskus und Jerusalem von seiner im eigentlichen Sinn[49] missionarischen Wirksamkeit.

Weiter fällt auf, daß Lukas in deutlicher Spannung zu seiner eigenen Darstellung (vgl. Apg 9,19b—30) von einer Wirksamkeit des Paulus „im ganzen Land Judäas" spricht, dagegen nicht erwähnt, daß er in seiner Tätigkeit außerhalb Palästinas überall nach Möglichkeit zuerst die Juden anspricht[50]. Andererseits entspricht die Formulierung in der hier gebotenen Schematisierung anderen summarischen Äußerungen des Lukas[51]. Man wird diese schematisierten Formulierungen gerade wegen ihrer Tendenziosität besonders beachten müssen.

Durch die vereinfachte Wiedergabe der Missionspraxis des lukanischen Paulus in Apg 26,20 betont Lukas vor allem, daß im Wirken des Paulus „allen Menschen" (vgl. Apg 22,15), d. h. Juden und Heiden ohne Unterschied, der Umkehrruf ausgerichtet worden ist. Die Sendung des Saulus gilt Juden und Heiden gleichermaßen. Dieser Aspekt erscheint bereits im Sendungsauftrag des Kyrios

---

wort μετανοεῖν in V. 20 keine präzise Angabe über die spezifischen Inhalte der Predigt des Paulus machen. (Der Bußruf kennzeichnet die Predigt nicht nur des Paulus und der Apostel, sondern bereits die des Täufers Johannes; vgl. Lk 3,8a gegenüber Apg 26,20 fin.)

[49] Die missionarische Tätigkeit des Paulus beginnt mit der „ersten Missionsreise" (Kapp. 13; 14). Das Wirken in Damaskus gilt trotz Gebrauchs von κηρύσσειν in Apg 9,20 für Lukas nicht als missionarisch, weil Paulus hier nicht in Neuland vorstößt, sondern sich mit den Gegnern der bereits bestehenden Gemeinde auseinandersetzt. Vgl. die lukanischen Termini συνέχυννεν und συμβιβάζων (9,22) sowie — bezogen auf Jerusalem — παρρησιαζόμενος und συνεζήτει (9,28 f.). Diese Unterscheidung von Apologie und Predigt wird durch das πρῶτον in Apg 26,20 gerade noch angedeutet, jedoch nicht sehr betont.

[50] Vgl. Apg 13,5 (ohne Veranlassung in der Tradition, also programmatisch am Anfang der ersten Missionsreise); 13,14; 14,1; 17,1 ff.10.17 (!); 18,4.19 (!) wegen 24 ff.; 19,8; 28,25—31.
Ausnahmen verweisen auf vorlukanisches Material; vgl. 14,8—18; 16,11 ff.

[51] Es handelt sich dabei um Rückblicke auf die Wirksamkeit des Paulus: 19,10; 20,21; vgl. aber auch 18,4; 19,17. Freilich sind diese auf das missionarische Wirken i. e. S. (d. h. außerhalb Palästinas) zugeschnitten. Die Rede vor Agrippa soll augenscheinlich als die letzte Prozeßrede die gemeinte Sache abschließend formulieren; aber auch Apg 22,17—21 ist als Kommentar zu dem πάντας ἀνθρώπους von V. 15 mit 26,20 zu vergleichen.

(V. 17). Von dem bei Lukas sonst betonten Vorrecht der Juden, „zuerst" die Botschaft zu hören[52], ist hier nichts gesagt; insofern ist diese Formulierung für Lukas nicht ganz unpolemisch.
Dieser Eindruck verstärkt sich, wenn man das πρῶτον, das sonst das Vorrecht der Juden auf das erste Angebot der Heilsbotschaft betont, in diesem Zusammenhang auf die *Auseinandersetzung* des Paulus mit jüdischen Gegnern der christlichen Botschaft bezogen findet. Das Wirken des Paulus unter den Juden, soweit Apg 26,20 darauf eingeht, erscheint primär als vergeblich, als kämpferische Auseinandersetzung mit schlechtem Ausgang. Dies wird durch V. 21 direkt bestätigt. Wichtig zur inhaltlichen Bestimmung der μαρτυρία des Paulus ist dabei zweierlei: Einmal wird an dieser Stelle klar, daß der Zeugendienst des Paulus nicht allein in der Predigttätigkeit zu sehen ist, also in der im eigentlichen Sinn missionarischen Sendung, sondern auch in der kämpferischen Auseinandersetzung mit Feinden des Evangeliums. Zum anderen ist darauf zu achten, daß nicht etwa auch ungläubige Heiden, sondern ausschließlich Juden als Feinde des Evangeliums erscheinen. Daraus ergibt sich, daß das „Zeugnis" des Paulus das bis zur Feindseligkeit gespannte Verhältnis der Boten Gottes zum Volk der „zuerst" angesprochenen Juden betrifft. Dieser Sachverhalt wird in den folgenden Versen noch deutlicher. Vers 21 beginnt mit einem ἕνεκα τούτων, das die Feindschaft der Juden mit der Wirksamkeit des Paulus bei Juden und Heiden begründet. Fragt man, was näherhin am Wirken des Paulus die Juden feindlich reagieren läßt, so ergibt sich aus den folgenden beiden Versen eine zweifache Antwort: Sie nehmen Anstoß sowohl am Inhalt der Predigt des Paulus als auch an der Praxis seiner Mission. Sie verfolgen Paulus, weil er Leiden und Auferstehung des Christus als Erfüllung der Prophezeiungen der Schrift verkündet und weil er behauptet, die Heilsbotschaft gelte gemäß der Verheißung der Schrift sowohl den Juden als auch den Heiden. Nach dieser Darstellung stoßen sich die Juden an zwei Dingen: am Christus-Kerygma und an der Einbeziehung der Heiden in die Heilsverkündigung. Das erste Element ist dasjenige, welches auch die Apostel mit den Juden in Konflikt bringt; das zweite ist dasjenige, welches den spezifischen Inhalt der μαρτυρία des Paulus ausmacht[53].

---

[52] Apg 3,26; 13,46; vgl. 2,39; 5,31; 18,6 und die Beispiele oben, Anm. 50. Vgl. J. Gnilka, Die Verstockung Israels. Isaias 6,9—10 in der Theologie der Synoptiker, München 1961 (= Studien ANT 3) S. 143.
[53] Daran ändert auch die Tatsache nichts, daß Möglichkeit und Legitimität der Heidenmission durch Petrus verbürgt werden, wie vor allem Dibelius und Haenchen herausgearbeitet haben. (Vgl. Dibelius, Das Apostelkonzil, in: Aufsätze zur Apostelgeschichte, S. 84—90, bes. S. 85; ders., Die Bekehrung des Cornelius, ebd., S. 96—107; Haenchen, Komm., S. 301 ff. u. ö.; J. Dupont,

Das erste entspricht dem εἶδες, das zweite dem ὀφθήσομαι in V. 16. Damit zeichnet sich ein wichtiges Bestimmungselement des lukanischen Zeugenbegriffs ab: μάρτυς wird ein christlicher Verkünder auch insofern genannt, als seine Botschaft — vom Inhalt oder von der Adressierung her — bei den Juden Widerspruch hervorruft. Damit wird auch die eine — kennzeichnende — „Ausnahme" Apg 22,20 erklärbar: Stephanus wird „Zeuge" genannt, obwohl er das Osterkerygma nicht wie ein Apostel verbürgen kann[54], weil seine Verkündigung bei den Juden *den* Widerspruch hervorgerufen hat, der zur Vertreibung der Christen aus Jerusalem geführt und im Gefolge davon den Weg des Evangeliums über das „Judenland" hinaus eröffnet hat[55]. Ist dieser Sachverhalt erkannt, so läßt sich auch die übrige Zeugnis-Terminologie des Lukas als ein sinnvolles System verständlich machen[56]: Bei den Verben μαρτυρεῖν, μαρτύρεσθαι und διαμαρτύρεσθαι tauchen stets die gleichen Motivzusammenhänge auf, die auch für den Gebrauch des μάρτυς-„Titels" kennzeichnend sind: die Auferstehungsfrage, das Problem der Heidenmission und das gespannte Verhältnis von Juden und Christen. Der Sachzusammenhang dieser drei Elemente ist leicht zu erkennen: Auferstehung und Heidenmission sind die Konfliktstoffe zwischen Juden und Christen (nach Lukas). Innerhalb dieses Konflikts argumentieren die Repräsentanten der Christen mit dem Nachweis der Übereinstimmung der christlichen Verkündigung (nach Inhalt und Adressierung) mit dem Willen Gottes, indem sie entweder auf unmittelbare Willensäußerungen Gottes oder auf das „Zeugnis" der Schrift[57] verweisen. Zu den genannten Verben im einzelnen:

1. Μαρτύρεσθαι wird nur auf Paulus bezogen (Apg 20,26; 26,22). Der in Apg 20,26 bezeichnete Sachzusammenhang ist typisch. Μαρτύρομαι steht hier im Zusammenhang der Rechtfertigung des paulinischen Wirkens in Asien mit verschiedenen Anspielungen auf den christlich-jüdischen Konflikt (VV. 19. 22 f.) und dem kennzeichnenden Argument: „denn ich habe es nicht versäumt, euch den

---

Le salut de gentils et la signification theologique du Livre des Actes, in: NTS 6 (1950/60) 132—155, bes. S. 146 ff.) Entscheidend ist, daß Petrus nicht deshalb, sondern wegen der Verkündigung in Palästina von den Juden angegriffen wird.

[54] Zu beachten ist aber, daß auch Stephanus den himmlischen Kyrios „schaut" (εἶδεν δόξαν θεοῦ καὶ Ἰησοῦν ἑστῶτα ἐκ δεξιῶν τοῦ θεοῦ; Apg 7,55).

[55] Gegen Brox, Zeuge, S. 61 ff.

[56] Das folgende ist gegen Brox, aaO., S. 67 f. gerichtet.

[57] Die Adressierung ist dasjenige Motiv, welches in den alttestamentlichen Anspielungen von inhaltlicher Bedeutung ist und die Wahl der Texte bestimmt; vgl. Apg 13,47; 15,16—18; 26,17 f.

ganzen Willen Gottes zu verkünden" (V. 27), was hier vor allem auf die Adressierung der Botschaft an Juden und Hellenen (vgl. V. 21) zu beziehen ist.

2. Μαρτυρεῖν wird von Lukas am häufigsten verwendet, um das zustimmende Urteil von Juden bezüglich Personen oder Sachverhalten auszudrücken, welche für das Verhältnis des Christentums zum Judentum (oder umgekehrt) von Bedeutung sind. M. a. W.: μαρτυρεῖν dient oft dazu, einen kontroversen Sachverhalt durch Repräsentanten der Gegenseite bestätigen und akzeptieren zu lassen; vgl. Lk 4,22; Apg 10,22; 22,12; 22,5; 26,5. Fast ebenso häufig gebraucht Lukas μαρτυρεῖν, um die Übereinstimmung von etwas mit dem „Willen Gottes" zu bezeichnen; es geht dabei immer um den Heilsplan Gottes, wie ihn die Schrift voraussagt (Apg 10,43) oder wie Gott selbst ihn durch sein Eingreifen bekundet (15,8; 14,3). (Hierher gehört auch 13,22, eine Stelle, in der unter christologischem Aspekt von der Stellung Davids im Heilsplan Gottes gesprochen wird; vgl. VV. 34—37.) — Auch hier geht es immer um kontroverse Inhalte: das Christus-Kerygma (Apg 13,22; nur indirekt) und die Heidenmission (πάντα τὸν πιστεύοντα in der Cornelius-Geschichte 10,43; ferner 14,3 [im Zusammenhang mit 14,1 f.]; 15,8).

In Apg 23,11 wird μαρτυρεῖν (neben διαμαρτύρεσθαι) auf die Wirksamkeit des Paulus in Rom bezogen. Zu beachten ist, daß dieses Verbum nicht auf die Prozeßsituation abhebt — davon berichtet Lukas in Kap 28 nichts —, sondern auf das Zeugnis im Sinne der Verkündigung, das in der Ausrichtung auf die dortigen Juden ohne Erfolg bleibt, während es bei den Apg 28,30 genannten Heiden größere Annahmebereitschaft findet[58]. — Im Kontext von 23,11 (23,6—10) geht es um die Auferstehungsfrage als Streitgegenstand zwischen Pharisäern und Sadduzäern und damit um die Frage, warum die Juden dem Osterkerygma nicht glauben. Das Wort μαρτυρεῖν hat also stets mit christlich-jüdischem Konfliktstoff zu tun, entweder qua actus (Ausrichtung des Zeugnisses) oder qua contentus (Christologie).

Schließlich sind noch zwei „Ausnahmen" im Gebrauch von μαρτυρεῖν zu erwähnen: Apg 6,3 und 16,2. Obwohl dabei das Verhältnis Juden — Christen nicht direkt tangiert wird, lassen sich diese Stel-

[58] Vgl. Apg 28,23 gegenüber 28,31: Vor Juden „bezeugt" (διαμαρτύρεσθαι) Paulus die Basileia und „versucht von Jesus zu überzeugen" (πείθειν περὶ Ἰησοῦ); vor den Heiden „verkündigt" (κηρύσσειν) Paulus die Basileia und „lehrt" (διδάσκειν) über den Herrn Jesus Christus. Was sich also vor einem aufgeschlossenen Publikum als Verkündigungs- und Lehrtätigkeit darstellt, hat vor dem jüdischen Zuhörerkreis den Charakter einer Debatte, einer Auseinandersetzung.

len mühelos einordnen: Es geht um die Überwindung von Konflikten zwischen christlichen Gruppen mit verschieden starker Bindung zur jüdischen Tradition bzw. um das Vermeiden eines Konflikts mit Juden[59].

3. Der Gebrauch von διαμαρτύρεσθαι entspricht ebenfalls den bisherigen Beobachtungen. Es bezeichnet in der Regel die christliche Verkündigung, wobei die beiden christlich-jüdischen Konfliktstoffe im Hintergrund stehen: die Frage, ob Jesus der Messias ist (Apg 10,42; 18,5; 23,11; 28,23), und die Frage der Zulassung der Heiden zum Heil (Apg 2,40 in Verbindung mit 39; 20,21. 24). Grundsätzlich gehört auch die farblose Formulierung Apg 8,25 hierher. Ein Sonderfall ist Apg 20,23: Der Geist „bezeugt" Paulus, was ihn in der Auseinandersetzung mit den Juden in Jerusalem erwartet. Alle Belege finden sich innerhalb der Apostelgeschichte mit einer Ausnahme: Lk 16,28. Die Stelle fügt sich jedoch dem bisherigen Befund ein, da sie in gleichnishafter Form auf die spätere Ablehnung der Osterbotschaft durch die Juden anspielt: Lazarus soll von den Toten auferstehen, um die Brüder des Reichen zu warnen; diesem wird entgegnet, daß die Brüder „Moses und die Propheten" haben: wenn sie denen nicht glauben, werden sie auch einem Auferstandenen nicht glauben. Die Anspielung läßt sich entschlüsseln und bestätigt dann den für die Zeugnis-Terminologie typischen Zusammenhang: Wer der Weissagung der Schrift nicht glaubt, kann das Osterkerygma nicht annehmen oder umgekehrt; denn die Auferstehung erschließt den Sinn der Schrift als Prophezeiung.

Insgesamt erweist sich also die Zeugnis-Terminologie als ein hochspezialisiertes semantisches System. Der Begriff μάρτυς[60] und die dazugehörigen Verbformen bezeichnen die Funktion der christlichen Prediger u. a. unter dem Gesichtspunkt der Auseinandersetzung des Christentums mit dem Judentum. Das Zeugnis im prägnanten Sinn erstreckt sich inhaltlich auf die zwischen Christen und Juden kontroversen Inhalte und Praktiken der christlichen Predigt: die Messiasfrage und die Heidenmission. Das Zeugnis der christlichen

---

[59] Das letzte gilt im Falle der Beschneidung des Halbjuden Timotheus, das erste von der Wahl der Sieben. Allerdings vermeidet Lukas in 6,3 eine klare Aussage über die Hintergründe des Streites (γογγυσμός) der „Hellenisten" mit den „Hebräern". Ursprünglich dürfte das darin angedeutete Problem mehr als nur die Witwenversorgung betroffen haben.

[60] Übrigens liegen die drei Stellen, an denen das Wort μάρτυς in der Bedeutung „Belastungs"- bzw. „Exekutionszeuge" gebraucht wird (Lk 11,48; Apg 6,13; 7,58), nicht außerhalb der lukanischen Zeugenterminologie, obwohl sie den Begriff μάρτυς nicht auf die christliche Zeugenfunktion beziehen. Alle drei Stellen beziehen sich eindeutig auf die christlich-jüdische Konfliktkonstellation; in Lk 11,48 wird das jüdische Verheißungsverständnis in besonders zugespitzter Form kritisiert (Lk 11,47—51).

Bürgen deckt sich mit dem Zeugnis der Schrift, so daß die Juden angesichts der Kontinuität der Bezeugung des Planes Gottes in Schrift (Verheißung) und Verkündigung (Erfüllung) „mit Sicherheit" (Apg 2,36; vgl. Lk 1,4) erkennen könnten, daß Inhalt und Praxis der christlichen Mission dem Willen und Plan Gottes entsprechen.

Es erweist sich damit, daß der Zeugen- und Zeugnisbegriff des oft als Erbauungsschriftsteller verkannten Lukas ein kämpferisches Programm enthält, das auch dann nicht genügend beachtet wird, wenn man Lukas nur als „Kirchenmann" zu verstehen versucht, der am Beginn des nachapostolischen Zeitalters die doktrinäre und disziplinäre Einheit der Kirche zu sichern sucht[61].

Für die Bestimmung der Zeugnisfunktionen der Apostel und des Paulus zueinander ergibt sich damit bereits, daß die Spezifizierung durch die unterschiedlichen Adressen πρὸς τὸν λαόν und πρὸς πάντας ἀνθρώπους weder auf die Abgrenzung amtlicher Kompetenzen noch auf die Überlegenheit des Charismatischen gegenüber dem Amtlichen hinausgeht, sondern auf das Konkurrenzverhältnis von christlichem und jüdischem Verheißungsverständnis und die verschiedenen Konflikte zwischen Christen und Juden im Zusammenhang der Bewegung der Heilsverkündigung von Jerusalem ἕως ἐσχάτου τῆς γῆς. Die unterschiedliche Adressierung hängt mit der jeweiligen Frontlinie im Streit zwischen Juden und Christen um das Verheißungserbe zusammen. Die universalistische Formulierung πρὸς πάντας ἀνθρώπους spricht dem Paulus nicht den Vorrang vor den Aposteln zu, sondern deutet darauf hin, daß die missionarische Rolle des Paulus mit dem definitiven Stadium der christlich-jüdischen Auseinandersetzungen zusammenhängt. Das wird im folgenden Abschnitt näher zu beschreiben sein.

Zuvor ist auf die Konsequenzen dieser Ergebnisse für das lukanische Apostolatsverständnis hinzuweisen: Es ist nicht möglich, im Hinblick auf das lukanische Verständnis den Apostolat einseitig als Kirchenamt, das apostolische Zeugnis einseitig als Verbürgung des Osterkerygmas gegenüber der Kirche und den Inhalt der apostolischen Verkündigung als παράδοσις im technischen Sinn[62] zu verstehen. Die Apostel sind beides: Amtsträger und vorherbe-

---

[61] Gegen Schürmann, Komm., S. 3, 17 u. ö.

[62] Der Inhalt der apostolischen Verkündigung ist, wie Bauernfeind im Hinblick auf die Reden der Apostelgeschichte m. R. betont, keineswegs maßgebliche Überlieferung, sondern auf „altertümliche" Situationen zugeschnittene Missionspredigt (vgl. oben, S. 5 f.). Damit ist nicht bestritten, daß die die Lehre Jesu fortsetzende „Lehre der Apostel" (vgl. Apg 2,42, eine bemerkenswert anachronistische Formulierung) als Richtschnur der vita christiana für Lukas einen quasikanonischen Rang hat.

stimmte Zeugen πρὸς τὸν λαόν; sie haben die διακονία τοῦ λόγου (Apg 6,4), und sie sind ὑπηρέται τοῦ λόγου (Lk 1,2)[63]; nach der Seite der Kirche und des kirchlichen Amtes ist ihre Funktion die διακονία, nach außen ist ihre Funktion die μαρτυρία[64]. Beide Funktionen hängen am Anfang stark zusammen, weil die Organisation der Urgemeinde durch das Institut des Zwölferkollegiums ursprünglich nicht trennbar ist von dem In-Erscheinung-Treten der Kirche als Erbe der Verheißung vor dem λαός. Später differenzieren sich die kirchenamtlichen Funktionen in solche, welche die Apostel auszuüben haben, und solche, von denen sie entlastet werden (vgl. Apg 6,1—7). Die Ablösung des Zwölferinstituts als Leitungs- und Lehrinstanz durch nachapostolische Organisationsformen ist kein Gegenstand lukanischer Reflexion[65]. Dies deutet darauf hin, daß die lukanische Apostolatsidee ihren Schwerpunkt in dem mit μαρτυρία gekennzeichneten Aspekt hat. Die Zwölf Apostel haben demnach ebenso wie Paulus (und David) einen bestimmten Platz im Plan Gottes. Sie bürgen für alles, was Gott πρὸς τὸν λαόν getan und angeordnet hat, um seinem „Volk" die Verheißung einzulösen, „angefangen von der Taufe des Johannes" bis zum Ende des Weges des die Verheißung erfüllenden Christus (vgl. Apg 1,21 f.); dabei meint λαός das Volk der Juden als geschlossene Gruppe im Stammland ʼΙουδαία mit der Zentrale Jerusalem. Eine Eingrenzung der Bedeutung ihrer heilsgeschichtlichen Rolle ist damit nicht intendiert.

[63] Dabei dürfte ὑπηρέται der weitere Begriff sein, wie Lk 1,2 zeigt; dort ist ja der „Dienst des Wortes" (vgl. 1,4) mitgemeint. Es ist aber unzutreffend, wenn ὑπηρέται in Lk 1,2 ausschließlich auf das kirchliche Amt bezogen wird (gegen Schürmann, Komm. z. St.). Richtig ist, daß der „Dienst" durch das Wort ὑπηρέται unter dem Aspekt des Planes Gottes gesehen wird.

[64] Zu den beiden Größen als spezifischer Inhalte des lukanischen Apostelbegriffs vgl. Roloff, Apostolat, S. 191, 196 u. ö. Gegen Roloff ist zu betonen, daß der zusammenfassende Ausdruck „Zeugenamt" (ebd., S. 196) ungeeignet ist, weil er den Bezug πρὸς τὸν λαόν für die Zeugenschaft unterschlägt, wie die folgende — im übrigen sehr treffende — Formulierung zeigt: „der Apostel ist der am Anfang der Kirche stehende, von Jesus selbst ausgesandte Zeuge und Diener. Er ist μάρτυς, indem er der werdenden Kirche mit dem vollständigen Zeugnis von Jesu Weg als dem abschließenden, heilschaffenden Willen Gottes dient, er ist διάκονος, indem er in seinem eigenen Wirken die Selbsthingabe Jesu für die Kirche bezeugt" (aaO., S. 191). Die Formulierung wäre brauchbar, wenn sie dem Terminus μάρτυς das Gegenüber von Evangelium und Welt, dem Terminus διάκονος das von Amt und Gemeinde (Kirche) zuordnete.

[65] Das Apostelkollegium wird nirgends formell abgelöst. Die nachapostolische Verfassung wird ab Apg 11,30 vorausgesetzt. Apg 15 zeigt Apostel und Presbyterium nebeneinander (Apg 15,2.4.22.23), obwohl das Zwölferkollegium nach Apg 12,2 nicht mehr existiert.

Daß nach Lukas die Apostel auch Garanten des Osterglaubens der Kirche sind, wird hier in gar keiner Weise in Zweifel gezogen; es ist aber kennzeichnend für die lukanische Darstellungsweise, daß dieser Aspekt nicht entfaltet wird[66]. Man mißversteht Lukas, wenn man sein Interesse an innerkirchlichen Problemen (Ämter, Lehrdisziplin) überschätzt. Es soll nicht bestritten werden, daß Lukas ein solches Interesse äußert, sondern daß die Probleme von Lehre und Leitung seine Gesamtintention ausfüllen. Kirchenprobleme haben einen begrenzten Stellenwert in seinem Konzept: sie werden besonders dort reflektiert, wo es um die Sicherung der Verkündigungserfolge für die Dauer geht[67]. Die Visitation der Gemeinden durch die Gründer stellt dabei nur eine vorläufige Möglichkeit dar (vgl. Apg 9,32; 15,36.41; 18,23; 20,1 f.). Nach dem „Fortgang" (ἄφιξις; Apg 20,29) der Zeugen gibt es nur eine Überlebensmöglichkeit der christlichen Bewegung: unter der Leitung durch Amtsträger (vgl. Apg 14,22 f.; 20,17 ff., bes. VV. 29—35). Hier ist der bevorzugte Ort, um über rechte Leitung und Lehre Aussagen zu machen. Das Apostolatsverständnis des Lukas bezieht sich dagegen primär nicht auf den rechten Glauben und die gottgewollte Struktur der Kirche, sondern auf die Legitimität des Glaubens an Jesus als den Christus angesichts der Infragestellung der Messianität Jesu durch den jüdischen Messiasbegriff und das darin enthaltene Verheißungsverständnis. Nur so wird verständlich, daß die lukanischen Apostel einerseits die einzigen Garanten der Kontinuität der Sendung der Kirche mit der Sendung Jesu sind, auf der anderen Seite jedoch nach lukanischer Darstellung nicht versuchen, diese Bürgschaft innerkirchlich durch amtliche Sukzession oder dogmatische Fixierungen kontinuierlich weiterzugeben oder zu kanonisieren. Die lukanischen Ideen der heilsgeschichtlichen Kontinuität und Legitimität beziehen sich ausschließlich auf das Verhältnis von Verheißung und Erfüllung[68].

[66] Von einer μαρτυρία πρὸς τὴν ἐκκλησίαν hört man bei Lukas nichts; sie ist auch an den entscheidenden Stellen des Evangeliums (Lk 24,10—12.22—24.34 f.) der Sache nach nicht angelegt. Die Unterweisungen des Auferstandenen (Lk 24,44 ff.; dasselbe (!) auch vor den Emmaus-Jüngern 24,25 ff.) reflektieren nicht die kirchliche Lehre im Sinne der Glaubensdoktrin (gegen Roloff, Apostolat, S. 192 f.), sondern das Verheißungsverständnis.

[67] Die ekklesialen Probleme des Lukas sind Überlebensprobleme: Es kommt auf das Ausharren an. Vgl. Brown, aaO., bes. S. 48 ff.114 ff. Ὑπομονή und die damit zusammenhängenden Termini (vgl. ebd.) bezeichnen nicht die Tugend der Geduld oder der Standhaftigkeit des einzelnen, sondern das Bleiben in der Gemeinde („collective perseverance").

[68] Also auch nicht auf heilsgeschichtliche Epochen und Perioden. Gegen Conzelmann, Mitte, S. 9 u. ö.; vgl. die Kritik an der Statik des Drei-Perioden-Schemas bei Robinson, Der Weg des Herrn, S. 8 f. und passim, bes. S. 30 ff.

d) Juden und Heiden als Adressaten des Zeugnisses des Paulus

Die Abgrenzung und Zuordnung des Zeugenauftrags des Paulus gegenüber dem der Zwölf Apostel erfolgt in der lukanischen Darstellung also im Hinblick auf unterschiedliche Konstellationen im jüdisch-christlichen Streit um das legitime Verständnis der Verheißung.

Im folgenden wird es um eine nähere Untersuchung der Rolle des lukanischen Paulus unter diesem Aspekt gehen. Um den Stellenwert der Ergebnisse vorweg anzudeuten, sei die Aufgabenverteilung zwischen den Aposteln und Paulus, wie Lukas sie darstellt, skizziert:

Die Zwölf Apostel wirken in Jerusalem, ohne den Ort je zu verlassen, von den beiden „Reisen" des Petrus (9,31 ff.; in Begleitung des Johannes 8,14 ff.) abgesehen[69]. Die Ortsbindung ist wesentlich, weil das Zeugnis πρὸς τὸν λαόν nur in der Zentrale des „Judenlandes" zu lokalisieren ist.

Mit dem Beginn des öffentlichen Wirkens der Zwölf Apostel in Jerusalem beginnt die Geschichte der christlich-jüdischen Beziehungen. Im Lukasevangelium bestimmt die Relation Jesus (Messias der Verheißung) — „Volk" (Verheißungsträger) die Darstellung der Ereignisse. In der Apostelgeschichte dagegen stehen Christen und Juden einander gegenüber, wobei die Zwölfzahl als Zeichen für das „Volk" den Anspruch der apostolischen Botschaft anzeigt, die Erfüllung der Verheißung letztgültig auszusagen[70]. Die Apostel haben die Aufgabe, das Heilsangebot Gottes nach der Kreuzigung Jesu gegenüber dem Volk der Verheißungsträger zu erneuern.

---

[69] Apg 12,17 fin ist keine Gegeninstanz; denn erstens ist die Formulierung nicht eindeutig auf einen Weggang aus Jerusalem zu beziehen (jedenfalls für Lukas nicht; vgl. 15,7 ff.), und zweitens ist diese Formulierung als Bestandteil der Petruslegende 12,1 ff. zu sehen (vgl. 12,19).

[70] Zur Frage, wie sich das Verhältnis von ἐκκλησία und λαός im Schema Verheißung und Erfüllung darstellt, wenigstens einige Hinweise: Mit Conzelmann, Mitte, S. 136 A 6, ist zunächst festzustellen, daß Lukas den Terminus „wahres Israel" nicht bildet. Weniger sinnvoll ist es zu sagen, für Lukas sei die Kirche „Israel", sofern sie die Kontinuität der Heilsgeschichte repräsentiere (vgl. ebd.), weil dabei nicht beachtet wird, daß das Bild der Kirche nach Lukas zu wenig geschlossen ist, als daß sie einfach Israel „sein" könnte. Ἐκκλησία bezeichnet in der Apostelgeschichte zwar zunächst eine einheitliche Größe (die Urregion[en]: Apg 5,11; 9,31; die Urgemeinde: Apg 8,1.3; 11,22; 12,1.5; 15,22), die man bei Haenchen als „corpus christianum mit sedes apostolica in Jerusalem" bezeichnen könnte (vgl. Komm., S. 403); überwiegend meint ἐκκλησία aber bei Lukas die Ortsgemeinde als relativ selbständige Größe (Apg 11,26; 13,1; 14,23.27; 15,41; 16,5; 20,17.28), auch wenn es um Jerusalem geht (Apg 15,3.4; 18,22). Man kann also wenigstens soviel sagen, daß Lukas bei allem Universalismus „Kirche" nicht als räumlich-kollektives Einheitsgebilde versteht, so als sei die Aktivität Gottes gegenüber der Welt

Das ursprünglich offene, auf die Annahme der Heilsbotschaft durch das ganze „Volk" hin angelegte Verhältnis der Christen zu den Juden in Jerusalem[71] verändert sich dadurch, daß durch einen Teilerfolg der Sendung der Apostel ein Judenchristentum entsteht, das infolge der scharfen Ablehnung der Heilsbotschaft durch die übrigen Juden, insbesondere durch die Jerusalemer Führerschaft, in schroffem Gegensatz zum Judentum steht. Der mit der Stephanus-Verfolgung erreichte Stand der Entwicklung gilt Lukas im Prinzip als endgültig. Später gibt es im „Judenland" „viele Tausende" Judenchristen (vgl. 21,20), aber „die Juden" sind endgültig die Feinde der Christen geworden. Ἐκκλησία und λαός in Jerusalem sind zuletzt verfeindete Gruppen (vgl. Apg 12,1—4).

Trotz der — nach lukanischer Darstellung nicht unbeachtlichen (vgl. 2,41.47; 3,4; 5,14; 6,1.7) — Erfolge der Apostel im „Volk" ist

völlig eingegangen in das Schema Kirche-Welt, wie etwa Brown nahelegt, wenn er von einem „cosmic struggle between the world (the sphere of Satan) and the church (the sphere of the holy spirit)" spricht (aaO., S. 130). Auf der anderen Seite wäre es zu wenig, Kirche nach Lukas lediglich als das zu begreifen, was der Verkündigung der Basileia, verstanden als Erfüllung der Hoffnung Israels, de facto an Erfolg, verstanden als Gemeindebildung an den jeweiligen Orten der Verkündigung, beschieden ist, was in der Konsequenz besagte, daß die Größe „Volk Israel" institutionell durch nichts abgelöst, sondern nur überflüssig geworden wäre. Nach Apg 26,23 (vgl. Lk 24,47; Apg 2,39) gilt die Verheißung τῷ τε λαῷ καὶ τοῖς ἔθνεσιν. Mit diesen Größen müßte sich die Kirche decken, wenn sie kein Torso sein soll. Sie würde in ihrer Vollgestalt aus Judenchristen und Heidenchristen bestehen. Deshalb bedeutet die Einbeziehung von Heiden in den Radius der Verkündigung keine Ablösung der heilsgeschichtlichen Größe „Israel". Auch die „bewußt paradoxe Formulierung" (Conzelmann, Mitte, S. 153 A 1) ἐξ ἐθνῶν λαόν (Apg 15,14; vgl. weniger paradox 18,10) bedeutet von daher noch nicht, daß hier eine „alte" λαός-Größe durch eine „neue" abgelöst wird, sondern meint zunächst nur das Aufrücken von Angehörigen der ἔθνη auf einen heilsgeschichtlichen Rang, der bislang Irsael vorbehalten war. Wenn man in diesem Zusammenhang schon vom „neuen" λαός spricht, so in Bezug auf die Heidenchristen. Der „alte" λαός ist „nicht aufgegeben", sondern „Gott fügt zu dem Volk, dem die Verheißungen gelten, von den Heidenvölkern Volk für seinen Namen hinzu" (Gnilka, Verstockung, S. 145). Entsprechend meint „Kirche" (ἐκκλησία) bei Lukas in keiner Bedeutungsvariante die den λαός Israel ablösende „neue" Größe, sondern die in der verheißungsgemäßen Polarität von Juden- und Heidenchristentum sich darstellende, in Ortsgemeinden organisierte Gesamtheit der Glaubenden, der sich „die Juden" (von Apg 9,23 an zunehmend im abwertenden Sinn gebraucht; vgl. Gnilka, ebd., S. 146) entzogen haben, so daß die Kirche — verheißungswidrig, aber schriftgemäß (vgl. Apg 28,26 ff.) — ein Torso bleibt. (Die Deckungslücke in der Differenz von Heidentum und Heidenchristentum gilt Lukas als Variable; vgl. Apg 28,28.30 f.) Die Kirche besteht aus einem durch Teilung geminderten „Israel" und einem noch wachsenden λαὸς ἐξ ἐθνῶν.

[71] Allerdings werden die späteren Konflikte sofort angedeutet; vgl. Apg 2,40.

nach lukanischer Auffassung die Mission unter den Juden Palästinas gescheitert. Von Apg 6,8 ff. an verhärtet sich die Front. Diesem negativen Resultat steht als Positivum die Ausweitung des Missionsfeldes über den ursprünglichen Radius der Sendung hinaus gegenüber. Wesentlich für die lukanische Beurteilung dieses Vorgangs sind zwei Elemente: einmal die kontinuierliche Eskalation der Missionspraxis[72]; zum andern das Festhalten am Ausgangspunkt Jerusalem[73]. Beides deutet darauf hin, daß Lukas die Einbeziehung der Heiden in die Heilsverkündigung nicht ipso facto als Bruch mit dem „Volk" beurteilt sehen will, obwohl die außerpalästinensische Mission durch die Ablehnung der Botschaft in Jerusalem bedingt ist. Wichtig ist, daß das Unternehmen des Petrus, das zur Aufnahme des ersten Heiden führt, unter dem Leitwort „Friede" stattfindet (Apg 9,31!).
Nach lukanischer Darstellung dominieren in der Sendung der Zwölf Apostel demnach die positiven Züge: Die Apostel haben Erfolge und sind angesehen beim „ganzen Volk" (2,47); trotz des Scheiterns ihrer Sendung im ganzen bedeutet doch der durch sie bewirkte Stand der christlich-jüdischen Beziehungen bei aller Schärfe der Konfrontation keinen Bruch.
Demgegenüber zeichnet Lukas den „Zeugen" Paulus als einen Missionar, der ständig mit dem jüdischen Publikum, also nicht nur mit jüdischen Behörden, kollidiert und seine Erfolge nicht dort findet, wo er anknüpft: in der Synagoge, sondern immer dort, wohin ihn die Feindschaft der Juden treibt: bei den Heiden. Nach lukanischer Darstellung hetzen die widerspenstigen Diasporajuden Paulus von Stadt zu Stadt, wo er immer aufs neue das Nein der Synagoge und das Ja der Heiden zur Heilsbotschaft einzuholen genötigt ist. Die von der Sendung der Apostel her positiv erschlossene Möglichkeit der Heidenmission wird unter den Händen des lukanischen Paulus zu einer Konsequenz der Verstockung der Juden. Nachdem Paulus seinen „Lauf vollendet" hat (Apg 20,24), spricht er dies aus. Der Bruch zwischen Juden und Christen ist das im Plan Gottes vorgesehene, von den Juden aber verschuldete Ergebnis der Entwicklung der „Heilsgeschichte" (28,25 ff.).
Damit ist der Rahmen gesteckt[74] für die Einordnung des lukanischen

---

[72] Die bis Apg 8,40 Bekehrten sind alle mit der Schrift und damit der Verheißung in Berührung gekommen (vgl. 8,30—35). — Das — und nicht die Frage, ob es sich um Unbeschnittene oder Proselyten handelt — ist für Lukas das Entscheidende. Freilich wird auch Cornelius in einer positiven Beziehung zum „Volk" gesehen (vgl. 10,2.22), jedoch betrachtet Lukas ihn nicht als Synagogenangehörigen (10,28 f.).

[73] Vgl. Apg 8,1.25; 11,1 ff.22.29 f.; ferner 15,1 ff.

[74] Die Gegenüberstellung wird im folgenden nur unter bestimmten Gesichts-

Paulus. Er ist die Figur, welche die christlich-jüdischen Beziehungen nach der negativen Seite hin zum definitiven Ende führt. In diesem Zusammenhang ist auch die lukanische Idee zu beurteilen, das Wirken des bekehrten Saulus in Damaskus und — darauf kommt es an — Jerusalem beginnen zu lassen (Apg 9,19b—30), obwohl die Fronten sich schon verfestigt haben. Da es die Rolle des Paulus ist, die endgültige Entscheidung im Verhältnis der Heilsbotschaft zu den Verheißungsträgern, dem zeitgenössischen Judentum insgesamt, herbeizuführen, wird ihm eine Wirksamkeit auch in Jerusalem (πρὸς τὸν λαόν also) zugeschrieben, die zu dem vorausgesetzten Zeitpunkt nur ein negatives Ergebnis haben kann (vgl. 9,29). Es kommt Lukas darauf an, das gesamte Judentum — den λαός und die Juden in der Diaspora — durch Paulus mit der christlichen Heilsbotschaft zu konfrontieren, um Paulus als den „Zeugen" schlechthin für die Ablehnung des Heils durch die Juden hinzustellen. Damit ist zugleich klargestellt, daß der lukanische Paulus auf keine andere Weise — weder als „Kirchenmann" mit bestimmter amtlicher Stellung gegenüber den Aposteln noch als Theologe mit einem spezifischen Verkündigungsprogramm — in die Hauptlinien der lukanischen Geschichtsdarstellung einzuordnen ist.

Diese — schematisierende[75] — Interpretation scheint an der Tatsache zu scheitern, daß in der lukanischen Schilderung des missionarischen Wirkens des Paulus stets das Nebeneinander von Juden und Heiden betont wird, wenn es um das Heilsangebot geht. Deshalb ist es angebracht, auf die lukanischen Vorstellungen in diesem Punkt näher einzugehen. Lukas entwickelt sie am deutlichsten am Beginn seiner Darstellung des Missionswerks des Paulus, in der Antiochia-Episode (Apg 13,13—52). Die folgende Darstellung

punkten ausgeführt. Daß der lukanische Paulus ohne feste Ortsbindung arbeitet, daß er als Missionar nur außerhalb Palästinas wirkt, daß der geographische Rahmen seiner Arbeit die ganze Ökumene ist usw. — dies alles ist für die Profilierung seiner Rolle gegenüber der der Apostel nicht unwesentlich, wenn es auch „nur" weitgehend den Tatsachen entspricht. Es erübrigt sich aber, darauf näher einzugehen. Es genügt die Feststellung, daß die Profilierung der Figur des Paulus im Rahmen der Apostelgeschichte durch nichts anderes erfolgt als durch ihre Bewegung und die Veranschaulichung der Gesetze ihrer Bewegung.

[75] Die Darstellung ist insofern vereinfacht, als dabei die lukanische Gestaltung des Übergangs von der „apostolischen" zur „paulinischen" μαρτυρία ausgeklammert wurde. Im übrigen entspricht diese vereinfachende Schematisierung der Form der lukanischen Darstellung selbst insofern, als Lukas in verschiedenen Fällen ähnlich verfährt, indem er das Schema „von . . . angefangen bis . . ." bevorzugt und damit andeutet, daß er bei der Nachzeichnung von Entwicklungen Anfang und Ende bewußt gegenüberstellt (vgl. Lk 23,5; 24,47; Apg 1,1 f.8.21 f.; 10,37—39; 13,31.46 f.; 26,20). Vgl. Robinson, Der Weg des Herrn, S. 30—36.

geht von dieser programmatischen Konstruktion[76] des Lukas aus und bezieht durch Stellenverweise ähnliche Befunde ein.

1. Die missionarische Aktivität des lukanischen Paulus beginnt in der Synagoge (13,14; vgl. 13,5; 14,1; 17,1.10b.17 [Athen!]; 18,4.19; 19,8; zu vergleichen auch 28,16 ff., obwohl hier die Unterkunft des Paulus der Schauplatz ist). Paulus knüpft nicht aus technischen Gründen bei den Juden an, sondern aus sachlichen: Seine Predigt setzt „Gesetz und Propheten" (13,15), d. h. die „Verheißung" (13,23.33), die Gott den Vätern gegeben hat (13,17.33), voraus. Die erste Predigt gilt denen, die an diese Verheißungen glauben: Juden und „gottesfürchtigen" Heiden (Proselyten)[77] (13,26.43). Die Heiden sind also zunächst nur insofern angesprochen, als sie in Verbindung zum jüdischen Verheißungsglauben stehen. Dies entspricht der Missionspraxis der Apostel in ihrer „Spätphase" (vgl. oben).

2. Das (im Prinzip also) jüdische Publikum wird als Diaspora-Judentum angesprochen, d. h. von den Juden „in Jerusalem" unterschieden (13,26 gegenüber 27; 13,32 gegenüber 31). Dabei erscheinen die Juden in Jerusalem pauschal als Feinde des Evangeliums; sie werden seit der Stephanus-Verfolgung nicht mehr angesprochen[78]. Die Ablehnung der Botschaft in Jerusalem ist der Grund, weshalb jetzt in der Diaspora gepredigt wird[79].

Dem entspricht der sonst völlig unmotivierte warnende und drohende Ton am Schluß der Predigt: Obwohl die Synagogengemeinde Paulus sehr wohlwollend aufnimmt (13,15), spricht er die Juden bereits auf die Möglichkeit hin an, daß sie sich ebenso wie die Juden in Jerusalem der Botschaft gegenüber ablehnend verhalten (13,40 f.).

---

[76] Der programmatische Charakter ergibt sich daraus, daß hier die erste Paulusrede eingeordnet wird. Daß keine vorlukanische Tradition für Antiochia vorliegt, sei am Rande vermerkt. (Lukas greift hier lediglich auf Ortsnamen zurück, die mit der Erinnerung an Mißerfolge des Paulus verbunden sind; vgl. 2 Tim 3,11 mit Apg 14,21.)

[77] Lukas macht keinen Unterschied zwischen (beschnittenen) Proselyten und (unbeschnittenen) Sympathisanten der jüdischen Synagogengemeinde, d. h. er kennt nicht das Kriterium der Beschneidung, wenn es um die Unterscheidung Juden — Heiden geht.

[78] Die Auseinandersetzung des Paulus mit den Juden (in Damaskus und Jerusalem) liegt auf einer anderen Ebene; vgl. oben.

[79] Vers 27 begründet (γάρ) Vers 26. Dies ist ein Gesichtspunkt, der im Wirken der Apostel in anderer Form bereits begegnet. Petrus fordert die Juden auf, sich „aus diesem verderbten Geschlecht retten" zu lassen (Apg 2,40), und zwar im Anschluß an eine Anspielung auf die Mission „in der Ferne" (V. 39; gemeint ist die Heidenmission!); schon hier erscheint die Ablehnung des Heilsangebots als Motivierung für die Ausweitung des Missionsfeldes.

3. Der ersten Predigt ist ein Teilerfolg beschieden (13,43; vgl. 14,1; 17,4. 11 f.; 18,7 f. — hier auffälligerweise nach dem bereits erfolgten Bruch mit der Synagoge). Eine Gruppe aus Juden und Heiden folgt den Missionaren. Auch dies entspricht den bisherigen Missionserfahrungen der Kirche: Die kleine Gruppe entspricht den Judenchristen in Palästina. Eine Gewichtsverlagerung zeichnet sich aber schon insofern ab, als diese Anfangserfolge im Wirken des Paulus sofort von anderen Entwicklungen überholt werden, während das Judenchristentum in Judäa von Lukas als ein stabiles Phänomen sui generis festgehalten wird (vgl. Apg 21,20).

4. Daß „die Juden" (vgl. 13,45) aufs ganze gesehen tatsächlich nicht auf die Heilsbotschaft hören, deutet sich schon in ihrem Zögern an (13,42; vgl. 28,24 f.), das mit der freudigen Aufnahmebereitschaft der Heiden (13,48) kontrastiert (vgl. 28,28). Zu offener Ablehnung kommt es aber erst „am folgenden Sabbat", als sich nicht nur die Synagogengemeinde, sondern „fast die ganze Stadt" versammelt (13,44). Die Juden nehmen Anstoß daran, daß das „den Vätern verheißene" Heil auch den Heiden angeboten wird. Ihr Motiv ist Eifersucht (13,45; vgl. 17,5), also ein falsches Verständnis von „Erwählung" (vgl. 13,17).

In den meisten Fällen scheitert nach lukanischer Darstellung die Judenmission in der Diaspora an der Frage, die auch in Jerusalem die jüdische Ablehnung bedingt, nämlich ob Jesus der Messias sei (vgl. 17,2 f.; 18,4 f.28; vgl. 28,23). An dieser Stelle dagegen arbeitet Lukas (wie in 17,5) betont den anderen Stein des Anstoßes heraus, der nach seiner Darstellung speziell die Wirksamkeit des Paulus betrifft: die grundsätzliche Gleichheit von Juden und Heiden als Adressaten der Heilsbotschaft. Der Konfliktgehalt der oben (S. 147 A 51) genannten Sowohl-als-auch-Formeln wird hier sichtbar.

5. Das Zerwürfnis mit den eifersüchtigen (vgl. 13,45; 17,5), unbelehrbaren (14,2; 18,6; 19,9; 28,24 ff.) Juden hat die „Hinwendung" zu den Heiden zur Folge (13,46; 14,6 f.: Lystra ist heidnisch; 18,6; 19,9 f.; 28,28. 30 f.), die damit zugleich eine Abkehr von den Juden ist. Dies ist das Merkmal des Missionsverfahrens des lukanischen Paulus gegenüber dem der Zwölf Apostel. Wenn Lukas also betont, Paulus wende sich an „alle" (Menschen, Bewohner einer Stadt o. ä.; vgl. 22,15; 19,10), nämlich „Juden und Hellenen" (20,21; 26,23), so spielt er damit bereits auf den Bruch mit den Juden an; und wenn er herausstellt, daß „zuerst" den Juden das Wort gepredigt werden müsse (13,46), so ist dabei mitzuhören, daß schließlich nicht nur „auch" den Heiden, son-

dern *ausschließlich* diesen die Botschaft ausgerichtet wird, nachdem die Juden die Annahme verweigert haben.

6. Die an die Väter ergangene Verheißung kehrt sich damit gegen diejenigen, denen sie „zuerst" gilt: Die Schrift verheißt den „Heiden" das „Licht" (13,47) und den „Verächtern" (13,41) das Gericht der Verstockung (28,26 f.).

Lukas zitiert die Schrift (13,41 = Hab 1,5 LXX mit geringfügigen Änderungen), um den von Stadt zu Stadt sich vollziehenden Bruch zwischen der Heilsbotschaft und dem Weltjudentum mit dem Willen Gottes in Beziehung zu setzen (vgl. auch das ἀναγκαῖον πρῶτον in 13,46). Gott will, daß das Heil allen angeboten wird. Indem sich die Juden diesem Willen widersetzen, verlieren sie selbst die Anwartschaft darauf. Für sie wird die „Verheißung" zum Unheilswort.

Die das Nebeneinander von Juden und Heiden akzentuierenden Formeln blicken auf diese Darstellung der paulinischen Mission zurück. Der Leser der Apostelgeschichte kann also den „resignierenden" Ton, der in diesen Aussagen liegt, heraushören: Die Mühe war, was die ersten Adressaten betrifft, überall vergeblich. Abgesehen von kleinen Gruppen der Synagogengemeinden[80] wurden überall nur Heiden bekehrt, weil die Juden sich nicht bekehren ließen. Die Entwicklung tendiert auf ein Missionsverfahren, das ein Anknüpfen bei den Synagogen erst gar nicht mehr versucht. Die Betonung des „sowohl-als-auch" durch Lukas ist also zu verstehen vom Hintergrund einer radikal gewandelten Situation und Praxis der Mission und einer entsprechend strukturierten Gemeinde: Die durch Lukas zu Wort kommende Christengruppe besteht ausschließlich aus Heidenchristen und sieht keine Chance, an diesem Merkmal ihrer Zusammensetzung noch etwas zu ändern. Die Darstellung des Wirkens des Paulus soll zeigen, wie es dazu kommen konnte und „mußte".

Nimmt man demnach an, daß es Lukas bei der Darstellung des missionarischen Wirkens des Paulus bei „allen Menschen", „sowohl Juden als auch Heiden", um die Rechtfertigung der problematischen Tatsache geht, daß zu seiner Zeit das Christentum den Kontakt mit dem Judentum verloren hat und als endgültig verloren betrach-

---

[80] Es ist darauf hinzuweisen, daß aus der lukanischen Darstellung nicht hervorgeht, ob sich die geringen Anfangserfolge in der Synagoge sofort wieder zerschlagen oder ob sie sich halten. Gemessen an den tatsächlichen Gegebenheiten ist diese Darstellung sehr tendenziös. Man darf sich dabei nicht zu lange bei der Frage aufhalten, ob das Anknüpfen bei der Synagoge wohl dem Verfahren des historischen Paulus entspricht oder nicht, sondern muß sehen, daß Lukas nach Kräften den Eindruck zu erwecken sucht, daß alle paulinischen Gemeinden rein heidenchristlich sind.

ten muß, dann wird der Sinn und die Bedeutung der μαρτυρία des Paulus (zusammen mit der der Apostel und im Unterschied zu dieser) vollends deutlich: Das „Zeugnis" des Paulus legitimiert die in seinem missionarischen Wirken zum definitiven Abschluß gelangende Entwicklung der kontinuierlichen Ablösung des Christentums von seiner Herkunft aus dem Judentum[81]. Diese Entwicklung ist bereits im Wirken Jesu selbst (vgl. Lk 4,14—30) und der Apostel[82] angelegt, wird aber durch die Wirksamkeit des Paulus forciert und zum Ende, dem definitiven Bruch, geführt. Die Apostel bürgen für die Legitimität der kirchlichen Mission im Namen Jesu, auch für die der Heidenmission (Apg 10) und ihrer Konsequenzen (Apg 15). Paulus bürgt dafür, daß die negativen Folgen der praktizierten Heidenmission für das Verhältnis des Christentums zum Judentum (und umgekehrt) nicht von den Christen verschuldet sind, sondern daß der schließlich weltweit erfolgte Bruch zwischen beiden das Resultat der Verstockung der Juden ist, die sich aus Starrsinn (falscher Messias-Begriff) und Eifersucht (falsches Erwählungsbewußtsein) das ihnen verheißene und zuerst angebotene Heil verscherzen — gegen den ursprünglichen Heilswillen Gottes, aber gemäß der Schrift, die diese Verstockung ebenso voraussagt wie die Zulassung der Heiden zum Heil. Die spezifischen Missionserfahrungen des Paulus ergeben sich also aus seinem Auftrag, vor „Juden und Heiden" die Botschaft von Jesus als dem verheißenen Christus zu verkünden; sie bestehen darin, daß seine Botschaft überall von den Juden abgelehnt und von den Heiden angenommen wird, d. h. daß gemäß der Vorhersage der Schrift die Eröffnung des Heils für „alle Menschen" Hand in Hand geht mit dem selbstverschuldeten Ausschluß der „zuerst" Angesprochenen vom Heil. Der im Wirken des Paulus sich ereignende Prozeß der völligen Loslösung der Heilsverkündigung von den ursprünglichen Trägern der Heilsverheißung wird als geweissagtes Geschehen nach Gottes Plan erkannt. Insofern sind die missionarischen Erfahrungen des lukanischen Paulus insgesamt eine Offenbarung des Willens Gottes (gerade auch in der negativen Akzentuierung auf die Verstockung Israels), so daß Lukas in Anspielung auf den Schluß der Apostelgeschichte im Sen-

---

[81] Dies ist bereits eine Überzeichnung des lukanischen Befundes in der Absicht, die Tendenz zu treffen: Die Aussage gilt nur aus der Perspektive des lukanischen Heidenchristentums und unter der Voraussetzung, daß dieses sich bewußt nicht nur vom Judentum, sondern auch vom Judenchristentum, wie es Apg 21,20 als eine spezifische Ausprägung des Christentums gegenüber dem Heidenchristentum (vgl. 21,19) erscheint, absetzt. Näheres s. u., S. 191 ff.

[82] Vgl. besonders die Antithesen der zweiten Rede des Petrus Apg 3,11 ff., bes. VV. 13—15. Die Kette der Antithesen führt auf den μάρτυς-Begriff (V. 15) hin. Vgl. Apg 5,30—32.

dungswort des Kyrios an Saulus von einer zweifachen „Offenbarung" sprechen kann: ὧν τε εἶδές με ὧν τε ὀφθήσομαί σοι.

3. Statt einer Zusammenfassung: Die Berufung des Paulus nach Apg 22,14—21

Wegen der Vielschichtigkeit des Befundes ist eine Zusammenfassung schwierig, zumal in der Beschreibung des Verhältnisses des
Zeugenauftrags des Paulus zu dem der Apostel noch Fragen offen-
geblieben sind. Die Ergebnisse sollen deshalb in einer auf den
inhaltlichen Aspekt der Sendung des Paulus bezogenen Interpretation der Tempelrede des Paulus zusammengefaßt werden:

1. Die Sendungsworte erscheinen in diesem Zusammenhang, soweit
   ihnen die Saulustradition zugrunde liegt, als Rede des Ananias
   an Saulus. Ananias wird als ein gesetzesfrommer Mann eingeführt, an dem kein Jude etwas auszusetzen hat (V. 12), so daß
   das Jerusalemer Publikum an „seinen" Worten nicht von vornherein Anstoß zu nehmen braucht.
   Entsprechend beginnt der Abschnitt über die Sendung des Saulus
   mit dem Hinweis auf den „Gott unserer Väter" und seinen durch
   „Vorherbestimmung" wirksamen „Willen" (V. 14).

2. Die Absicht Gottes ist, daß Saulus „den Willen Gottes erkennt",
   was in diesem Zusammenhang auf das christologische Problem
   bezogen wird, wenn auch nur andeutungsweise: das mit καί
   angeschlossene „Sehen" und „Hören" bezieht sich zurück auf die
   Christophanie vor Damaskus (VV. 6 ff.). Indem Saulus den
   Erhöhten „sieht", erkennt er als „Willen" Gottes, daß der Christus leiden muß. Der Redewortlaut formuliert diese Implikation
   indirekt auch dadurch, daß Jesus als ὁ δίκαιος bezeichnet wird:
   Lukas gebraucht diesen Titel sonst, um die Kreuzigung Jesu als
   gegen den Willen Gottes gerichtete Ungerechtigkeit hinzustellen
   (vgl. Apg 3,14; 7,52; Lk 23,47).

3. Die Erkenntnis des Willens Gottes bezüglich des Leidens-
   geschicks seines Christus ist Inhalt des „Zeugnisses" des Saulus,
   zu dem er durch die Christusoffenbarung befähigt und beauftragt
   wird: ὧν ἑώρακας καὶ ἤκουσας (V. 15) nimmt ἰδεῖν und ἀκοῦσαι
   (V. 14) wieder auf.

4. Sein Zeugnis gilt „allen Menschen" (V. 15). Die Formulierung
   impliziert das zweite Grundproblem der Kontroverse zwischen
   Juden und Christen: die Heidenmission. Es wird hier zurück-
   gestellt, weil nach lukanischer Darstellung die Jerusalemer
   Juden ihre Ablehnung der Heilsbotschaft ausschließlich mit der
   Messiasproblematik begründet haben, während das Eifersuchts-

11*

motiv den durch diese Ablehnung mitverursachten Beginn der Heidenmission voraussetzt.

5. Dieser Begründungszusammenhang wird in den Versen 17—21 expliziert, und zwar im Unterschied zu den von „Ananias" gesprochenen Versen 14 f. in schonungsloser Direktheit: Im Tempel, dem Heiligtum der Juden, erscheint Paulus erneut[83] der von den Juden als Christus Gottes nicht akzeptierte Jesus. Er präzisiert den Sendungsauftrag des Paulus in der für Lukas kennzeichnenden Art: Weil die Juden in Jerusalem das „Zeugnis" über Jesus als den Christus (περὶ ἐμοῦ) nicht annehmen werden (V. 18), soll Paulus schleunigst Jerusalem verlassen, „denn ich werde dich zu den Heiden in der Ferne senden" (V. 21).

6. Die Reaktion der Zuhörer (22 f.) ist die turbulente Äußerung ihres Ärgernisses und ihrer Eifersucht auf die Heiden[84], die nach den letzten Worten des Paulus als einzige Adressaten der Botschaft überhaupt noch angesprochen werden. Eine Judenmission gibt es von jetzt an nicht mehr.

7. So erscheint der lukanische Paulus am Ende seiner „Laufbahn" als Missionar schließlich doch als der Heidenapostel schlechthin. Er ist es kraft seiner Mißerfolge bei den Juden und seiner Erfolge bei den Heiden. Die Adressaten seiner Verkündigung haben ihn dazu gemacht. Erfolge und Mißerfolge machen insgesamt eine heilsgeschichtliche Erfahrung aus, für deren Notwendigkeit Paulus als „Zeuge" bürgt.

II. Die jüdische „Vergangenheit" des Paulus als Voraussetzung seiner Sendung

Die lukanischen Vorstellungen über Sendung und Auftrag des Paulus und über die spezifische Bedeutung seines Wirkens gegenüber dem der Apostel ließen bereits den argumentativen Charakter der lukanischen Darstellung der Anfänge der nachösterlichen Mission im allgemeinen und der Rolle des Paulus im besonderen erkennen. In den Apologien des Paulus der Apostelgeschichte, unter denen die beiden Redevarianten der Saulustradition nicht die

[83] Obwohl der Inhalt der Tempelvision sachlich dem ὀφθήσομαι von 26,16 entspricht, ist dieser Vers kaum als Rückverweis auf 22,17 ff. aufzufassen, sondern wird durch den unmittelbaren Kontext (26,19—23) interpretiert.

[84] Das ἄχρι τούτου τοῦ λόγου (V. 23) zeigt, daß in diesem Augenblick die Eifersuchtsreaktion einsetzt, und zwar um so heftiger, als den Juden nicht nur die Teilnahme der Heiden an der Erfüllung der Väter-Verheißung zugemutet, sondern unumwunden ihr Ausschluß vom Heil ausgesprochen wird.

unwichtigsten sind, faßt Lukas seine Darstellung des δρόμος des Paulus formell als Argumentation der Hauptfigur zusammen. Die Prozeßreden des Paulus thematisieren das in der Darstellung der Wirksamkeit des Paulus angelegte Argument. Im folgenden wird es darum gehen, diese explizite Form lukanischer Argumentation mit der Paulusfigur am Beispiel der Redevarianten der Saulustradition zu analysieren.

1. Der Stellenwert des paulinistischen Lehrtopos von der einstigen Verfolgertätigkeit des Paulus

Der Missionar Paulus spricht von der Erfüllung der Verheißung an die Väter durch Jesus, den Christus der Verheißung. Der „Apologet" Paulus spricht von seiner Bekehrung. Die Vergangenheit des Paulus und die besondere Art seiner Bekehrung sind die Bedingungen seiner Rolle als σκεῦος ἐκλογῆς in der Hand Gottes. Daß niemand als gerade Paulus die spezielle Funktion der μαρτυρία πρὸς πάντας ἀνθρώπους übernehmen kann, hängt also nicht nur damit zusammen, daß niemand wie Paulus „überall" (vgl. Apg 28,22) d. h. von Jerusalem bis Rom, den Widerspruch der Juden und das Ja von Heiden zum Heilsangebot Gottes erfährt[85], sondern damit, daß er selbst sowohl den Widerspruch als auch das Ja zum Evangelium verkörpert[86]. Dies ist das Leitmotiv der Apologien des lukanischen Paulus. Es wird also im folgenden zunächst um die Frage gehen, wie Lukas das Feindschema der Saulustradition in seinen Redevarianten zur Argumentation verwendet.

a) Das Motiv des „Eiferers"

Die Untersuchung des lukanischen Verständnisses der Feindfigur in der Saulustradition hat bereits zu dem Ergebnis geführt[87], daß

---

[85] Angesichts der schematischen Darstellung des δρόμος des Paulus in der Apostelgeschichte könnte man überlegen, ob nicht auch ein anderer Missionar die Rolle der Figur dessen, der von Jerusalem nach Rom geht, hätte übernehmen können. Es gibt ja in der Biographie des Paulus nur schwache Anhaltspunkte für dieses Schema, da seine „Wirksamkeit" in Jerusalem eine lukanische Konstruktion ist und sein Aufenthalt in Rom — das verschweigt Lukas keineswegs — nicht die Bedeutung des missionarischen Anfangs hat (vgl. 28,14 f.).

[86] Diese Überlegungen betreffen die inhaltliche Seite der lukanischen Darstellung des Paulus. Auf die dahinterliegenden Motivationen für diese Konzeption der Rolle des Paulus wird unten (Abschnitt 3) einzugehen sein. Soviel sei vorweg behauptet: Letztlich erklärt sich die besondere Rolle, die Lukas dem Paulus zuweist, nicht aus der besonderen Eignung des Paulus, diese zu übernehmen, sondern primär aus der Notwendigkeit, Paulus als Autorität für den missionsgeschichtlichen status quo der lukanischen Gemeinde bürgen zu lassen, der durch die Feindschaft von Gemeinde und Synagoge gekennzeichnet ist.

[87] Vgl. oben, § 3, III.

Lukas in doppelter Hinsicht den Verfolger Saulus für einen Repräsentanten des Judentums hält: Er handelt gegen die Christen in offiziellem Auftrag des Synhedriums, und seine Bekehrung ist nur als die Umkehr eines „eifrigen" Juden zu erklären. Die aus der Tradition übernommenen dämonischen Elemente des Feindschemas, die in ihrer grellen Farbgebung ursprünglich den Sinn hatten, das wunderbare Eingreifen der himmlischen Macht auf kontrastierendem Hintergrund literarisch zur Wirkung zu bringen, erhalten damit eine Motivierung sowohl in „psychologischer" als auch in theologischer Hinsicht. Die Todfeindschaft hat angebbare Gründe; sie betreffen das Verhältnis von jüdischem und christlichem Verständnis der Verheißungen an die Väter. Hinter der drastisch geschilderten Feindschaft des Verfolgers stehen also Verhaltensmotivationen, welche in lukanischer Sicht nicht schlechthin negativ beurteilt werden — im Gegenteil: Die Feindschaft von Christen und Juden setzt nach Lukas ein hohes Maß an theologischer Gemeinsamkeit voraus; sie beruht nicht auf Fremdheit, sondern auf der Konkurrenz um den Anspruch, das Erbe Israels legitim fortzusetzen. Diese Deutung des überlieferten Feindschemas der Saulustradition kommt in den Redevarianten durch die Erweiterung der Exposition verstärkt zur Geltung. Der literarkritische Befund[88] läßt es zu, die Erweiterung der Exposition der Saulustradition als Einbeziehung eines paulinistischen Lehrtopos durch Lukas zu interpretieren. Es ist aus diesem Grund angebracht, die bislang bewußt ausgeklammerte Frage nach dem Verhältnis des lukanischen Paulusbildes zum Selbstverständnis des authentischen Paulus an dieser Stelle in modifizierter Form zuzulassen, freilich nicht in der Absicht, das lukanische mit dem authentischen Paulusverständnis zu vergleichen, sondern um die lukanische Aussage dieser Stellen als Interpretation einer Lehrtradition historisch-kritisch sicherer in den Griff zu bekommen.

Beim Vergleich der einschlägigen paulinischen Stellen (Gal 1,13 f.; Phil 3,6; 1 Kor 15,9 f.) mit den nicht zur Saulustradition gehörigen Elementen in den Expositionen der lukanischen Redevarianten (Apg 22,3; 26,4—8) fällt als spezifisch lukanisches Redaktionsmerkmal die Tendenz ins Auge, das Stichwort „Eiferer" (22,3) bzw. seine sachlichen Äquivalente[89] nicht in unmittelbaren Zusammenhang mit dem Wort διώκειν kommen zu lassen. Dies ist in der dritten Version nicht zu übersehen, gilt aber auch für die zweite, da der relative Anschluß mit ὅς das Verfolgungsmotiv in 22,3 fin. vom ζῆλος-Motiv abhebt, und zwar so, daß ein logisches Abhängig-

---

[88] Vgl. oben, S. 54 ff., bes. S. 58 f.
[89] Näheres s. u., S. 168 A 96. Es geht besonders um den Inhalt der VV. 26,5—7.

keitsverhältnis zwischen beiden nicht ausgesagt wird[90]. Lukas will also die mit dem Wort ζηλωτής bezeichnete Haltung nicht als ausschlaggebend für die antichristliche Verfolgertätigkeit des Saulus verstanden wissen. Wenn dagegen Paulus Phil 3,6 von sich sagt, er sei ein κατὰ ζῆλος διώκων τὴν ἐκκλησίαν gewesen, so wird unmißverständlich das, was er unter ζῆλος versteht, zur inneren Triebkraft seines Vorgehens gegen die Kirche erklärt[91]. Meint er also mit ζῆλος bzw. ζηλωτής etwas anderes als Lukas?

Zunächst: nein. Beide bestimmen den „Eifer" als Eifer für die Väterüberlieferungen (Gal 1,14), d. h. für die pharisäische Gesetzesfrömmigkeit (Apg 22,3; 26,5), die auch dann noch — und gerade dann —, wenn sie in ihrer (höchst) gesteigerten Form (vgl. περισσοτέρως, Gal 1,14; κατὰ τὴν ἀκριβεστάτην αἵρεσιν, Apg 26,5; vgl. 22,3) verwirklicht wird, Untadeligkeit bedeutet (vgl. Phil 3,6), freilich für Paulus: Untadeligkeit nach Maßgabe der Gesetzesgerechtigkeit, die der gottgewirkten Gerechtigkeit durch den Glauben entgegensteht (Phil 3,7 ff.). Lukas dagegen urteilt im Unterschied zu Paulus vorbehaltlos positiv: Der Gesetzeseifer des Pharisäers Paulus ist in jeder Hinsicht eine ideale Haltung. Liegt hier also ein Gegensatz zwischen Paulus und Lukas vor, weil beide ein und dieselbe Sache unterschiedlich, ja gegensätzlich beurteilen? Vermeidet Lukas bewußt, die einstige Verfolgertätigkeit des Saulus mit ζῆλος zu motivieren, weil er die pharisäische Leistungsfrömmigkeit gegen das Urteil des Paulus als Heilsweg akzeptiert? Die Frage ist zu verneinen[92]. Die an den genannten Stellen zunächst offenkundige

[90] Das Relativpronomen drückt einen sachlichen Bezug aus (hier: identisches Subjekt), nicht einen logischen (Bedingung, Grund o. ä.). Auch der syntaktische Ansatz in 26,9 (μὲν οὖν) vermeidet die logische Verknüpfung.

[91] Derselbe Begründungszusammenhang ist auch für Gal 1,13 f. anzunehmen: V. 13b expliziert (ὅτι) 13a; mit dem „einstigen Wandel" ist also konkret die Verfolgertätigkeit gemeint. V. 14 entfaltet den Gedanken von V. 13a ('Ιουδαϊσμῷ wird wiederholt); das Sich-Hervortun als „Eiferer" (V. 14) meint demnach ebenfalls sachlich das διώκειν (V. 13b). So ist auch der direkte Anschluß von V. 14 an 13b mit καί zu erklären. 1 Kor 15,9 gibt kein Motiv für die Verfolgertätigkeit an; wenn aber der dazu kontrastierende V. 10 die missionarische Tätigkeit des Paulus durch die χάρις θεοῦ begründet, so steht dies — sogar der Form nach — in deutlichem Entsprechungsverhältnis zur Aussage von Gal 1,14: προέκοπτον . . . περισσοτέρως ζηλωτὴς ὑπάρχων (Gal 1,14) — χάριτι δὲ θεοῦ . . . περισσότερον αὐτῶν πάντων ἐκοπίασα (1 Kor 15,10).

[92] Für die genannte Auffassung könnte man ins Feld führen, daß Lukas die Stichwortverbindung περισσοτέρως ζηλωτὴς ὑπάρχων (Gal 1,14) auflöst (vgl. das abgewanderte περισσῶς in Apg 26,11b) und scheinbar dem positiv gewerteten ζῆλος eine negativ beurteilte Steigerungsform gegenüberstellt; so wäre wenigstens der pharisäische *Über*eifer gebrandmarkt. Dagegen spricht jedoch, daß auch Lukas den Pharisäismus als eine höchstmögliche Steigerungsform

sachliche Übereinstimmung zwischen Paulus und Lukas im Sprachgebrauch von ζῆλος / ζηλωτής[93] läßt bei näherem Hinsehen viele inhaltliche Differenzen erkennen, welche die unterschiedlichen Beurteilungen der mit ζηλωτής bezeichneten Haltung des „jungen Paulus" verständlich machen[94]. Zwar dokumentiert sich der pharisäische Eifer auch nach lukanischer Auffassung in der strikten Erfüllung der Gesetzesforderungen[95]; aber Lukas sieht in der strengen Gesetzzeserfüllung im Unterschied zu Paulus weder den Versuch einer fleischlichen Selbstbehauptung des Menschen vor Gott noch überhaupt — und darin liegt die eigentliche Differenz in der Sache, welche die unterschiedliche Beurteilung des „Eifers" erklärt — den wesentlichen Inhalt des „Eifers". Nach lukanischem Verständnis dokumentiert der Gesetzeseifer das treue Festhalten des frommen Juden an den Verheißungen Gottes[96]. Das Gesetz ist als Weisung in lukanischer Sicht lediglich das ἔθος Μωϋσέως, d. h. es bestimmt die den von Gott der Verheißungen Gewürdigten angemessene Lebensweise[97], seinem wesentlichen Inhalt nach aber ist es eine

jüdischer Frömmigkeit versteht, als ἀκριβεστάτη αἵρεσις der jüdischen Religion (26,5).

[93] Der lukanische Sprachgebrauch der Wortgruppe um ζηλοῦν ist im ganzen leichter zu fassen als der paulinische: Lukas verwendet das Verb ζηλοῦν und das Substantiv ζῆλος ohne nähere Bestimmung; es bedeutet „eifersüchtig sein" (Apg 17,5; auch 7,9, hier jedoch LXX-Zitat) bzw. „Eifersucht" (Apg 5,17; 13,45). Das Substantiv ζηλωτής wird — wenn es nicht Beiname ist (Lk 6,15; Apg 1,13) — nur im positiv wertenden Sinn gebraucht; es bezeichnet den „frommen Eifer" des Juden-(christen) „für das Gesetz" (Apg 21,20) bzw. „für Gott" (Apg 22,3).

[94] Im folgenden wird nicht der Versuch unternommen, die paulinische Position umfassend zu beschreiben; es geht um die lukanischen Tendenzen.

[95] Das zeigt Lukas besonders am Verhalten des bekehrten Pharisäers Paulus: Apg 21,24.26. Die Episode 21,20 ff. zielt direkt auf 22,3. Wenn Pharisäer kritisiert werden, dann nicht wegen ihrer Gesetzesstrenge, sondern vor allem wegen Habgier (Lk 13,31; 16,14; dies Motiv wird auch zur Interpretation der Wehrufe [Q] herangezogen: vgl. Lk 11,39 ff., bes. V. 41), die Lukas sicher nicht mit „Eifer" assoziiert.

[96] Vgl. Apg 26,6 f.: Durch unablässigen „Gottesdienst" (λατρεύειν) wird das „Zwölfstämmevolk" (δωδεκάφυλον) der Juden das Ziel seiner Hoffnung (ἐλπίς), die ἐπαγγελία Gottes erlangen. Dem Zusammenhang nach kann hier λατρεύειν nur auf die (pharisäische, d. i. streng jüdische) Gesetzesfrömmigkeit bezogen werden; vgl. das programmatische Φαρισαῖος in 26,5 fin. und den Anschluß des folgenden mit καὶ νῦν. — Die Einheit von Gesetzesfrömmigkeit und Verheißungshoffnung wird vor allem auch in der Kindheitsgeschichte dargestellt (vgl. Lk 1,6; 1,68 ff., bes. V. 74 f.; 2,21—39, bes. VV. 25 ff. 36 ff).

[97] Das Gesetz ist für den Juden der Heilsweg. Das Halten der Gebote ist die Bedingung für das Hingelangen zum Hoffnungsziel (vgl. Apg 26,7). Bei dieser positiven Beurteilung läßt Lukas jedoch deutlich erkennen, daß das Erfüllen dieser Bedingung keine Garantie ist, weder für die Erlangung des Heils (vgl. Apg 13,38 f.) noch für die wirkliche Durchdringung der Existenz des

prophetische Instanz[98].Der Unterschied gegenüber den paulinischen Aussagen erklärt sich also aus einem sachlich anderen Gesetzes-Begriff. Die paulinische Antithetik von Gesetz und Verheißung ist im lukanischen Entwurf eingeschmolzen. Wenn Paulus von „meinen Väterüberlieferungen" (Gal 1,14) spricht, meint er die Gesetzestradition als Heilsweg; wenn Lukas von der „Strenge des väterlichen Gesetzes" (Apg 22,3) spricht, meint er die fromme Lebensführung, die der „Hoffnung der an unsere Väter ergangenen Verheißung" (Apg 26,6) entspricht, ohne dabei an einzelne Erfüllungs-Leistungen des Menschen zu denken, die mit der Erfüllung der Verheißungen durch Gott konkurrieren könnten. Deshalb gibt es für ihn keine Übersteigerung des Gesetzeseifers zum Schlechten hin. Die Ausdrücke ἀκρίβεια, ἀκριβεστάτη deuten darauf hin; sie haben für Lukas positiv wertenden Klang[99]. Der Gedanke, den pharisäischen Eifer mit dem Maß der goldenen Mitte zu messen, ist Lukas fremd. Dagegen hat er eine bestimmte Vorstellung von der Schwundform dessen, was er unter dem „Eifer" der „strengsten Richtung" des Judentums versteht: das mangelnde Vertrauen in die Verheißungen Gottes — eine Haltung, als deren Repräsentanten ihm die Sadduzäer gelten (vgl. Apg 23,6—9). Der Pharisäismus ist die sanior pars des Judentums[100], weil er den Glauben an die allgemeine Totenauferstehung mit den Christen teilt.

b) Die Zuordnung von ζῆλος und ἄγνοια

Mit der inhaltlichen Klärung des lukanischen Verständnisses des ζῆλος-Begriffs ist erst ein vorbereitender Schritt getan, um den Sinn

Gesetzesfrommen mit dem Geist der vom Gesetz geforderten Liebe (vgl. Lk 10,25—37). — Daß damit aus großer Distanz geurteilt wird — Lukas ist ja überzeugt, daß für den Heidenchristen Heil und heilsmäßiges Leben auch ohne die Weisung des Gesetzes ermöglicht sind —, zeigt sich auch am Gebrauch des Terminus ἔθος Μωϋσέως (Apg 15,1; vgl. Apg 6,14; 21,21; 28,17), der die dem Heiden(christen) fremde Welt der Lebensgewohnheiten der Juden(christen) bezeichnet (trotz Apg 15,21). Lukas teilt hier die Perspektive der römisch-hellenistischen Welt (vgl. Apg 26,3!), für die die jüdischen Sitten aus verschiedenen Gründen unannehmbar sind (vgl. Apg 16,21). Aufschlußreich dazu: W. C. van Unnik, Die Anklagen gegen die Apostel in Philippi (Apg 16,20 f.), in: Mullus (Fs. T. Klauser), Münster 1964, S. 366—373.

[98] Vgl. Lk 24,44; Apg 13,15; 24,14; 28,23. Der Doppelaspekt von νόμος als Gebot und Weissagung (Verheißung) wird bei Conzelmann, Mitte, S. 146 ff., besonders S. 148, richtig gesehen. (Vorbehalte sind gegen die Eintragung des Epochenschemas zu erheben; vgl. oben, § 4, Anm. 41 zu Lk 16,16).

[99] Zum Gebrauch von ἀκριβῶς vgl. Lk 1,3; Apg 18,25 f.; ohne Wertung: Apg 23,15.20; 24,22.

[100] Vgl. Conzelmann, Mitte, S. 138 A 1; Haenchen, Komm., S. 567—572, bes. S. 569, 571; ders., Tradition und Komposition, in: Gott und Mensch, S. 224 A 5 (S. 224 f.).

der Erweiterung der Exposition der Saulustradition in den Redevarianten zu erheben. Es geht ja nicht nur darum zu klären, wie
Lukas den paulinistischen Lehrtopos versteht, sondern vor allem
muß gefragt werden, warum er ihn als Interpretament zur Saulustradition heranzieht. Die Verknüpfung als solche ist nicht weniger
aufschlußreich als die inhaltliche Fassung des ζῆλος-Motivs.
Die Tradition führt Saulus als notorischen Verfolger der Christen
ein und behandelt ihn weiterhin als Frevler mit dämonischen
Zügen. Nichts an dieser Gestalt ist positiv gezeichnet. Wenn Lukas
nun den durchaus positiv gemeinten Hinweis auf den pharisäischen
Eifer des Verfolgers Saulus vor die herkömmliche Kennzeichnung
der Figur des Verfolgers stellt, so wird damit das Feindschema der
Tradition ganz neu interpretiert. Der Christenhaß des wutschnau-
benden Verfolgers wird als Fehlform einer an sich zu bejahenden
religiösen Haltung relativiert, die mit dämonischen Zügen ausge-
stattete Figur des Gottesfeindes wird reduziert auf das Bild eines
gesetzesstrengen Juden, dessen frommer Eifer durch Verblendung
irregeleitet ist[101]. Die Zuordnung von ζῆλος und ἄγνοια erweist sich
damit als einer der Kristallisationspunkte der lukanischen Redaktion
der gesamten Saulustradition. Es erhebt sich aber die Frage, ob
diese Zuordnung als originale Idee des Lukas zu gelten hat oder
ob der paulinistische Lehrtopos in einer Form auf Lukas gekommen
ist, die bereits eine derartige Verbindung kannte. Anlaß zu dieser
Vermutung gibt 1 Tim 1,13. Die Stelle ist ein Beleg dafür, daß das
ἄγνοια-Motiv nicht ausschließlich von Lukas zur Interpretation der
christenfeindlichen Vergangenheit des Paulus herangezogen wird,
sondern auch sonst in dieser Kombination begegnet.
Wenn man, wie oben (S. 57) vorgeschlagen, 1 Tim 1,12 ff. als auf
Paulus selbst zurückgehenden, in lockerem Anschluß an die Saulustradition entstandenen Lehrtopos betrachtet, wird man die Aussage zunächst an den entsprechenden paulinischen messen; dann ergibt sich folgendes Bild: Die paulinische Antithetik von Gesetz und
Gnade ist in 1 Tim 1,12 ff. abgelöst durch die Antithetik von Sünde
und Erbarmen. Der „Fall Saulus" wird als Exempel hingestellt
(πρὸς ὑποτύπωσιν, V. 16), an dem in Zukunft die Glaubenden erkennen können, daß Christus in die Welt kam, um Sünder zu retten.
Die Tendenz zur exemplarischen Auslegung der Saulustradition,
die schon Paulus selbst und der vorlukanische Redaktor der Saulustradition erkennen lassen, wird in 1 Tim 1,12 ff. also fortgeführt,

---

[101] Entsprechend erscheint die Bekehrung des Verfolgers als die im Nu erfolgende Konsequenz aus dem Fortfall der Verblendung, d. h. das Engagement
der Hoffnung hält sich durch. Der bekehrte Paulus ist für Lukas erst recht
ein „Eiferer".

im Gegensatz zu Paulus jedoch so, daß der Lehrtopos zu einer allgemeingültigen, primär auf das Selbstverständnis von Heidenchristen zugeschnittenen soteriologischen Aussage umgeformt wird,
die nicht mehr auf das paulinische Gesetzesproblem abhebt. Damit
hängt zusammen, daß 1 Tim 1,13 den einstigen Wandel des Paulus
als Verfolger der Kirche undialektisch und uneingeschränkt negativ beurteilt — und dies, obwohl vorher auf das Gesetz als etwas
„Gutes" (καλός) hingewiesen wird (V. 8). Das Motiv des ζῆλος im
Sinne des Gesetzeseifers wird also in 1 Tim 1,1 ff. aufgegeben; es
wird durch das der Hybris ersetzt (vgl. V. 13: ὑβριστήν). Das ἄγνοια-
Motiv hat neben dem Motiv der frevelhaften Hybris die — von der
synagogalen Propaganda her geläufige — Funktion, die Bosheit des
früheren Wandels des Sünders zu entschuldigen. Sie ist der mildernde Umstand, der Gottes Erbarmen provoziert und den Sünder
auf Erlösung und Verzeihung hoffen läßt.
Diese Umformung des paulinistischen Lehrtopos zu einer für ehemalige Heiden berechneten soteriologischen Aussage scheint kein
einmaliger Fall zu sein. Aufschlußreich ist in diesem Zusammenhang die bereits erwähnte (vgl. oben, § 1 Anm. 104) Stelle aus den
Actus Vercellenses, die in weitgehender Übereinstimmung mit
1 Tim 1,12 ff. den „Fall Saulus" ausdeutet. Vor seiner Abreise aus
Rom feiert Paulus mit den römischen Christen die Eucharistie. Eine
unwürdige Teilnehmerin wird gebannt (Lähmung etc.). Darauf
fragen die übrigen: „Wir wissen nicht, ob Gott uns die früheren
Sünden, die wir begangen haben, vergibt." Paulus belehrt sie: Wenn
sie ihren „früheren Wandel" und ihre „väterlichen Überlieferungen" aufgäben — dies wird mit einem Lasterkatalog konkretisiert
— und sich mit Tugend wappnetcn — es folgt ein Tugendkatalog —, würden sie Frieden mit Gott haben; denn „so wird euch
Jesus, der lebendige Gott, nachlassen, was ihr in Unwissenheit
getan habt." Darauf bittet man Paulus um Fürbitte. Das folgende
Gebet des Paulus ist ganz durch das soteriologische Kontrastschema
„einst — jetzt" geprägt. Es stellt die Bekehrung des Paulus als
exemplarischen Fall für die Verzeihung der Sünden eines einstigen
frevelhaften Wandels in Unwissenheit dar: „... wir bitten dich...,
die Seelen zu stärken, die einst ungläubig waren, jetzt aber gläubig
sind. Tunc blasphemus eram, modo autem blasphemor; tunc eram
persecutor, modo ab aliis persecutionem patior, tunc inimicus
Christi, modo amicus oro esse. Denn ich vertraue auf seine Verheißung und Barmherzigkeit; denn ich meine, daß ich gläubig bin
und Vergebung für meine früheren Sünden erhalten habe."[102]

[102] Deutschsprachige Zitate nach Schneemelcher, in: Hennecke—Schneemelcher,

Es würde zu weit führen, die Beziehungen dieses Textes zu 1 Tim
1,12 ff. im einzelnen zu diskutieren; sie betreffen die Stichwörter
βλάσφημος, διώκτης, ἐλεεῖν, ἀγνοεῖν, ἀπιστία — um nur die wichtigsten
zu nennen. Beide Texte stimmen darin überein, daß sie den paulinistischen Lehrtopos zu einer allgemein gültigen soteriologischen Aussage ohne Bezug zur paulinischen Gesetzesproblematik[103] ausgestal-
ten, indem sie das ζῆλος-Motiv durch den Topos vom „unwissenden
Frevler" ersetzen.

Die entscheidende Frage ist nun, ob man annehmen kann, daß der
paulinistische Lehrtopos, wie Lukas ihn kannte, bereits die von
1 Tim 1,12 ff. und Actus Vercellenses, cap. 2, charakteristisch ist,
Gestalt gehabt hat oder nicht. Das scheint in der Tat der Fall zu
sein; denn es ist darauf hinzuweisen, daß sich ein Element, das für
1 Tim 1,12 ff. und Actus Vercellenses, cap. 2, charakteristisch ist,
auch bei Lukas findet, wenn auch in abgewandelter Form: Nach
Apg 26,11 hat der Verfolger Saulus die Christen zur „Lästerung"
gezwungen (ἠνάγκαζον βλασφημεῖν). Klein deutet dies — wahrscheinlich im Sinne des Lukas richtig — als Zwangsrekonversion
der Christen zum Judentum[104]. Die Parallelen zeigen, daß dahinter
das Hybris-Motiv des verallgemeinerten Lehrtopos über den „einstigen Wandel" des Saulus steht. Nimmt man demnach an, daß der
paulinistische Lehrtopos bereits in der Spätform auf Lukas gekommen ist, die erstmals durch 1 Tim 1,12 ff. belegt ist, wird die lukanische Aussageabsicht bei der Erweiterung der Exposition der
Saulustradition um das ζῆλος-Motiv besser greifbar. Kennzeichnend
für die lukanische Behandlung des ζῆλος-Motivs ist das Festhalten
an der ursprünglichen Bedeutung („Gesetzeseifer"). Lukas wehrt
sich gegen das Motiv der frevelhaften Hybris im Zusammenhang
der Saulusüberlieferung. Damit bekommt auch das ἄγνοια-Motiv
eine andere Funktion: Es will nicht die „Unwissenheit" des Christenverfolgers Saulus als mildernden Umstand zur Entschuldigung
seines frevelhaften Tuns anführen, sondern nach Lukas bewirkt die
ἄγνοια, daß der an sich gute, durch keine Übersteigerung zu pervertierende fromme Eifer des gesetzesstrengen Pharisäers durch
Blindheit zur Gottesfeindschaft deformiert wird. Die ἄγνοια, die

Neutestamentliche Apokryphen II, S. 192 f., lateinische nach Lipsius-Bonnet,
Acta Apostolorum apocrypha I, S. 47.
[103] Der Unterschied gegenüber paulinischen Anschauungen liegt vor allem in
der Beurteilung der „Überlieferungen". Nach der oben zitierten Stelle (vgl.
noch 1 Petr 1,18) ist die Überlieferung der Väter der im Lasterkatalog
zusammengefaßte Normenkodex des nichtigen Wandels in der ἄγνοια. Was
Paulus unter Überlieferung versteht, läßt sich selbstverständlich nicht in
einem Lasterkatalog konkretisieren.
[104] Vgl. Die Zwölf Apostel, S. 126.

Lukas sonst immer zur Entschuldigung verkehrten Handelns ins
Feld führt, erscheint hier als der pervertierende Faktor, als Ursache
des Defekts, der den frommen Eifer des gesetzesstrengen Juden
entstellt. Die tradierten Züge der Feindfigur werden damit aufgrund der lukanischen Verknüpfung von ζῆλος- und ἄγνοια-Motiv
zur Karikatur des jüdischen Gesetzeseifers, sofern dieser mit dem
christlichen Bekenntnis zum auferweckten Jesus um das Erbe der
Verheißung in feindseliger Weise konkurriert.
Es ergibt sich damit die Einsicht, daß diese spezielle Art der Verknüpfung von ζῆλος- und ἄγνοια-Motiv als originär lukanisch zu
gelten hat, selbst wenn es für die Verbindung beider in der paulinistischen Lehrtradition einen Anhaltspunkt gegeben haben sollte.
Spezifisch lukanisch sind mit Sicherheit die uneingeschränkt positive
Beurteilung des frommen Gesetzeseifers und die These, daß eben
dieser Eifer, durch Unwissenheit irregeleitet, deformiert und bis ins
Dämonische pervertiert werden kann.

2. Die Argumentation des lukanischen Paulus mit seiner
eigenen Bekehrungsgeschichte

Bereits die isolierte Betrachtung der lukanischen Verknüpfung von
ζῆλος- und ἄγνοια-Motiv läßt erkennen, daß es Lukas in den Redevarianten um ein Argument geht, das er im christlich-jüdischen
Streit um den wahren Sinn der Verheißungen an die Väter ins
Feld führt. Bei oberflächlicher Betrachtung könnte man zunächst
annehmen, die Paulusreden im Zusammenhang des gegen Paulus
geführten Prozesses dienten dazu, diesen vor jüdischen Gegnern zu
verteidigen. Die Unhaltbarkeit dieser Vorstellung, wie immer man
sie näher konkretisieren mag[105], wird deutlich, wenn man die Argu-
mentationsrichtung der lukanischen Redevarianten beachtet.

a) Die Tempelrede

Der ersten „Apologie" des Paulus im 22. Kapitel der Apostelgeschichte geht eine tumultuarische Szene voraus. Die Volksmenge
will Paulus lynchen, weil einige Juden aus der Asia das Gerücht
ausgestreut haben, Paulus habe einem Heiden Zutritt zum inneren
Tempelbereich verschafft und damit das Heiligtum entweiht. Paulus
wird als notorischer Frevler „gegen das Volk und das Gesetz und
gegen diese Stätte" (21,28) hingestellt und einer weiteren sakrile-
gischen Tat beschuldigt. Das aufgewiegelte Volk wird von den
Rädelsführern als ἄνδρες Ἰσραηλῖται (ebd.) apostrophiert, also auf
seine heilsgeschichtliche Vorzugsstellung hin angesprochen. Dies

---

[105] Näheres s. u., Abschnitt 3.

alles weist deutlich darauf hin, daß es bei dem Tumult im Tempel um eine Sache der jüdischen Religion geht.

Die Paulusrede trägt dem schon in äußerlichen Dingen Rechnung. Paulus spricht τῇ Ἑβραΐδι διαλέκτῳ (21,40), ein Umstand, dessen Bedeutung seine jüdischen Zuhörer sogleich verstehen (vgl. 22,2). Auch Paulus beansprucht, auf dem Boden der jüdischen Tradition und in der jüdischen Sakralgemeinschaft zu stehen. Er redet sein Publikum mit „Brüder und Väter" (22,1) an; sein erster Satz lautet: „Ich bin ein Jude" (22,3). Er stellt sich als Jude mit seinen Feinden auf eine gemeinsame Basis, nämlich die der jüdischen Tradition. Dies ist der Sinn der folgenden Ausführungen über seine Jugend[106]. Wenn er herauskehrt, er sei in Jerusalem nach der Strenge des väterlichen Gesetzes erzogen worden, so nicht mit dem unausgesprochenen Zusatz, dies alles sei ihm „um Christi willen" jetzt „Unrat", sondern im Gegenteil in der Absicht, sich selbst als denjenigen hinzustellen, der ein „Eiferer für Gott" zu sein beansprucht, „wie ihr alle es heute seid"[107]. Paulus spricht als gesetzesstrenger Jude zu seinesgleichen. Das ist nach lukanischer Darstellung keine taktische Finte und keine Anmaßung[108], sondern eher ein Entgegenkommen gegenüber dem Publikum, dessen Verhalten soeben noch deutlich ungesetzlich war. Wenn es in den Redevarianten um die Selbstverteidigung des Paulus ginge, müßte dieser nun darauf ausgehen, die gegen ihn erhobenen Anschuldigungen (vgl. 21,28) zu entkräften. Das hätte leicht geschehen können, indem der lukanische Paulus wahrheitsgetreu (vgl. 21,29) versichert hätte, er habe den Tempel nicht entweiht, sondern die Anklage sei irrtümlich oder aus Rachsucht von einigen Wirrköpfen aus der Provinz gegen ihn erhoben worden. Nichts Derartiges geschieht. Statt sich zu verteidigen, „erzählt" Paulus seine Bekehrungsgeschichte. Der Solidarisierungseffekt von 22,3 wird ausgenutzt, um das Damaskus-

---

[106] Dem Vers 22,3 liegt ein Schema zugrunde: γένεσις — τροφή — παιδεία. Vgl. W. C. van Unnik, Tarsus of Jerusalem. De stad von Paulus' jeugd, Medelingen der Koninklijke Nederlandse Akademie van Wetenschapen, Afd. Letterkunde, N. R. Deel 15, No. 5, Amsterdam 1952, 141—189.

[107] Man darf sich nicht durch den Bericht-Stil darüber täuschen lassen, daß die participia perfecti in 22,3 einen noch andauernden Zustand bezeichnen sollen. Bei fortlaufender Lektüre der Apostelgeschichte kann darüber kein Zweifel bestehen. (Vgl. 21,20 ff.: Paulus dokumentiert, daß er wie alle Judenchristen ein „Eiferer für das Gesetz" ist.) Zu Kleins Folgerung, damit werde Paulus als „typischer" — sprich durchschnittlicher — Jude „mensurabel" gemacht (vgl. Die Zwölf Apostel, S. 122, 125), wurde bereits Stellung genommen (vgl. oben, S. 119 f.).

[108] Nach Lukas ist nicht nur Paulus, sondern sind alle Judenchristen Eiferer für das Gesetz (Apg 21,20 ff.), die Juden dagegen verhalten sich wiederholt als ἄνομοι (vgl. Apg 2,23; 7,53; dazu Conzelmann, Mitte, S. 150).

ereignis als ein Geschehen hinzustellen, das jeden der angesprochenen Hörer, sofern er nur wirklich den Namen eines „Eiferers für Gott" zu Recht trägt, zu derselben Konsequenz gebracht hätte wie den Redner selbst. Die anfängliche Solidarisierung des Paulus mit seinen Gegnern dient also nicht der Selbstverteidigung, sondern verfolgt das Ziel, die feindliche Position von innen zu erschüttern. Der Redner geht behutsam vor. Die entscheidenden Gesichtspunkte werden durch den Erzählcharakter der Argumentation mehr verhüllt als ausgesprochen. Wie schon erwähnt[109], wird eine deutliche logische Verknüpfung der Verse 22,3 und 4 vermieden, so daß die grundlegende These, daß die Verfolgungswut, die damals Saulus und jetzt eben die jüdischen Zuhörer gezeigt haben, die durch Verblendung bewirkte Perversion des frommen Gesetzeseifers sei, unausgesprochen bleibt. Ferner fehlt jeder direkte Hinweis auf den Ursprung der Verblendung, den jüdischen Messias-Begriff, der dem christlichen Verständnis der Verheißungen im Wege steht[110]. Statt dessen versucht der lukanische Paulus, die jüdischen Zuhörer von dem skizzierten gemeinsamen Ausgangspunkt aus auf den Weg zu führen, auf dem Saulus seinerzeit gegen seinen damaligen Willen zur Erkenntnis gelangte, daß „Jesus, der Nazoräer" der Christus der Verheißung ist.

Lukas ist der Meinung, damit die am unausweichlichsten zwingende Argumentation, die man sich gegenüber dem verfeindeten Judentum überhaupt denken kann, aufgebaut zu haben. Hier spricht nicht nur ein frommer Jude — das sind die Apostel auch —, sondern ein Pharisäer, also ein Jude strengster Observanz; mehr noch: hier steht ein ehemaliger Repräsentant der christenfeindlichen Haltung des offiziellen Jerusalemer Judentums. Paulus ist also nicht nur im „Eifer" für das Gesetz, sondern auch im Haß gegen die Christen ein „typischer" Jude gewesen, „wie ihr alle es heute seid" (22,3). Das wird nicht ausgesprochen, bestimmt aber den Gang der Rede. Wenn er seine Bekehrung erzählt, so geschieht dies in der Absicht, den „Zwangs"charakter[111] der Lichtoffenbarung vor Damaskus auf seine Zuhörer auszuweiten. Diese Argumentation kann kein Apostel, sondern nur der leisten, von dem alle wissen, daß er die Christen verfolgt hat und mit der Steinigung des „Zeugen" Stephanus einverstanden war (vgl. 22,19 f.). Daß Paulus in jeder Hinsicht ($\varkappa\alpha\tau\grave{\alpha}$ $\zeta\tilde{\eta}\lambda o\varsigma$ und $\varkappa\alpha\tau\grave{\alpha}$ $\mathring{\alpha}\gamma\nu o\iota\alpha\nu$) ein Jude $\varkappa\alpha\tau$' $\mathring{\epsilon}\xi o\chi\acute{\eta}\nu$ ist, macht, daß die Juden unmöglich der Stringenz seines „Zeugnisses"

---

[109] Vgl. oben, S. 166 f.
[110] Vgl. oben, S. 121 f.
[111] Die Christophanie „zwingt" zur Einsicht, daß Jesus der Christus ist. Dieser Einsicht kann man sich — schuldhaft, endgültig — widersetzen.

ausweichen können. Weil er einer der Ihren gewesen ist, mehr noch: weil er, was die Feindschaft der Juden gegen die Christen betrifft, ihr eigentlicher Repräsentant gewesen ist, der Verfolger schlechthin, hat seine Bekehrung unmittelbare und zwingende Konsequenzen auch für sie.

Am Schluß der Rede hat sich der Ton gegenüber dem der Exposition deutlich gewandelt: Der zunächst aufgebaute Solidarisierungseffekt wird mit dem Hinweis auf die Tempelvision in schärfster Form wieder zerstört: Der von den Juden verschmähte Jesus erscheint am heiligen Ort, dem Tempel, und spricht das Verwerfungsurteil über das Volk aus; Paulus soll zu den Heiden in der Ferne gehen, weil man ihm in Jerusalem nicht glauben wird. Von einem Auftrag zur Verkündigung in den Synagogen der Diaspora ist hier nicht mehr die Rede. Diese plötzliche Brüskierung der Zuhörer, die ihre Wirkung nicht verfehlt (vgl. 22,22)[112], macht deutlich, daß der lukanische Paulus an dieser Stelle bereits nicht mehr in der Absicht spricht, seine Zuhörer zu überzeugen. Er blickt auf das Scheitern all seiner Bemühungen um sein Volk zurück. Seine Rede, die zunächst wie eine Selbstverteidigung begann, dann zu einer Art Missionspredigt zu werden schien, bekommt damit den Charakter einer harten Beschuldigung gegen seine Zuhörer. Sie haben ihre Unbelehrbarkeit längst dokumentiert. Was hier erfolgt, ist der Beginn der Schlußabrechnung mit dem endgültig verstockten Volk der Juden.

Es zeigt sich, daß die Argumentation mit der Saulustradition durch den „Zeugen" Paulus ihre Strigenz nur vor jüdischem Publikum hat, weil sie mit der Pointe arbeitet, daß die Ablehnung des Glaubens an die Erfüllung der Verheißung in Jesus und das Verharren in der Feindschaft zu den Christen ein inkonsequenter[112a] Standpunkt sind. Der „Zeuge" Paulus ist das Exempel der konsequenten Entscheidung für den Glauben an Jesus nach Ostern. Als „Zeuge" ist er in der Lage, die jüdischen Zuhörer zwingend vor die Alternative zu stellen, entweder gläubig zu werden oder sich endgültig zu verstocken.

b) Die Rede vor Agrippa

Daß die zweite Redevariante der Saulustradition nicht vor jüdischem Publikum spielt, verlangt daher eine eigene Erklärung[113]. Zunächst zur Kennzeichnung der Zuhörer: Ob Lukas den König

---

[112] Die Unterbrechung an der entscheidenden Stelle ist ein Stilmittel; vgl. Dibelius, Aufsätze zur Apostelgeschichte, S. 138.

[112a] Vgl. Conzelmann, Mitte, S. 138 A 1 — hier in bezug auf die Pharisäer.

[113] Die von E. v. Dobschütz, Die Berichte über die Bekehrung des Paulus, in: ZNW

Agrippa für einen Juden hält oder nicht, läßt sich kaum entscheiden[114]. Er stellt ihn als Sachkenner jüdischer ζητήματα hin (vgl. 26,3), der dem sachunkundigen Römer Festus (vgl. 25,20) als Gutachter raten soll; denn die Gegenüberstellung mit Paulus findet auf Betreiben des Römers statt (vgl. 25,14). Agrippa zeigt das mäßige Interesse (vgl. 25,22), welches Lukas bei allen Zeitgenossen und Augenzeugen der Wirksamkeit Jesu und der Kirche als Minimum voraussetzen kann (vgl. 26,26), zumal wenn sie dem jüdischen Verheißungsglauben nahestehen (vgl. 26,27). Agrippa ist nicht als Exponent des offiziellen Judentums gesehen. Er hat mit dem Prozeß gegen Paulus bisher überhaupt nichts zu tun gehabt und verhält sich auch im Verlaufe der Begegnung mit Paulus, was die Strafsache betrifft, neutral. Lukas hat die Figur so konzipiert, daß sie als urteilsfähig und zu objektiver Beurteilung bereit erscheint; das erste Merkmal hat sie dem römischen Richter, das zweite den jüdischen Klägern voraus. Dadurch wird Agrippa der geeignete Mann, das Schlußplädoyer des Paulus in „seiner" Sache entgegenzunehmen (vgl. 26,1).

Die Rede vor Agrippa faßt alle Aspekte der Anklage und Verteidigung zusammen. Daß dabei nochmals die für die Ohren jüdischer Feinde[115] berechnete Argumentation des Paulus mit seiner eigenen Bekehrung voll entfaltet wird, zeigt die Bedeutung, die Lukas ihr für die Gesamtbeurteilung der Sache, um die es im Prozeß geht, beimißt. Zugleich ist dies der sicherste Anhaltspunkt dafür, daß es im Prozeß gegen den lukanischen Paulus im wesentlichen um die Frage der legitimen Auslegung der Verheißung geht. Denn es ist kennzeichnend für die Rede vor Agrippa, daß Paulus hier ständig auf den in der Tempelrede (Kap. 22) nicht ausdrücklich genannten, aber in der Rede vor dem Hohen Rat in den Mittel-

---

29 (1930) 144—147 zuerst vorgetragene und seitdem häufig wiederholte Behauptung, die dreimalige Gestaltung der Saulustradition in der Apostelgeschichte entspreche einer literarischen Spielregel, erklärt in dieser Hinsicht nichts. Die These dürfte auch deshalb unhaltbar sein, weil sie allzu selbstverständlich Grundbericht und Redevarianten addiert. In der Form eines Arguments erscheint die Saulustradition eben nur zweimal.

[114] Daß er ein Kenner des jüdischen Glaubens ist, macht ihn nicht zum Juden; (dasselbe gilt für Felix; vgl. 24,22). Sein Erscheinen „mit großem Pomp" (25,23), das Lukas ironisch zur Kenntnis gibt, kennzeichnet ihn eher als Hellenen. Der stärkste Hinweis auf die positive Zugehörigkeit zum Judentum ist V. 26,27. Vgl. auch Haenchen, Komm., S. 601.

[115] Die Argumentation ist für Agrippa nicht zwingend, weil er weder im positiven noch im negativen Sinn ein „Eiferer" ist. Wohl aber kann Agrippa beurteilen, daß die Argumentation des Paulus zwingend ist, wenn man den Propheten glaubt, mag sie auch dem Römer als Wahnsinn erscheinen (vgl. 26,24 ff.).

punkt gerückten (vgl. 23,6) eigentlichen Streitpunkt im Prozeß gegen ihn verweist: das zwischen Juden und Christen kontroverse Verheißungsverständnis. Daß Paulus hier offener spricht als in der Tempelrede, hängt einmal damit zusammen, daß Lukas in Kap. 22 die Brüskierung der Zuhörer zur Pointe der Rede macht, was voraussetzt, daß die Ausführungen des Paulus im übrigen nicht anstößig für jüdische Ohren sind; zum anderen sind ja dem Leser der Apostelgeschichte in den vorangegangenen Verhandlungen die Anklagen nach der religiösen und politischen Seite hin[116] vor Augen geführt und analysiert worden, so daß nun das Geflecht von offenen und verdeckten Streitpunkten und Vorwänden auf seinen Nerv hin durchsichtig wird. Die sachkundige Neutralität Agrippas begünstigt die Offenheit des Paulus.

Mit größter Deutlichkeit spricht Paulus aus, daß es in „seiner" Sache (vgl. 26,1) um die Verheißungshoffnung Israels geht. Paulus wird „von den Juden wegen dieser Hoffnung angeklagt" (26,7 fin). Zweitens kommt der Anspruch des Paulus, das wahre Verheißungsverständnis zu verkörpern, pointiert zur Sprache: Er, der „von Anfang an" in der strengen Observanz des Pharisäismus erzogen worden ist — d. h. lukanisch: im Geiste der Hoffnung —, steht „jetzt" (26,6) wegen eben dieser Hoffnung vor Gericht. Drittens wird auch klarer als in der Tempelrede der Unterschied zwischen christlichem und jüdischem Verheißungsverständnis herausgearbeitet. Agrippa wird V. 8 einschlußweise mit allen Juden gefragt: „Warum seht ihr es als unglaublich an, daß Gott Tote erweckt?" Die Frage geht über die sonst eingehaltene Unterscheidung zwischen Pharisäern — der an die allgemeine Totenauferstehung glaubenden sanior pars des Judentums — und Sadduzäern hinweg und rückt das jüdische Verheißungsverständnis sehr weit vom christlichen ab[117].

Nachdem also der Graben zwischen Juden und Christen überdeutlich markiert ist, beginnt die auf der Saulustradition aufbauende Argumentation mit der Bekehrung des Paulus. Sie kann in diesem Zusammenhang folglich nicht den Versuch darstellen, einen „Juden" ein Stück weit mit auf den „Weg" zu nehmen, der für Saulus die Wende zum Christentum brachte. Vielmehr sind hier die Fronten von vornherein klar. Das folgende ist eher Analyse als Argument: Paulus spricht von seiner ἄγνοια (vgl. V. 9: ἔδοξα ἐμαυτῷ), die

---

[116] Näheres unten, S. 195 f.

[117] Es ist zu überlegen, ob dabei nicht die Tatsache den Ausschlag gibt, daß Agrippa als Hellene eingestuft wird (vgl. Apg 17,32!). Ihn als Sadduzäer zu betrachten, liegt Lukas jedenfalls fern.

ihn, den streng erzogenen Pharisäer (VV.3—5)[118], zum Werkzeug
der christenfeindlichen Jerusalemer Führung werden ließ (VV.
9—11), dann von der Christophanie vor Damaskus, die die Ver-
kehrtheit seines Handelns aufdeckte (VV. 14 f.) und für ihn die
Berufung zum „Zeugen" des Auferstandenen brachte (VV. 16—18).
Der Wundercharakter des Vorgangs wird möglichst nicht berührt[119];
statt dessen pointiert der Redner den Gegensatz zwischen unbe-
wußter Widersetzlichkeit (vgl. das Sprichwort in V. 14b)[120] und
wahrem Gehorsam (vgl. V. 19). Alles, was seit dem Damaskusereignis durch Paulus geschehen ist, war gehorsamer Dienst nach
Gottes Willen und Weisung seines Christus. Das wird in der
‚Vollzugsangabe' (V. 20) konkretisiert. Darauf heißt es — in
Entsprechung zu V. 6 f. —, „um dieser Dinge willen" sei Paulus
verhaftet worden. Das Festhalten am wahren Sinn der Verheißungen und der Gehorsam gegenüber Gottes Weisungen durch den
Mund seines Messias haben demnach Paulus auf Betreiben der Ju-
den vor das römische Gericht gebracht.
Den Abschluß der Rede bildet ein apologetisches Programm: Der
„Zeuge" Paulus behauptet nichts anderes, als was auch die Schrift
(die Propheten und Moses) als Instanz der Weissagung und als
Buch der Verheißungen aussagt:

εἰ παθητὸς ὁ Χριστός,

εἰ πρῶτος ἐξ ἀναστάσεως νεκρῶν

φῶς μέλλει καταγγέλλειν τῷ τε λαῷ καὶ τοῖς ἔθνεσιν.

Frei wiedergegeben: Die Hoffnung auf die allgemeine Totenauferstehung sei auf den Messiasglauben anzuwenden, da Jesus als der
Auferweckte unmißverständlich in seinem messianischen Anspruch
bestätigt sei[121]; und diese in Jesus erfüllte Hoffnung sei allen Menschen, nicht nur den Juden, als „Licht" zu verkünden[122]. Die beiden

---

[118] Der Zusammenhang wird ausgespart; vgl. oben, S. 166 f.

[119] Es fehlt nicht nur der Heilungsvorgang (so schon in Kap 22), sondern auch
     das Motiv der wunderbaren Koordinierung der Bewegung irdischer Figuren.

[120] Eine Abhängigkeit von den Bakchen des Euripides ist nicht anzunehmen
     (vgl. oben, S. 64 A 5), da das Wort häufig bezeugt ist; vgl. die Belege bei
     Conzelmann, Komm. z. St.

[121] Die Formulierung πρῶτος ἐξ ἀναστάσεως νεκρῶν ist lukanisch; sie interpre-
     tiert den ἀρχηγός-Titel (Apg 3,15; vgl. 1 Kor 15,20) und könnte von anderen
     Formeln beeinflußt sein (vgl. Rö 1,3 f.; Kol 1,18) (vgl. Conzelmann, z. St.).
     Im lukanischen Verständnis besagt sie, daß die Erfüllung der Hoffnung auf
     die allgemeine Totenauferstehung an Ostern gebunden, insofern durch die
     Auferweckung Jesu „erfüllt" ist (Apg 13,32 f.: τὴν . . . ἐπαγγελίαν . . . ὁ
     θεὸς ἐκπεπλήρωκεν . . . ἀναστήσας Ἰησοῦν; vgl. dazu Gnilka, Verstockung,
     S. 153 mit Anm. 115).

[122] Nach der wörtlichen Bedeutung wäre der Auferweckte selber der Verkünder

Grunddifferenzen zwischen Judentum und Christentum sind also
Inhalt des letzten Satzes des letzten Plädoyers im Prozeß gegen
Paulus. Auf diese Pointe zielt die gesamte Prozeßdarstellung des
Lukas.

c) Zusammenfassung

Es zeigt sich also, daß der lukanische Paulus mit seiner eigenen Bekehrung zwei ganz verschiedene Argumentationen vorträgt. Die
erste ist die dramatische, die zweite die analytische. Die erste Redevariante ist ein Wortgeschehen, das die beteiligten Hörer zu einer
Entscheidung zwingt; die zweite ist eine Erörterung, die den Sachkenner zur Einsicht zwingt.

In beiden Fällen ist die Argumentation gekennzeichnet durch die
Verknüpfung von ζῆλος und ἄγνοια im „Fall Saulus". In der ersten
Redevariante wird durch die anfängliche Solidarisierung des Red-
ners mit dem Publikum auf die Unterstellung hingearbeitet, daß die
Zuhörer in ihrem Christenhaß in eben jener ἄγνοια befangen sind,
die seinerzeit Saulus zum Christenverfolger gemacht hat. Ziel der
Unterstellung ist, den „Fall Saulus" zum zwingenden Exempel für
alle Juden zu machen[123]. In der zweiten Redevariante wird das
Verhältnis von ζῆλος und ἄγνοια bzw. von wahrem und falschem
Eifer und Gehorsam gegenüber der Verheißung Gottes analysiert;
dabei werden die unterschiedlichen Standpunkte von Juden und
Christen von vornherein scharf gegeneinander abgesetzt.

In der ersten Redevariante geht es darum, den Juden den Vorwurf
der Inkonsequenz zu machen; in der zweiten geht es um eine Un-
schuldserklärung für „Paulus" (vgl. 26,27), d. h. um den Nachweis,
daß das Christentum der wahre Erbe der Verheißungen Gottes ist.
Daß Lukas dem „Zeugnis" des Paulus in der Form der Argumentation mit der eigenen Vergangenheit ein besonderes Gewicht beimißt, hängt entscheidend mit dessen repräsentativer Rolle als einstiger Verfolger der Christen zusammen: Seine Bekehrung stellt
genau jene μετάνοια dar, welche die jetzigen Feinde der Christen
zum Glauben an die Erfüllung der Verheißung in Jesus führen
würde. Die Verweigerung dieser μετάνοια ist der Grund für den
schließlichen Bruch zwischen Christentum und Judentum, also für
das Übel der heilsgeschichtlichen Diskontinuität zwischen den
„ersten" und „letzten" Kindern der Verheißung. Für dieses macht
Lukas die Juden verantwortlich, wobei er — im Unterschied zum

---

des Lichts: „daß der Messias . . . als der Erste aus der Auferstehung der
Toten Licht verkünden werde . . ." (Conzelmann, Komm., S. 138).
[123] Anders Haenchen, Komm., S. 558; danach ginge es in der ersten Redevariante
um die Rechtfertigung der Heidenmission.

authentischen Paulus[124] — die Verweigerung der μετάνοια als endgültige Verstockung interpretiert[125]. Die Hoffnung des „Zwölf-
stämmevolks" (26,7) ist verscherzt (28,20 im Zusammenhang mit
den folgenden VV.)[126].

3. Die Redevarianten als lukanische Argumentationen

Bisher wurden die beiden Redevarianten hinsichtlich ihres argumentativen Gehalts lediglich stoffimmanent, d. h. bezogen auf die von
Lukas inhaltlich dargebotene Figurenkonstellation des Paulus-
Prozesses, erörtert. Im folgenden geht es darum, die beiden Reden
— unter Beachtung ihres Kontextes — als lukanische Aussagen auf
die kommunikative Grundbeziehung Autor — Leser — Stoff hin zu
interpretieren.

a) Stellungnahme zu einigen jüngeren Deutungsversuchen

Bereits die stoffimmanente Betrachtung der Redevarianten ließ erkennen[127], daß es Lukas eigentlich nicht darum geht, Paulus gegen die Anklagen zu verteidigen, die im Zusammenhang des in
Apg 21—26 dargestellten Verfahrens gegen ihn erhoben werden.
Zwar werden die Beschuldigungen als absurde Behauptungen entlarvt oder als falsch zurückgewiesen (vgl. bes. 21,21—26 im Zusammenhang mit 24,10—21), das Interesse richtet sich im ganzen jedoch
nicht darauf, Paulus vor einer drohenden Verurteilung in Schutz
zu nehmen, sondern die gegen ihn vorgebrachten Anklagen auf
ihren versteckten Kern zurückzuführen: die theologische Kontroverse zwischen Juden und Christen über das rechte Verständnis
der Verheißung. Die Reden des Paulus, vor allem die vor Agrippa,
sind im Grunde keine Selbstverteidigungen, sondern polemische
Analysen.

[124] Gegen Munck, Paulus und die Heilsgeschichte, S. 298 f.
[125] Die Verstockung der Juden ist ein Leitmotiv des gesamten lukanischen
Doppelwerkes. Die Verstockung wird nach Ostern — wegen des „sicher" zu
erkennenden Schriftsinns bezüglich des Messias — endgültig. Die nach und
nach in aller Welt erfolgende Verstockung der Juden in Palästina und der
Diaspora ist also jeweils ein definitives Teilergebnis dessen, was mit Apg
28,25 ff. programmatisch abgeschlossen wird. Vgl. Gnilka, Verstockung,
S. 141 ff. Der endgültigen Verstockung Israels entspricht die Konsequenz,
daß von jetzt an — im Unterschied, ja im Gegensatz zur Praxis des lukanischen Paulus — ausschließlich Heidenmission betrieben wird (Apg 28,28).
(Vgl. ebd., S. 146 ff.) Das deutet auf die Situation der lukanischen Kirche
hin. „Die Apostelgeschichte führt bis an die Schwelle dieser neuen Periode
heran" (ebd., S. 150).
[126] Vgl. ebd., S. 152.
[127] Vgl. oben, S. 174, S. 177 f.

Angesichts dieses Befundes ist es sinnlos, die Frage zu diskutieren, ob oder aus welchen Gründen Lukas ein Interesse an einer Revision des gegen Paulus geführten Prozesses gehabt haben könnte[128]. Ferner ist die These zurückzuweisen, daß die Apologien des Paulus von Lukas als Argumentationsschemata für Christen vor Gericht entworfen worden sind[129]. Gegen beide Auffassungen spricht das offenkundige Desinteresse des Lukas an einem formellen Freispruch und der faktischen Rettung des Angeklagten. Gegen die letztere ist ferner einzuwenden, daß die römische Gerichtsbarkeit im Prozeß gegen Paulus eine andere Rolle spielt, als dies in der vorausgesetzten Situation der Christen der Fall sein müßte: Paulus droht Gefahr nicht von seiten der Gerichte, sondern von seiten der Juden, welche sich der römischen Gerichtsbarkeit zu bedienen versuchen.

Dibelius könnte dagegen ins Feld führen, daß die römischen Prozesse gegen die Christen, wie aus den Reskripten Trajans und Hadrians hervorgeht[130], Anklägerprozesse gewesen sind, so daß das Dreieck Juden — Christen — Römer der Prozeßsituation gerecht würde. Dagegen ist jedoch darauf hinzuweisen, daß die Christen *wegen ihres Glaubens* gerichtlich belangt worden sind, falls sie wegen ihres Glaubens jemand anklagte. Nach Darstellung der Apostelgeschichte versuchen aber die Juden, die römischen Gerichte dadurch ihren Interessen dienstbar zu machen, daß sie die an sich religiöse Streitsache in eine politische ummünzen (στάσις; vgl. Apg 24,5), während Paulus sich gegen diese Vorwürfe dadurch verteidigt, daß er sie auf ihren theologischen Gehalt reduziert[131].

Die Römer erscheinen im Prozeß als mehr (Festus) oder weniger (Felix) inkompetent, was das Urteil *in der Sache* angeht; daß sie juristisch kompetent sind, setzt Lukas voraus. Die juristische Kompetenz der Römer wird auch nicht durch die Bezweiflung ihrer Sachkenntnis bestritten[132], sondern Lukas will zeigen, wie wenig Grund die Römer — die zum Glück das Heft in der Hand behalten! — haben, den ihnen unverständlichen ζητήματα Interesse zu widmen[133]. Dazu entlarvt er die das römische Recht tangierenden

---

[128] Gegen B. Gärtner, The Areopagus speech and natural revelation, Uppsala—Lund—Kopenhagen 1955 [= ASNU 21], S. 59. Diese Auffassung wird heute kaum noch vertreten.

[129] Gegen Dibelius, Aufsätze zur Apostelgeschichte, S. 180.

[130] Vgl. dazu R. Freudenberger, Das Verhalten der römischen Behörden gegen die Christen im zweiten Jahrhundert, 2. Aufl., München 1969 (= Münchener Beitr. z. Papyrusforschg. u. antiken Rechtsgeschichte 52).

[131] Vgl. bes. Kap. 26. Die Erwiderung in 24,11—13 ist nur ein Vorspiel zur eigentlichen Verteidigung (24,14—21).

[132] Gegen A. Wikenhauser, Die Apostelgeschichte und ihr Geschichtswert, Münster 1921 (= NTA Bd. VIII, H. 3—5), S. 32 f.

Anklagen der Juden als politische Vorwände, die dazu dienen, eine das römische Recht nicht tangierende Sache in ihrem Sinne mit Hilfe der Römer durchzusetzen.

Die Römer erscheinen insgesamt als unbestechlich (trotz Apg 24,26; 25,9). Sie sind nicht nur Schiedsinstanz, sondern auch Schutzmacht gegenüber jüdischen Übergriffen. Sie garantieren den ordentlichen Verlauf des Verfahrens (23,30.35; 25,16), was angesichts der Gewalttätigkeit der Ankläger auf die Gewährung von Rechtsschutz hinausläuft (21,31—36; 23,10.16—22.27.30; 25,1—5; 24,23). Sie drängen auf Klärung der Anklagepunkte (22,30; 23,28; 25,26 f.), um zu verhindern, daß die Anklage verfälscht und die römische Gerichtsbarkeit mißbraucht wird. Bei religiösen Streitfragen der Juden will sich die römische Justiz nicht engagieren (23,29; 25,18 f.). Der Nachweis aber, daß die „innerjüdischen" ζητήματα zugleich auch römisches Recht betreffen, gelingt den Juden nicht (21,34; 23,6—10; 25,7).

Schließlich ist gegen Dibelius darauf hinzuweisen, daß das von Lukas dargestellte Verfahren auch in juristischer Hinsicht nicht so exakt geschildert wird, wie es bei der vorausgesetzten Absicht empfehlenswert wäre[134].

Größere Wahrscheinlichkeit hat die Auffassung für sich, der von Lukas literarisch inszenierte Prozeß gegen Paulus diene der posthumen Rehabilitierung des Paulus als einer kirchlichen Autorität[135].

---

[133] Vgl. Conzelmann, Mitte, S. 133 f.

[134] Zu den Ungereimtheiten vgl. Haenchen, Komm., S. 595—598.

[135] Diese These ist in verschiedenen Formen vertreten worden. Ihr bekannter Vorgängertyp ist die Auffassung der Tübinger Schule, das Paulusbild der Apostelgeschichte stelle einen Ausgleich dar zwischen dem historischen Paulus und der petrinischen Urgemeinde (vgl. dazu bei Munck, Paulus und die Heilsgeschichte, S. 61—78; Haenchen, Komm., S. 15 f.). In kritisch aufgearbeiteter Fassung besagt dies, Lukas habe sein Paulusbild in der Absicht entworfen, einen für zerstrittene christliche Gruppen annehmbaren Kompromiß-Paulus zu entwerfen. Dies läßt verschiedene Variationen zu: Paulus soll gegen Judaisten posthum rehabilitiert werden (vgl. Munck, aaO., S. 79 ff., S. 162 ff.; G. Schulze, Das Paulusbild des Lukas. Ein historisch-exegetischer Versuch als Beitrag zur Erforschung der lukanischen Theologie, Diss. masch., Kiel 1960, S. 255 f.). Paulus soll vor dem Vorwurf in Schutz genommen werden, er habe als missionarischer Freibeuter den Bruch zwischen Christenheit und Judentum verschuldet (vgl. Käsemann, Die Johannesjünger in Ephesus, in: Exegetische Versuche und Besinnungen I, S. 166 — hier ohne Bezug auf die Prozeßdarstellung). Die Autorität des Paulus war durch die Tatsache belastet, daß er von den Römern hingerichtet worden war; daher war es „unbedingt nötig", „diese Vergangenheit zu bewältigen" (Haenchen, Komm., S. 619). Nach Klein, Die Zwölf Apostel, soll Paulus gegenüber gnostischen Reklamationen, die sein Ansehen in der christlichen Orthodoxie belasten, unzugänglich gemacht werden (vgl. dort S. 213—216). — Eine These besonderer Art entwickelt Jervell, Paulus — der Lehrer Israels (vgl. oben, S. 2 A 7): Paulus

Jedenfalls wird so dem Umstand Rechnung getragen, daß die
Kontroverse, die den Hintergrund des Prozesses bildet, von primär
theologischer Relevanz ist. Zudem ist die Vorstellung, daß Lukas
als Sprecher einer paulinischen Gemeinde daran gelegen sei, die
Autorität des Gründers gegenüber Angriffen z. B. seitens judaisie-
render Christen in Schutz zu nehmen, an sich durchaus sinnvoll.
Gegen solche Interpretationen erheben sich jedoch grundsätzliche
Bedenken: *Diese* Verteidigung des Paulus wäre letztlich ein Bären-
dienst; Lukas hätte lediglich das, was gegen Paulus vorgebracht
werden könnte[136], durch eine offensichtlich anfechtbare Gegendarstellung bestritten. Es ist unvorstellbar, daß einem Paulusgegner
— sei er Jude oder Christ — die Diskrepanz zwischen dem Paulus,
den er angreift, und dem Paulus, den Lukas zeichnet, nicht sofort
aufgegangen wäre. Wenn aber dem Adressaten der lukanischen
Darstellung diese Diskrepanz entweder nicht erkennbar oder aber
ohne Bedeutung ist, dann kann er nicht als ein Bezweifler der
paulinischen Autorität gelten.
Darüber hinaus sollte man sich klarmachen, daß die Vorstellung,
es gehe Lukas in irgendeiner Weise um Person oder Ansehen des
Paulus, überhaupt erst dadurch provoziert wird, daß das letzte
Drittel der Apostelgeschichte einen *angeklagten* Paulus darstellt.
Es läßt sich aber leicht erkennen, daß der Schluß von der Figur des
Angeklagten auf die Verteidigungsabsicht des Lukas einen logischen Sprung bedeutet, der nur dann erlaubt wäre, wenn sich
zeigen ließe, daß die zur Zeit des Lukas gegen die Autorität des
Paulus erhobenen Einwände in einem sachlichen Zusammenhang
mit der Tatsache stünden, daß seinerzeit einmal gegen Paulus ein

bedürfe der Verteidigung als derjenige, den die Juden als den Irrlehrer des
Weltjudentums zurückweisen (vgl. S. 177). Es gehe weder um das Problem
der Heidenmission noch um die Zurückweisung politischer Anschuldigungen,
sondern um den Nachweis, daß Paulus der wahre Lehrer Israels sei (vgl.
S. 177 ff., bes. S. 181). Für Lukas gehe es bei der Verteidigung des Paulus
um ein innerjüdisches Problem insofern, als das Verhältnis von Christen
und Juden noch als „Spaltung" Israels — so wird das στάσις-Motiv interpretiert; vgl. S. 178 f. — verstanden werde. Vgl. ders., Das gespaltene Israel
und die Heiden; ders., Ein Interpolator interpretiert, S. 57 A 85 (vgl. oben,
S. 2 A 7). Andererseits gesteht Jervell, daß der christlich-jüdische Konflikt
von Lukas als endgültig betrachtet wird. Eine Judenmission gebe es nicht
mehr. Die Rehabilitierung des angeblichen Apostaten Paulus diene der Beruhigung einer judenchristlichen (!) Gemeinde (vgl. Paulus — der Lehrer
Israels, S. 187 ff.).

[136] Hinzuweisen ist vor allem auf die Stellung des bekehrten Paulus zum Gesetz.
Aber auch der Versuch, Paulus die Verantwortung für die Gesetzesfreiheit
der Heiden abzunehmen und daraus einen „Konzils"beschluß zu machen, wäre
mühelos als plumpe Täuschung zu durchschauen.

Prozeß[137] geführt worden ist. Wenn es einen solchen Zusammenhang gäbe, wäre es völlig unverständlich, warum Lukas sich dann
nicht stärker für den formellen Ausgang dieses Prozesses interessiert, der doch mit dem Urteil zugleich die Entscheidung über die
Stichhaltigkeit der Anklagen gebracht hätte, die angeblich die
Gründerautorität des Paulus posthum belasten. In Wirklichkeit ist
weder anzunehmen, daß der historische Prozeß gegen Paulus dessen
posthume Autorität tangiert hat, noch daß es einen Zusammenhang
gegeben hat zwischen den Anklagen im historischen Paulus-Prozeß
und möglichen Einwänden gegen die Autorität des Paulus.
Nimmt man dagegen zur Kenntnis, daß Paulus im Prozeß, wie
Lukas ihn darstellt, eigentlich gar nicht in Gefahr ist, verurteilt zu
werden, sondern umgekehrt durch die römische Prozeßordnung
geschützt wird und Gelegenheit erhält, in „seiner" Sache zu sprechen, und beachtet man weiter, daß der Ausgang des Prozesses
Lukas nicht interessiert, daß es ihm gar nicht um den rettenden
Freispruch geht, dann wird man nicht zu dem Schluß kommen, daß
Paulus verteidigt werden soll — gegen was auch immer —, sondern
daß er *reden* soll. Nicht wie es Paulus ergeht, sondern was er sagt,
soll den Leser des Lukas interessieren[138]. Dies legt eine ganz andere
Interpretation nahe: Wenn Lukas „seinen" Paulus sich verteidigen
läßt, will er dessen Autorität nicht retten, sondern umgekehrt sich
dieser Autorität bedienen.
Die Autorität des „Zeugen" Paulus wird nirgends ernsthaft in Frage
gestellt, sondern eigentlich immer vorausgesetzt, auch dort, wo
Paulus vor seinen Gegnern steht. Dies zeigt sich deutlich in der
Tempelrede des Paulus: Seine Argumentation mit seiner eigenen
Bekehrung vor denen, die er „Eiferer für Gott" nennt, wie er selbst
es war und noch zu sein beansprucht (vgl. 22,3), beruht auf der
Vorstellung, daß sein „Fall" in jeder Hinsicht repräsentativ ist:
Die Bekehrung des einstigen Repräsentanten der jüdischen Feind-
schaft gegen die Christen zum Repräsentanten der christlichen Bot-

---

[137] Welchen Prozeß stellt Lukas eigentlich dar? Den, der zur Verurteilung des
Paulus geführt hat? Wenn die Datierung, die Haenchen, Komm., S. 64,
vorschlägt, zutrifft, ist dies mit Sicherheit zu verneinen; aber auch nach der
üblichen Datierung ist die Wahrscheinlichkeit gering. Warum stellt also
Lukas den Prozeß dar, der gar nicht zur Verurteilung des Paulus geführt
hat? Und warum sagt er nicht ausdrücklich, daß Paulus wieder freigekom-
men ist? — Diese Fragen zeigen, wo die lukanischen Interessen jedenfalls
nicht zu suchen sind: den „angeklagten" Paulus „frei"zukämpfen.
[138] Haenchen merkt zu den Prozeßkapiteln an, die Darstellung werde, was die
Aufklärung der Sache angehe, „im Lauf dieser Kapitel immer undeutlicher"
(Komm., S. 619).

schaft in aller Welt hat zwingende Folgen für die jetzigen Feinde
der Christen. Nirgends wird nach der „Echtheit" seiner Berufung,
d. h. nach dem Realitätsgehalt seines Damaskuserlebnisses gefragt.
Dies fällt besonders in der Rede vor Agrippa ins Auge: Der ver-
ständnislose Ausruf des Festus: „Du bist wahnsinnig, Paulus!"
(26,24) wird nicht durch die Darstellung seiner Bekehrung ausgelöst,
sondern durch die drei apologetischen Thesen in 26,22 f. über den
Sinn der Verheißungen, die Auferstehung des Messias und die
Verkündigung vor allen Menschen. (Ausschlaggebend für die
Reaktion des Festus ist die zweite.)
Ernstzunehmen sind deshalb nur solche Beurteilungen der Apologien in der Apostelgeschichte, die davon ausgehen, daß Paulus
der πρωτοστάτης der Christen in der Auseinandersetzung mit ihren
Gegnern (Apg 24,5; vgl. Haenchen, Komm., S. 570), als Figur in
der Hand des Lukas also eine Trumpfkarte ist. Hier sind als wichtigste Positionen die von Haenchen und Conzelmann zu nennen.
Sie unterscheiden sich in der Art, wie sie den Zusammenhang von
religiöser und politischer Argumentation (in den Paulusreden und
auch sonst) bestimmen.
Conzelmann trennt beides scharf voneinander (vgl. besonders
Mitte, S. 132, S. 138), wobei er voraussetzt, daß die Auseinandersetzung mit dem Judentum um die heilsgeschichtliche Kontinuität
sachlich nichts zu tun hat mit der politischen Apologetik (nach Conzelmann beziehen sich ἀπολογία und ἀπολογεῖν *nur* auf diese Art der
Auseinandersetzung; vgl. ebd.), die das Verhältnis der Christen
zum Staat betrifft[139]. Seine Behauptung, das Verhältnis Judentum—
Christentum werde in der Apostelgeschichte nur vor Juden verhandelt (vgl. Mitte, S. 132), läßt sich nur halten, wenn man Agrippa
als Juden im eigentlichen Sinn gelten läßt (vgl. ebd.) und die Rede
vor Felix, in der der Zusammenhang von religiösen und politischen
Anklagepunkten diskutiert wird (vgl. Apg 24,11—13 gegenüber
14—16; 17—20 gegenüber 21), als rein politische Apologie interpretiert, die *nur* dem Zweck dient, die Sache als nicht das römische
Recht betreffend hinzustellen (vgl. Komm. zu 23,25 [S. 130], 24,10
[S. 132]). Ist der Unterschied zwischen der Rede vor Felix und der

---

[139] Etwas anders in dem Aufsatz: Geschichte, Geschichtsbild und Geschichtsdarstellung bei Lukas, in: ThLZ 85 (1960) 241—250. Conzelmann unterscheidet
hier eine innerkirchliche und eine apologetische Blickrichtung. Innerkirchlich
gehe es Lukas um den Nachweis der Kontinuität von Israel und Kirche, in
der Apologetik um die Distanzierung der Kirche als eigener Größe vom
Judentum. Die Apologie diene entweder dazu, den Römern das Christentum
akzeptabel zu machen oder es gegen den Vorwurf der Illoyalität zu schützen
(vgl. auch Mitte, S. 128).

vor Agrippa wirklich so deutlich? Oder sind diese beiden Reden nicht gerade deshalb einander besonders ähnlich, weil in beiden ein Sachkenner zuhört (vgl. 24,22; 26,3)? Daß der Duktus der Rede vor Agrippa von der Apologie zum missionarischen Appell führe (vgl. Conzelmann, Komm., S. 137), wird dem auf die Gesamtanalyse der Anklage abzielenden Konzept (vgl. oben, S. 177) dieses Schluß-plädoyers nicht gerecht. Daß die theologische Argumentation beherrschend ist, zeigt lediglich, welches Gewicht Lukas ihr gegenüber der Entkräftung politischer Vorwände beimißt.

Haenchen betont im Unterschied zu Conzelmann die enge Zusammengehörigkeit der religiösen und politischen Aspekte in der Verteidigung des Paulus. Er interpretiert die lukanische Apologetik als Versuch, die Christen mittels des Kontinuitätsnachweises in den Genuß der Privilegien des als religio licita tolerierten Judentums zu bringen. Dies wird an der Figur des Paulus in einem literarischen Musterprozeß durchgefochten: Paulus erscheint als πρωτοστάτης der „Sekte" der „Nazoräer" und zugleich als echter Pharisäer. Die Gemeinsamkeiten zwischen Christen und Pharisäern sind groß, die zwischen Pharisäern und Sadduzäern im Grunde viel geringer (vgl. Apg 22,30—23,11). Die bruchlose Kontinuität zwischen Judentum und Christentum einerseits, die „in Paulus mit exemplarischer Deutlichkeit zutage getreten ist" (Komm., S. 570), und die Demonstration der Zerstrittenheit der jüdischen Parteien andererseits (vgl. ebd., S. 571) werden den römischen Richter zu der Frage veranlassen: „Warum sollte Rom nicht den christlichen ‚Weg' tolerieren" (Komm., S. 619), nämlich als eine von mehreren jüdischen Parteien? Daß die Christen von den („übrigen") Juden überall verfolgt und verleumdet werden, ist kein Argument gegen ihre Zugehörigkeit zum jüdischen Religionsverband, da ja die Juden auch sonst uneins sind und es zwischen der strengsten jüdischen Richtung und den Christen die größten Übereinstimmungen gibt (vgl. Komm., S. 619 f.). Lukas hätte nach Haenchen zwei Ziele mit einer Argumentation verfolgt: Die Römer sollen die Schlichtung des christlich-jüdischen Konflikts als innerjüdische Angelegenheit den streitenden Gruppen allein überlassen; und die Römer sollen das Christentum als innerjüdische Möglichkeit tolerieren (vgl. Tradition und Komposition, in: Gott und Mensch, S. 224—226).

So richtig es ist, daß die politischen Aspekte der Apologie des lukanischen Paulus nicht von den religiösen trennbar sind, so unmöglich ist es doch zu glauben, Lukas wolle mit seinen Argumenten römische Gerichte beeinflussen. Grundsätzlich ist unwahrscheinlich, daß Lukas überhaupt damit rechnen konnte, daß sein papierenes Verfahren jemals von einem wirklichen Richter zur Kenntnis genommen werden würde[140]. Sodann ist mit Schulze[141] zu fragen, ob Lukas bei der von Haenchen angenommenen Zielsetzung die Wirkung seiner Paulus-Apologien nicht damit wieder zunichte gemacht hätte, daß er am Schluß der Apostelgeschichte den Bruch zwischen Christen und Juden — ohne Unterscheidung jüdischer Parteien — durch den Mund des Paulus konstatiert. Denn dieses Eingeständnis hätte — daran ändert auch die Abschiebung der Schuldfrage nichts — vom römischen Richter verlangt, statt der Christen von nun an die Juden mit Religionsverbot zu belegen. Damit hätte Lukas sich die einzige einigermaßen realisierbare Lösung, „auch" in den Genuß der Toleranzgesetze zu kommen, selbst verbaut.

Auch der Befund der Apostelgeschichte im einzelnen weist in eine andere Richtung. Haenchens Erklärung wird kaum dem Umstand gerecht, daß nach Darstellung des Lukas die römische Obrigkeit bereits als Schutzmacht fungiert, während alle Gefahr von den Juden ausgeht (vgl. oben, S. 183 f.). Auf der anderen Seite macht Lukas nirgends den Versuch, die theologische Frage der heilsgeschichtlichen Kontinuität in ihrer rechtlichen Relevanz für das Verhältnis des Staates zu den Christen zu erörtern — insofern ist Conzelmann zuzustimmen —, sondern es sind nach lukanischer Darstellung umgekehrt die Juden, welche die Politisierung einer theologischen Frage betreiben, die nach lukanischer Darstellung an sich keine für römisches Recht relevanten Aspekte hat. Wenn es um die Anwendung der römischen Toleranzgesetze auf das Christentum ginge, brauchten die Juden nicht mit politischen Vorwänden zu arbeiten, sondern könnten direkt theologisch argumentieren. Tatsächlich versuchen sie aber, die römischen Gerichte mit politischen Anklagen (στάσις) für eine apolitische Streitsache zu interessieren. Lukas bietet alle Kräfte auf, um die Umfunktionierung der römischen Justiz zu einem Instrument der jüdischen Eifersucht als unsachgemäßen Trick anzuprangern. Es ist also nicht das Anliegen des Lukas, in den Genuß der Privilegien der Toleranzgesetze zu kommen; auf der anderen Seite ist die von Conzelmann vorgeschlagene Trennung von religiöser Apologie gegenüber dem Judentum (nach Conzelmann nicht als „Apologie" zu bezeichnen) und politischer gegenüber dem Staat (vgl. Mitte, S. 138) nicht angemessen. Man wird vielmehr zu erklären haben, daß es Lukas um die Frage geht: „Wie kann die Kirche den heilsgeschichtlichen

---

[140] Schürmann weist in seinem Lukas-Kommentar auf die Begrenztheit des Öffentlichkeitsraums des lukanischen Werkes hin; vgl. dort S. 2, S. 13 mit Anm. 85.

[141] Das Paulusbild des Lukas, S. 218. Schmithals stellt eine ähnliche Frage (vgl. Apostelamt, S. 237 A 90).

Zusammenhang mit dem . . . Volk der Verheißung . . . wahren, obwohl sie von der Synagoge getrennt ist?" (Schulze aaO., S. 218) und daß diese Frage unlösbar verknüpft ist mit einem Geflecht von religiösen und politischen Anklagen (was Schulze nicht mehr sieht)[142].

b) Die Apologien des lukanischen Paulus und das Publikum des Lukas

Sowohl Haenchen als auch Conzelmann setzen voraus, daß die apologetischen Partien des lukanischen Werkes, zu denen sie die Verteidigungsreden im Prozeß gegen Paulus (wenigstens zu großen Teilen) rechnen, an eine außerkirchliche Adresse gerichtet sind. Diese Voraussetzung ist insofern problematisch, als die „apologetischen" Züge zum Ende des lukanischen Doppelwerkes hin stark zunehmen, so daß sie nur unter der Bedingung den beabsichtigten Zweck erreichen könnten, daß die Adressaten die ganze lukanische Schrift (sie umfaßt etwa ein Drittel des Neuen Testaments!) καθεξῆς durchläsen. Welcher jüdische Gegner, welcher römische Richter würde sich dazu herbeilassen? Vermutlich sind beide Auffassungen so auszulegen, daß man annimmt, es sei etwas von einer apologetischen Argumentation in die lukanischen Schriften eingegangen, ohne daß dabei an eine Mehrzweckfunktion der lukanischen Bücher gedacht ist. Denn es ist sicher, daß der lukanische Leser (d. i. die durch Lukas angesprochene, ihm zugängliche „Öffentlichkeit") nicht identisch ist mit einer oder mehreren der in der Prozeßkonstellation im letzten Drittel der Apostelgeschichte auftretenden Parteien.

Wenn man von der Voraussetzung ausgeht, daß das stoffimmanente Dreieck Anklage — Verteidigung — Schiedsinstanz nicht notwendig eine Analogie zu dem Dreieck der kommunikativen Grundbeziehung Autor — Leser — Stoff darstellt, wird man die Frage, welchen Sinn es für Lukas gehabt haben kann, seinem Leser die Figur des Paulus unter anderem (!) auch in der Rolle des sich verteidigenden Ange-

---

[142] Daß auf die Arbeit Schulzes relativ selten verwiesen worden ist, hägt einmal damit zusammen, daß sie zu den hier behandelten Texten — bes. zur Traditionsfrage — nur wenig zu sagen hat, zum andern damit, daß Schulze dazu neigt, Thesen unausdiskutiert nebeneinander stehen zu lassen. In der hier verhandelten Frage entscheidet er sich im Prinzip für die Auffassung Conzelmanns (vgl. S. 256 f. unter Berufung auf Conzelmann, Mitte, S. 124 ff., S. 186), kann daneben aber noch unter Berufung auf Käsemann und Munck annehmen, Lukas wolle ein falsches Paulusbild korrigieren (vgl. aaO., S. 255 f.), was ihn wiederum nicht daran hindert, auch noch zu behaupten, Paulus solle als „Kirchenmann" eingeordnet werden (vgl. ebd., S. 118 ff.), wobei er einmal nicht *unter* den Aposteln steht (vgl. S. 120), andererseits aber nur ihr „erster Sukzessor" ist (S. 250) und bei allem „das Idealbild des Kirchenführers" (S. 253).

klagten vorzustellen, nicht ausschließlich von der Figurenkonstellation des Prozesses gegen Paulus her zu beantworten suchen. Im Blick auf das gesamte lukanische Doppelwerk käme man wohl kaum zu dem Eindruck, der lukanische Leser sei sozusagen zur Entscheidung in der Sache Paulus aufgerufen[143]. Lukas selbst bestimmt im Hinblick auf sein gesamtes Werk das Verhältnis Autor — Leser — Stoff als eine didaktische Beziehung: Er spricht seinen Leser als einen an, der in der christlichen Lehre unterwiesen worden ist (κατηχήθης; Lk 1.4)[144], aber noch über deren Verläßlichkeit (ἀσφάλεια) einer weiteren Belehrung bedarf[145]. Diese Absicht leitet die literarische Arbeit des Lukas insgesamt. Man sollte nicht unnötig voraussetzen, daß der Verfasser der lukanischen Schriften außer seinem unterweisungsbedürftigen Leserpublikum noch andere Personenkreise ansprechen will und dabei andere Absichten verfolgt. Das Publikum, das Lukas erreichen will und kann, ist nicht außerhalb des Radius der christlichen Katechese zu suchen[146]. Der lukanische Leser ist kein römischer Richter, vor dem Lukas um seine

[143] Schulze nennt fälschlicherweise die Apostelgeschichte — in Abwandlung des bekannten Wortes von Kähler — ein „Paulusbuch mit sehr breiter Einführung" (aaO., S. 24 u. ö.). Selbst wenn seine Statistik richtig ist (56 % bzw. 60 % Paulus-Stoff), wird diese Formulierung dem lukanischen Strukturgesetz der polaren Entsprechungen nicht gerecht.

[144] Κατηχεῖσθαι hat in Lk 1,4 nicht die Bedeutung „von etwas hören" (so Apg 21,21.24), sondern (wie in Apg 18,25) „unterwiesen werden". Die Formulierung in 18,25 f. ist ein guter Kommentar zu Lk 1,4: Der Alexandriner Apollon ist „über den Weg des Herrn unterrichtet", aber unvollständig — der besondere Grund wird genannt —, so daß Priskilla und Akylas ihm „den Weg des Herrn genauer erklären" (ἀκριβέστερον αὐτῷ ἐξέθεντο τὴν ὁδὸν τοῦ θεοῦ). Diese Wendung bezeichnet, wenn man von dem speziellen Anlaß dieses Beispiels absieht, genau die Absicht des Lukas gegenüber seinem Leser. (Vgl. Schürmann, Komm. zu Lk 1,4; Schürmann betont jedoch, das Evangelium diene einer anderen Absicht als die Apostelgeschichte. Das Evangelium diene der Zusammenfassung der apostolischen Paradosis im Ausgleich „der unterschiedlichen, besonders judenchristlich-palästinensischen und heidenchristlich-paulinischen Traditionen um der Einheit der Kirche willen"; die Apostelgeschichte versuche „in ähnlicher Absicht", „der Kirche . . . ihre apostolischen Anfänge als exemplarische vita apostolica vorzulegen und . . . die Entfaltung und Reifung . . . in eine kirchliche Ganzheitsgestalt hinein aufzuzeigen" [ebd., S. 17].)

[145] Die Frage, ob der angesprochene „Theophilus" eine lukanische Fiktion ist oder ob er der vornehme und vermögende Mann ist, von dem Lukas durch die Dedikation die Verbreitung seines Werkes erhofft, kann dabei völlig offen bleiben. Nur scheint es nicht statthaft, sich den Gönner so vorzustellen, daß die Apologien speziell an ihn adressiert sind, so als sei er in der Widmung weniger um die Verbreitung des Buches als um die Vertretung christlicher Belange bei den Behörden gebeten. (Gegen H. J. Cadbury, Commentary on the preface of Luke, in: Beginnings I,2, S. 490).

[146] Ähnlich Schürmann; vgl. jedoch oben, Anm. 144.

Rechte als (römischer) Bürger oder um die Anerkennung der Kirche als religio licita kämpfen könnte; er ist auch kein jüdischer Antagonist, mit dem Lukas über die wahre Bedeutung von Gesetz und Propheten diskutieren könnte. Die — stoffimmanent gesehen — an Römer und Juden adressierten Apologien sind vielmehr als „Lehrmittel" der lukanischen Katechese zu werten, berechnet für das Publikum, das der Lukas-Prolog als belehrbar und belehrungsbedürftig charakterisiert[147].

Daß im entscheidenden Schlußteil des lukanischen Gesamtwerks die apologetische Redeform als didaktisches Mittel bevorzugt wird, ist sicherlich kein Zufall. Es deutet darauf hin, daß die Belehrungsbedürftigkeit des lukanischen Publikums sich aus seiner Unsicherheit über die Legitimität der christlichen Lehre ergibt. Der lukanische Leser „braucht" diese Argumente, die Lukas gegen „jüdische" Widersacher aufbaut, weil deren „Anklagen" mit den Problemen der lukanischen Leserschaft sachlich zusammenhängen.

Die Unsicherheit des Lesers bezieht sich nicht auf die Autorität des Paulus, sondern auf die Inhalte, die im Prozeß gegen Paulus verhandelt werden. In der sachlichen Klärung der Konfliktstoffe in diesem Prozeß sieht Lukas den Aufweis der ἀσφάλεια der christlichen Lehre. Mittels der Figur des sich verteidigenden Paulus formuliert Lukas einen bestimmten Beitrag zu diesem Aufweis der ἀσφάλεια.

Es sind folgende Fragen zu klären:

1. Worin besteht die Unsicherheit des lukanischen Publikums?
2. Welchen Beitrag leisten die Apologien des lukanischen Paulus zur Beseitigung dieser Unsicherheit?
3. Welche Bedingungen muß die Figur des lukanischen Paulus erfüllen, um diesen Beitrag leisten zu können?

Zur ersten Frage: Das Grundanliegen der lukanischen Schriften ist der Aufweis der heilsgeschichtlichen Kontinuität des historischen Prozesses, an dessen Ende die lukanische Gemeinde steht. Von dieser Intention her kann auf das Grundproblem des lukanischen Publikums geschlossen werden: das der heilsgeschichtlichen Diskon-

---

[147] Die „Lehre", die Lukas vorträgt, ist dann allerdings von anderer Art, als Schürmann annimmt. Es geht nicht um eine „ökumenische" Einheitsform der Paradosis, sondern um eine *Auseinandersetzung* um den Inhalt der Katechese, wobei viel stärker, als es bei Schürmann geschieht, zu beachten ist, daß die Antwort des Lukas ein „Bericht" ist, der zeigt, wie alles „der Reihe nach" „zur Erfüllung gekommen" ist. Es geht um die Frage, „ob die Richtung stimmt"; und das heißt einmal: um den nach rückwärts durchschauten „Richtungssinn" der „Heilsgeschichte", primär aber: um die Frage, ob das Christentum, wie Lukas es versteht, eine legitime Position ist.

tinuität. Die Identitätskrise des Christentums lukanischer Prägung entzündet sich an der Frage, ob angesichts des faktisch erfolgten Bruchs der Kirche mit dem Judentum (und umgekehrt) und angesichts der faktisch erfolgten Loslösung der heidenchristlichen Gemeinde von der Bindung an die jüdischen Sakralinstitutionen („Gesetz" und „Tempel") das Heidenchristentum in seiner gegenwärtigen Form noch den Anspruch erheben kann, der Erbe der an Israel ergangenen Verheißungen zu sein. Das lukanische Grundproblem betrifft also das Verhältnis von Christentum heidenchristlicher Prägung und Judentum als verfeindeter bzw. voneinander isolierter Konkurrenten um das Erbe der gemeinsamen Vergangenheit. Dieses Grundproblem liegt auch den Prozeßreden zugrunde. Man kann das Anliegen der lukanischen Verteidigungsreden so wenig von der Gesamtintention des lukanischen Doppelwerkes trennen, wie man den Prozeß gegen Paulus in Jerusalem nicht von dem umgreifenden historischen „Prozeß" der christlich-jüdischen Auseinandersetzung um das Erbe der Verheißung abtrennen kann. Der Prozeß gegen Paulus ist der Abschluß der weltweiten Auseinandersetzung des Christentums mit dem Judentum; die Selbstverteidigung des Paulus ist die theologische Analyse dieses Prozesses und seines Ergebnisses; das Bestehen des Paulus vor den Anklagen seiner Gegner erweist die Legitimität des von ihm verbürgten Zustands einer rein heidenchristlich verfaßten Kirchenregion.

Wenn die Prozeßreden also dem Gesamtziel des Aufweises der heilsgeschichtlichen Kontinuität zur Sicherung des Glaubensbewußtseins der lukanischen Kirche dienen, welchen spezifischen Beitrag leisten sie? Diese zweite Frage betrifft den Stellenwert der Prozeßreden gegenüber den Missionspredigten der Apostelgeschichte. Die Predigten (des Petrus und des Paulus) dienen dem positiven Aufweis der Erfüllung der Verheißung in Jesus als dem Christus. Die Prozeßreden bilden demgegenüber eine Legitimierung des Bruchs zwischen Christen und Juden.

Diese Polarität der Akzentuierung entspricht ungefähr der Rollenverteilung zwischen den Aposteln einerseits und Paulus andererseits. Die Apostel verkörpern die positive Linie der Kontinuität — auch κατὰ σάρκα — der heilsgeschichtlichen Herkunft des Christentums; Paulus bürgt für die Schuldlosigkeit der Christen daran, daß Juden und Christen trotz gemeinsamer Herkunft zwei verschiedene „Wege" gegangen sind, so daß sie in Zukunft nebeneinander hergehen werden. Beide „Zeugnisse" ergeben zusammen den Nachweis, daß die Kontinuität der Heilsgeschichte in dem Weg zu sehen ist, den das Evangelium genommen hat: von Jerusalem bis zu den Grenzen der Erde, d. h. negativ: von Jerusalem weg nach „Rom", zu den Heiden, die es (in Zukunft allein) annehmen werden (Apg 28,28).

Die Konzeption der Apostelgeschichte entspricht diesem Anliegen, indem sie die geschichtliche Entwicklung vom gemeinsamen Ausgangspunkt Jerusalem bis zum endgültigen Bruch als ein Zusammenspiel christlicher und jüdischer Kräfte und Gegenkräfte so darstellt, daß der daraus resultierende Prozeß selbst die Form einer „Auseinandersetzung" bekommt: Die Feindschaft der Juden löst die christliche Weltmission aus und bedingt die kontinuierlich erfolgende Ablösung der Kirche vom Judentum. Wo der Bruch partiell ist (in Palästina) entsteht das Judenchristentum (mit fortbestehender Bindung an Gesetz und Tempel), wo er wenigstens tendentiell total ist (bei den Diasporajuden), entsteht das Heidenchristentum (ohne Bindung an Gesetz und Tempel). Der Status der lukanischen Gemeinde ist das Endresultat dieser Entwicklung. Das definitive Stadium des als problematisch empfundenen Ablösungsprozesses des Christentums vom Judentum macht Lukas im letzten Drittel der Apostelgeschichte zum Gegenstand eines Gerichtsverfahrens der Juden gegen Paulus. Er bedient sich dieser literarischen Möglichkeit in freiem Rückgriff auf bekannte Ereignisse aus dem Leben des historischen Paulus, wobei nicht die historischen Fakten, sondern das fundamentale Sachproblem über die Verteilung und Handhabung der Rollen im Prozeß entscheidet. Alleiniger Ankläger sind die Juden. Das christliche Diskontinuitätsproblem wird transponiert in die Form einer von Juden vorgetragenen antichristlichen Polemik. Das Problem des geschichtlichen Auseinandersetzungsprozesses wird als Anklage in einem fiktiven Strafprozeß thematisiert. Der Angeklagte siegt.

Von hier ist drittens die spezielle Zurüstung des lukanischen Paulus für den gegen ihn angestrengten Prozeß um das Erbe Israels, um die Hoffnung der Väter, verständlich zu machen: Wenn man anzunehmen bereit ist, daß Paulus als Gründerautorität für die lukanische Gemeinde eine unanfechtbare Größe ist, wird man darin, daß Lukas ihn als eine in jeder Beziehung unangreifbare Figur im Prozeß der Juden gegen ihn aufbaut, kein ängstlich-befangenes Verschleierungsmanöver erblicken, sondern eine freie literarische Möglichkeit, über deren Legitimität nicht nochmals eigens diskutiert zu werden braucht. Daß Paulus die Legitimität der gesetzesfreien Heidenmission verbürgt, ist eine Überzeugung, die Lukas mit seinen Hörern teilt; daß die Paulusfigur, um einer gewandelten Problemlage zu entsprechen[148], eine Retuschierung erfährt, ist nicht als problematisch empfunden worden. Wenn man sich von einer fal-

---

[148] Vgl. dazu den folgenden Abschnitt.

schen Vorstellung diesbezüglich freimacht, wird überhaupt erst
sichtbar, daß es Lukas nicht um eine Mimikry der Paulusfigur geht,
sondern um ihre Zurüstung zu dem Zeugnis, dessen die lukanische
Gemeinde in ihrer Lage bedarf.

Nach lukanischer Auffassung ist Paulus an keiner der Entscheidungen, die das christlich-jüdische Verhältnis belasten, maßgeblich
beteiligt. Der lukanische Paulus ist in keiner theologisch relevanten
Beziehung ein Pionier, weder was die Heidenmission, noch was
die Gesetzesfrage betrifft. Er ist in seiner aktiven Rolle als Missionar vielmehr derjenige „Zeuge", dem „überall" (vgl. Apg 28,22
gegenüber 22,15) „widersprochen" wird, die katalysatorische Figur
im christlich-jüdischen Konflikt, der de-facto-Heidenapostel wider
Willen. Der definitive Bruch mit den Juden wird von Paulus nicht
vollzogen, sondern schließlich (in Rom) als durch den Widerspruch
der Juden gegen das Evangelium faktisch erfolgt festgestellt und
als Folge ihrer Verstockung den Juden zur Last gelegt (28,25—28).
Der lukanische Paulus hat also persönlich nichts von dem zu vertreten, was zu den christlich-jüdischen Konfliktstoffen zählt — im
Gegenteil: er „wandelt" selbst als φυλάσσων τὸν νόμον (21,24).

Die Entlastung der Paulusfigur von maßgeblicher Beteiligung an
Entscheidungen, die das christlich-jüdische Verhältnis belasten,
geschieht nicht in den Paulus-Apologien, sondern bereits in der
lukanischen Darstellung seiner missionarischen Rolle[149]. Die Verteidigungsreden zeigen insofern von vornherein einen in dieser Hinsicht unanfechtbaren Paulus. Diese Absicherung ist wichtig, damit
der angeklagte Paulus es nicht nötig hat, sich unmittelbar gegen die
von den Juden erhobenen Beschuldigungen zu wehren, sondern
seine „Verteidigung" darauf richten kann, die vordergründigen
Anklagen des Vergehens „gegen Volk, Gesetz und Tempel" auf
ihren Kern zurückzuführen: die unterschiedlichen Auffassungen über
den Sinn der Verheißungen.

Die Tragfähigkeit des christlichen Verheißungsverständnisses hat
Lukas durch die Predigten des Petrus und Paulus erwiesen. Sie
sind dem lukanischen Leser im Gedächtnis, so daß Paulus in seinen
Verteidigungsreden nicht die Legitimität der christlichen Auslegung
von „Gesetz und Propheten" nachweisen, sondern auf sie verweisen
kann. Auch dies trägt zur Unanfechtbarkeit der Paulusfigur im

---

[149] Die Episode 21,20—26 ruft vor Beginn der Prozeß-Kapitel dem Leser nochmals die pharisäische Untadeligkeit des Paulus ins Gedächtnis (vgl. vorher
bes. 16,1—3). Daß hier die Judenchristen diejenigen sind, die falsche Vorstellungen von Paulus und seiner Stellung zum Gesetz haben, ist keine Basis
für die Hypothese, daß es Lukas überhaupt mit judenchristlichen Paulus-
gegnern zu tun habe.

Prozeß bei. Da das christliche Verheißungsverständnis als gültig
vorausgesetzt werden kann, besteht die Widerlegung der jüdischen
Beschuldigungen nicht in einer Bestreitung der Anklagen durch
eine Gegendarstellung, sondern in der Reduzierung der Anschuldigungen auf ein überholtes Verheißungsverständnis. Durch den
Nachweis, daß der jüdische Widerstand gegen die Christen seine
Wurzeln in einer überholten theologischen Hermeneutik hat, werden
die jüdischen Anklagepunkte als Vorwände entlarvt.
Die Anklage lautet auf Vergehen gegen das „Volk“, das „Gesetz“
und die „heilige Stätte“ (vgl. 21,28). Konkretisiert werden zunächst
nur die beiden letzteren Anklagen: Gemeint sind die Aufforderung
zum „Abfall von Moses“ (vgl. 21,21), d. h. zur Vernachlässigung der
jüdischen „Sitten“ — das Publikum des Lukas empfindet diese
ebenso wie Lukas selbst[150] als fremdartig! —, besonders der
Beschneidung, und die Verletzung des Tempeltabus durch Hinein-
führen von Heiden in das Innere (vgl. 21,28 f.). Beides ist für den
Leser der Apostelgeschichte leicht als Verleumdung zu durchschauen[151]. Die Hinzufügung eines weiteren Anklagepunktes im
Fall Paulus (Vergehen „gegen das Volk“) dürfte auf die Heidenmission abheben, die nach lukanischer Darstellung von den Juden
als Schmälerung ihrer heilsgeschichtlichen Privilegien als λαός
bekämpft wird und ihre „Eifersucht“ auslöst.
Dies sind im Prozeß gegen Paulus die primären Anschuldigungen.
Sie werden erhoben, wenn es sich um eine Situation handelt, in
der nicht das römische Gericht die Verhandlung führt. Paulus ist
als Figur so konzipiert, daß er von diesen Anklagen nicht getroffen
wird. Das soll der Leser zur Kenntnis nehmen.
Für die Juden auf dem literarischen Schauplatz der lukanischen
Prozeßszenen gibt es nur die beiden Möglichkeiten, die Legitimität

---

[150] Vgl. oben, S. 168 f. mit Anm. 97.
[151] Der Leser weiß, daß es nicht um Paulus geht, sondern um die Legitimität
des Christentums. Deshalb sollte man nicht bei der Feststellung stehenblei-
ben, daß diese Anklagen den wirklichen Paulus ganz anders hätten treffen
müssen, sondern man muß sehen, daß die Anklage der Lästerung und der
Apostasie zu den stereotypen jüdischen Vorwürfen gegen Christen gehören.
So wird Stephanus ganz ähnlich wie Paulus wegen „Lästerung gegen Moses
und gegen Gott“ (Apg 6,11), d. h. „gegen die heilige Stätte und das Gesetz“
(6,13) angeklagt. Die Anklage wird auch dort als falsch bezeichnet (μάρτυρες
ψευδεῖς). Man sieht, daß es Lukas mehr um klare Fronten als um differen-
zierte Charakteristiken geht. (Apg 6,14 trägt das im lukanischen Jesus-
Prozeß ausgesparte Tempel-Logion nach [vgl. Mk 14,58]; das Motiv der
Änderung der Sitten wird von Lukas eingefügt. An diesem Vorgang läßt
sich ablesen, daß „Gesetz und Tempel“ für Lukas eine festgeprägte, kaum
noch richtig gedeutete Stichwortverbindung darstellt, die er als Summe
jüdischer Anschuldigungen gegen Christen betrachtet.)

des christlichen Verheißungsverständnisses anzuerkennen[152] oder ihre verstockte Wut mit Hilfe römischer Gerichte auszulassen. Nach lukanischer Darstellung sind also die Schwierigkeiten mit römischen Behörden die Folge jüdischer Machenschaften im Gefolge einer im Kern heilsgeschichtlichen Auseinandersetzung. Was besagt das im Hinblick auf die Relation Autor — Leser — Stoff?

Daß die politisch relevanten Unterstellungen, die sekundären Anklagepunkte[153] im Prozeß gegen Paulus, als erkennbar falsche Behauptungen dargestellt sind, ist keine Frage. Zu erklären ist, warum Lukas seinem Leser überhaupt ein solches taktisches Verschiebungsmanöver von der theologischen auf die politische Ebene vorführt, warum er Wert darauf legt, daß die Tricks von den Römern durchschaut werden können (vgl. 21,29; 24,22; 25,18 f.), daß er sie zurückweist (bes. 24,12.18) und an die Verleumder umadressiert (vgl. 21,30.36; 23,12—15.30; 25,3). Im Blick auf das lukanische Publikum ist anzunehmen, daß diese „politische" Apologie zusammen mit den entsprechenden Unschuldserklärungen der Römer (25,25; 26,31 f.) sachlich mit dem Nachweis der Legitimität des Christentums in der Art zusammenhängen, daß für das Bewußtsein der von Lukas angesprochenen Gemeinde religiöse Legitimität und staatsbürgerliche Loyalität sehr eng beieinanderliegen, was nicht bedeuten muß, daß die Lukas-Christen unverbesserliche Opportunisten sind, sondern daß sie sich in der hellenistisch-römischen Welt beheimatet fühlen.

Wenn diese Hypothese zutrifft, geht es in den Apologien des Paulus, sofern sie sich auf die Aufdeckung politisch relevanter Unterstellungen beziehen, gar nicht um den Staat und seine Toleranzbereitschaft, sondern um eine Aussage über den Inhalt des Bekenntnisses zu Jesus: Es erlaubt und fordert, „dem Kaiser zu geben, was des Kaisers ist, und Gott, was Gottes ist" (Lk 20,25). Eine wirkliche Alternative zwischen christlichem Glauben und staatsbürgerlicher Loyalität wird damit bestritten[154], jedoch nicht, um dem Staat gegen-

---

[152] Daß diese Möglichkeit nach Lage der dargestellten Entwicklung bereits nicht mehr besteht, weiß der lukanische Leser.

[153] Bemerkenswert ist, daß die politisch relevanten Unterstellungen von den theologischen Konfliktstoffen her konzipiert sind: Das Bekenntnis zu Jesus wird als kaiserfeindlich, die Zulassung der Heiden zum Heil als aufrührerisch diffamiert. Am deutlichsten Apg 17,6 f. gegenüber V. 3 f.; im Prozeß gegen Paulus in Jerusalem vgl. 21,38; 24,5; 25,8.
Es ergibt sich also folgendes Schema:
1. wirklicher Konfliktstoff: Messiasbegriff, Mission;
2. primäre Anklagen: „Gesetz + Tempel", „Volk";
3. sekundäre Anklagen: Kaiserfeindlichkeit, Aufruhr.

[154] Vgl. Conzelmann, Mitte, S. 138.

über die Zusage des Wohlverhaltens zu machen, um sich seines Stillhaltens zu vergewissern, sondern um den hellenistischen Christen bzw. ihren Sympathisanten zu versichern, ihr Bekenntnis zu Christus brauche sie nicht ihrer Welt, der hellenistisch-römischen nämlich, zu entfremden. Der Weg zum Heil führe nicht über die Annahme „fremder Sitten". In diesem Sinn ist die „politisch-apologetische" Seite der Prozeßreden des lukanischen Paulus ein Beitrag zur Lösung des heilsgeschichtlichen Diskontinuitätsproblems.
Es ist also festzuhalten, daß die Prozeßreden die heilsgeschichtliche Legitimität des Christentums lukanischer Prägung im positiven Sinn (Aufweis der Kontinuität) voraussetzen. Sie haben die Konsequenzen des Bruchs zwischen Christen und Juden im Auge. Sie weisen den Juden die Schuld an der Trennung zu und begründen das Recht der Christen auf einen Platz als Größe eigener Art in der hellenistisch-römischen Welt.

c) Die mittelbare Relevanz der Figurenkonstellation im Prozeß gegen den lukanischen Paulus für die Erkenntnis der Situation der lukanischen Gemeinde

Daß für Lukas zum Nachweis der Unanfechtbarkeit des christlichen Verheißungsverständnisses auch der Nachweis der Vereinbarkeit von Christusbekenntnis und staatsbürgerlicher Loyalität gehört, läßt sich allerdings weder aus dem lukanischen Verheißungsbegriff als solchem noch aus dem Selbstverständnis der lukanischen Gemeinde als zur hellenistisch-römischen Welt gehöriger Größe unmittelbar herleiten, sondern setzt die Erfahrung voraus, daß das christliche Messiasbekenntnis und die missionarische Werbung dafür tatsächlich, wahrscheinlich wiederholt zu Schwierigkeiten mit Behörden geführt haben, und zwar auf Betreiben jüdischer Gegner. Freilich darf dabei nicht der im Paulus-Prozeß angelegte Maßstab Staat — Kirche — Judentum vorausgesetzt werden. Es gibt in der Apostelgeschichte einige Berichte über das Vorgehen von Stadtbehörden gegen Paulus (und Barnabas), das durch jüdische Gegner maßgeblich provoziert wird (vgl. Apg 13,50; 14,2.5; 17,5—9 spielen die Behörden nicht mit). Diese Stellen vermitteln eher einen Eindruck von dem, was an historischen Reminiszenzen hinter den lukanischen Prozeßkonstellationen steht. Wenn man darüber hinausgehend annimmt, daß die These, für die politischen Schwierigkeiten der Christen seien immer nur die eifersüchtigen Juden verantwortlich gewesen, eine von Lukas im Hinblick auf sein theologisches Grundanliegen konzipierte Frontbegradigung darstellt, wären auch solche Texte zu nennen, die die Anklage des Aufruhrs nicht direkt von jüdischen Gegnern erhoben sein lassen, besonders Apg 19,23 ff.

Die Ähnlichkeit der Szene mit der im Tempel 21,27 ff. (vgl. bes. die Anschuldigungen 19,26 f. mit 21,18; die Reaktion 19,28 f. mit 21,30) ist auffällig. Zu beachten ist, daß die ephesinischen Juden (21,27) die Provokation der ephesinischen Heiden (19,24 ff.) bis nach Jerusalem verlängern[155]! Sie werden schon im Hintergrund der ephesinischen Vorgänge sichtbar (19,33), und zwar als Hintermänner, obschon das Publikum im Theater nicht gerade den Eindruck macht, als ob es jüdischen Machenschaften gegenüber aufgeschlossen wäre (vgl. 19,34). Man sieht daran, daß die Deklarierung der στάσις-Anklage als jüdische Beschuldigung bereits zu ihrer Entkräftung beiträgt.

Wenn man die auf prinzipielle Aussagen hin konzipierte Kräftekonstellation im Prozeß gegen den lukanischen Paulus reduziert auf den sicherlich nur provinziellen Maßstab der historischen Vorgänge, deren Reminiszenzen in die Acta-Darstellungen eingehen, so bleibt als mutmaßlicher historischer Anhaltspunkt für die lukanische Prozeß-Topik (Jesus — Stephanus — Paulus) ein Konflikt zwischen einer christlichen Gemeinde und den ortsansässigen Juden, in dessen Verlauf die Verschiebungstaktik von der theologischen Kontroverse zur politischen Verleumdung, wie sie die Prozesse gegen Jesus und Paulus aufweisen, gegen die Christen angewandt worden sein könnte. Jedenfalls ist die Gegnerschaft der Juden für das lukanische Problembewußtsein schlechthin dominierend.

Andererseits muß einschränkend gegen diese Hypothese darauf hingewiesen werden, daß dieser christlich-jüdische Konflikt wahrscheinlich nicht den aktuellen Problemhintergrund der lukanischen Schriften darstellt, so als sei das Diskontinuitätsproblem durch jüdische Gegenpropaganda erst entstanden. Dies läßt sich mit einiger Sicherheit ausschließen: Lukas kennt die jüdischen Gegner gar nicht genau. Der Befund legt die Vermutung nahe, daß die Situation, aus der Lukas spricht, nicht als offene Feindschaft und stetiger Kampf zwischen Christengemeinde und Synagoge vorgestellt werden darf, sondern als völlige Beziehungslosigkeit. Der christlich-jüdische Konflikt liegt für die lukanische Gemeinde bereits in der Vergangenheit. Nur so läßt sich erklären, daß Lukas seinem Leser ein sehr eigenwilliges Bild des Judentums zeichnet.

Die stilisierte Beschreibung des Verhältnisses der jüdischen Gruppen zueinander, in der die Pharisäer als „Auferstehungspartei"

---

[155] In diesem Zusammenhang ist von Interesse, daß die ephesinischen Juden sogar schon im Stephanus-Martyrium von Lukas erwähnt werden: „Kilikien und Asien" in Apg 6,9 ist lukanischer Zusatz; vgl. demgegenüber 21,27; 24,19. Die Juden aus „Asien" spielen also in den christlich-jüdischen Beziehungen eine besonders finstere Rolle.

gegenüber den Sadduzäern so gezeichnet werden, daß ihre Weigerung, sich dem christlichen Auferstehungskerygma anzuschließen, als Inkonsequenz erscheint,[156] könnte allenfalls noch als Hinweis auf eine theologische Werbung um eine bestimmte synagogale Gruppe gedeutet werden. Daß tatsächlich auch dieses Element in der lukanischen Darstellung nicht auf noch bestehende christlich-jüdische Beziehungen irgendwelcher Art hinweist, ergibt sich aus der Tatsache, daß Lukas die Schlagworte „Gesetz" und „Tempel", die den Streitgegenstand der christlich-jüdischen Kontroverse — aus „jüdischer" Sicht — bezeichnen, seinerseits nicht mehr versteht, was beweist, daß er den theologischen Streit *rückblickend* analysiert, also selbst nicht mehr darin steht.

Der Frevel gegen das Gesetz des Moses würde nach lukanischer Darstellung darin bestehen, daß die Christen (Paulus) die Juden in der Diaspora zum „Abfall von Moses" verführten, indem sie sie aufforderten, die Beschneidung abzuschaffen und nicht mehr nach den jüdischen „Sitten" zu leben (vgl. Apg 21,21). Lukas ist der Meinung, daß der christliche Glaube keine solche Forderung an die Juden enthält, da er das Judenchristentum als Gruppe sui generis im Eifer für das Gesetz verharren läßt. Aber diese Auskunft wäre für jüdische Gegner aus zwei Gründen unbefriedigend: erstens weil das Judenchristentum weder faktisch noch theologisch eine Gruppe sui generis sein kann, wenn es mit Unbeschnittenen zusammen das neue Volk Gottes bildet; zweitens weil die Voraussetzung, das mosaische Gesetz sei nur für geborene Juden gültig, von vornherein eine Relativierung des durch die Beschneidung übernommenen Abrahambundes bedeutet, die nach jüdischem Verständnis eine Relativierung der Verheißungen Israels einschließt. M. a. W.: Eine Kontinuität im Schema von Verheißung und Erfüllung wäre nach jüdischem Verständnis nicht ohne die Kontinuität von Beschneidung und Thoraüberlieferung denkbar. Die lukanische Kontinuitätsthese stellt theologiegeschichtlich eine Weiterentwicklung[157] der paulinischen Antinomie von Verheißung und Gesetz dar. Daß Lukas dies selbst anders sieht, signalisiert den bedeutenden Abstand dieses heidenchristlichen Theologen sowohl vom Judentum als auch vom authentischen Paulus.

Ähnlich verhält es sich mit dem lukanischen Verständnis des Vor-

---

[156] Vgl. oben, S. 176 mit Anm. 112a.

[157] Die paulinische Antinomie von Gesetz und Gnade (Gesetz und Verheißung) wird bei Lukas in zwei verschiedene Sachverhalte aufgelöst: Gesetz als ἔϑος Μωϋσέως, auf das die Juden(christen) verpflichtet sind — Gesetz im Sinne von „Gesetz und Propheten", das als Weissagungsinstanz die ἐπαγγελία für Juden und Heiden enthält. Vgl. oben, S. 168 f.

wurfs, die Christen seien Frevler gegen den „Tempel". Das aus
dem Prozeß gegen Jesus in den Stephanus-Prozeß verlagerte Tempelwort (Apg 6,14) kann Lukas nur als unsinnige Behauptung werten. Die Verheißung eines „neuen" Tempels, der nicht „von Händen gemacht" (vgl. Mk 14,58) ist, ist Lukas unverständlich. Er interpretiert das Tempelwort im Zusammenhang der gegen Paulus
erhobenen jüdischen Beschuldigungen als Verletzung des Tempel-
Tabus, vermutet also, daß der „Tempel-Frevel" eine Verleumdung,
wohl kaum ein Irrtum (vgl. Apg 21,29) sei. Insbesondere weiß Lukas
offensichtlich nicht, daß der Frevel „gegen Gesetz und Tempel" ursprünglich einen einzigen Tatbestand bezeichnet, nämlich das Verlassen der Gemeinschaft der Beschnittenen durch das Eintreten in
die Gemeinde des neuen, geistigen „Tempels", dessen Grundle-
gung im Niederreißen der trennenden Scheidewand zwischen Beschnittenen und Unbeschnittenen durch den Tod Jesu besteht (vgl.
Eph 2,11—22). M. a. W.: Lukas weiß nicht, daß nach jüdischem
Verständnis das Bekenntnis zu einer Kirche aus Beschnittenen und
Unbeschnittenen ipso facto den Bruch mit der jüdischen Tradition
bedeutet.
Will man nicht behaupten, Lukas habe an den Einwänden seiner
Gegner völlig vorbeiargumentiert, so nötigen diese Überlegungen
zu dem Schluß, daß das christlich-jüdische Streitgespräch, dessen
Spuren in der lukanischen Darstellung der kirchlichen Entwicklung
sich abzeichnen, nicht zur Abfassungszeit des lukanischen Doppelwerks stattgefunden hat, sondern erheblich früher. Darüber hinaus
legt sich die Annahme nahe, daß der Rückgriff auf den christlich-
jüdischen Konflikt nicht den Zweck verfolgt, das Gespräch erneut
in Gang zu bringen. Vielmehr scheint Lukas daran zu liegen, die
Stellung seiner Gemeinde in der Öffentlichkeit dadurch zu verbes-
sern, daß er sie als eine theologisch ernstzunehmende, politisch und
gesellschaftlich loyale, nicht subversiv tätige Gruppe vorstellt, als
Gruppe, die sich ihrer Sache (im Sinne der heilsgeschichtlichen Kontinuität) sicher ist und die durch das endgültige Nein der Juden
zum Evangelium von der Notwendigkeit befreit ist, sich auf theologisch fruchtlose und politisch kompromittierende Streitigkeiten mit
der Synagoge einzulassen[158]. Insofern ist die Forderung loyalen

---

[158] Ganz anders urteilt Schütz, wenn er für die lukanische Gemeinde eine zuge-
spitzte Leidenssituation voraussetzt (vgl. aaO., S. 11—27). Seinen Ausführungen kann man zustimmen, soweit es ihm um den Nachweis geht, daß die
lukanische Christologie in viel höherem Maße, als bisher angenommen, vom
Passionsmotiv bestimmt ist. Daß aber Schütz darüber hinaus die Leidens-
christologie als die kerygmatische Konzeption bezeichnet, welche geeignet
sei, „die faktische Leidenssituation der Gemeinde mit ihrem Selbstverständnis
als Auferstehungsgemeinde in Einklang zu bringen" (S. 9), ist oben, S. 41 A 69,

Verhaltens gegenüber dem Staat — die umgekehrte Forderung findet sich nicht — die politische Kehrseite der theologischen Auseinandersetzung um die Kontinuität der Kirche mit ihrer heilsgeschichtlichen Vergangenheit angesichts der besiegelten Trennung von Gemeinde und Synagoge. Es geht nicht um opportunistisches Wohlverhalten gegenüber einer Macht, die man nicht reizen darf[159], sondern um die Sicherung der Gemeinde und ihres Selbstverständnisses als einer vom Judentum abgesetzten Größe im Öffentlichkeitsraum der hellenistisch-römischen Welt.

zurückgewiesen worden. Eine weit bessere Orientierung über die Situation der lukanischen Gemeinde ergibt sich aus den Beobachtungen Brown's zum lukanischen Verständnis von θλῖψις und ὑπομονή (vgl. aaO., S. 114ff.). Zwar versteht Brown θλῖψις als Verfolgungssituation der Gemeinden (vgl. S. 115), ist aber der Meinung, daß Lukas auf die jüdischen Verfolgungen als auf ein historisches Faktum zurückblicke, ohne sie auch für die Zukunft als unausweichlich zu betrachten (vgl. S. 123). Darüber hinaus ist zu fragen, ob θλῖψις in Apg 14,22 nicht sogar ohne Bezug zum Thema Verfolgung zu interpretieren ist, wenn hier die „Therapie", nämlich Organisation der Gemeinde unter dem Amt (vgl. 14,23), auf die „Krankheit" schließen läßt: Die Gefahr, die sich so abwenden läßt, ist die des Auseinanderfallens der Gemeinde.

[159] Wenn auch eine solche Art von Apologie ein Erfordernis der Situation der lukanischen Gemeinde gewesen ist — dafür gibt es Gründe —, muß man annehmen, daß sie in anderer Form betrieben wurde, als es die Apologien des Paulus der Apostelgeschichte vorstellen.

Schluß:

EINIGE ERGEBNISSE IM ZUSAMMENHANG

1. Das Verhältnis von Interpretation und Argumentation in der lukanischen Redaktion der Saulustradition ist der Schlüssel zum Verständnis des lukanischen Paulusbildes: Paulus ist für Lukas keine problematische, sondern eine unanfechtbare Figur; kein Thema, über das gestritten werden muß, sondern eine Autorität, auf die man sich berufen kann; kein Name, der die Gemeinde belastet und gegnerischen Argumenten ausliefert, sondern ein schützender Name, an dessen Größe die Waffen der „Gegner" stumpf werden.

Dies Ergebnis überrascht insofern, als der authentische Paulus der Briefe dem Exegeten als eine immer neu zur Verteidigung der eigenen Autorität gezwungene umstrittene Figur vor Augen steht, so daß ein Paulusbild, das in verschiedenen Punkten gegenüber den Einwänden historischer Paulusgegner gegen dessen apostolische Autorität Konzessionen zu machen scheint, zunächst wie der Versuch einer posthumen Rehabilitierung wirken muß. Es hat sich gezeigt, daß dieser Eindruck falsch ist. Den Hintergrund der lukanischen Darstellung der Figur des Paulus und ihrer geschichtlichen Rollen (als Exponent des christenfeindlichen Judentums und als Exponent des Christentums; als Missionar und als „Apologet") bildet weder ein Streit um die Autorität des Paulus noch eine andersgeartete Autoritätskrise[1] innerhalb der lukanischen Gemeinde.

Hinter dem lukanischen Paulusbild steht kein Paulinismus-Problem und kein Autoritätsproblem anderer Art, sondern ein Identitätsproblem. Das lukanische Grundanliegen ist die Frage nach der Legitimität des Heidenchristentums nachpaulinischer Prägung. Das Problembewußtsein entzündet sich an der Tatsache, daß der christliche Glaube sich einerseits als Bekenntnis zur Erfüllung der Verheißungen der Schrift in Jesus als dem Christus artikuliert, andererseits die historische Kontinuität der (heiden-)christlichen Gemeinde mit der Verheißungsgeschichte verloren zu sein scheint: Die heidenchristliche Gemeinde hat keinerlei Beziehungen — nicht einmal feindseliger Art — zum Volk der Verheißungsempfänger mehr und weist auch selbst in ihrer Verfassung und Disziplin nur geringe Spuren der heilsgeschichtlichen Bindung an das Judentum auf. Die heilsgeschichtliche Diskontinuität liegt auf der Hand. Bei der Lö-

---

[1] Es gibt keinerlei Anzeichen dafür, daß eine bestimmte Gruppe in der Gemeinde auf die paulinische Autorität festgelegt werden soll, etwa weil sie sich der Gemeindeleitung nicht beugt. Wenn es innergemeindliche Spannungen gegeben hat, so wahrscheinlich nicht zwischen Amt und Gemeinde. Die vielfachen Aufforderungen zur Solidarität mit den Armen und zum uneigennützigen Dienen weisen in eine andere Richtung (vgl. bes. Apg 20,32—35, wo die Forderung ausdrücklich an die Amtsträger gerichtet ist).

sung dieses Problems spielt für Lukas die Figur des Paulus, wie er
sie versteht und historisch einordnet, eine entscheidende Rolle.

Die Kontinuitätsthese, die Lukas entfaltet, hat einen positiven und
einen negativen Aspekt. Lukas behauptet zunächst positiv den Zusammenhang mit der heilsgeschichtlichen Vergangenheit. Garanten
dieses Zusammenhangs sind die Zwölf Apostel. Die „Lehre der
Apostel" sichert der Kirche für die Dauer den unaufgebbaren
Konnex mit der Jesuszeit. Darüber hinaus verbürgt die Autorität
der Zwölf Apostel als der μάρτυρες πρὸς τὸν λαόν die Legitimität der
Fortführung der Sendung Jesu in der Verkündigung der Kirche,
zuerst vor Juden, dann auch in der Heidenmission. Dieser heilsgeschichtliche Prozeß wird von Lukas ausdrücklich als eine von den
Zwölf Aposteln (und der Jerusalemer Gemeinde) legitimierte Entwicklung hingestellt (vgl. Apg. 10; 11; 15. Der vorbereitende Schritt
ist Apg 8,5—25: die Rückbindung an die „Apostel in Jerusalem"
[8,14] ist programmatisch).

Dem positiven Aspekt des Fortschritts der Heilsgeschichte im Sinne
einer Ausbreitung der Mission „von Jerusalem... bis an die Grenzen der Erde" (Apg 1,8) entspricht der negative Aspekt des Fort-
gangs des Heils von den Juden zu den Heiden, des Prozesses der
kontinuierlich erfolgenden Ablösung bis zum endgültigen Bruch.
Die Legitimität dieses Prozesses, d. h. die Schuldlosigkeit der Christen an dieser Entwicklung, wird durch die Darstellung der missionarischen Rolle des Paulus erwiesen und durch die Argumente des
von den Juden angeklagten Paulus im Zusammenhang seiner Verteidigung vor Gericht ausgesprochen. Paulus verbürgt, daß die
Loslösung der Kirche vom Judentum und der schließliche Bruch
mit der Synagoge nicht das (Heiden-)christentum, sondern das
Judentum ins Unrecht setzen.

Auf die Absicherung dieser These hebt das lukanische Paulusbild
ab. Das *gesamte* Wirken des Paulus ist verquickt mit dem Prozeß der
Trennung des Christentums vom Judentum. Die Paulus-(Saulus-)
figur taucht dort zum erstenmal auf, wo es zwischen Juden und
Christen zum erstenmal zu einem Konflikt kommt, der zur Vertreibung (negativ) und dadurch zur Ausbreitung des Christentums
(positiv) über die Grenze von „ganz Judäa" führt (vgl. oben,
S. 21). In diesem Geschehen ist Saulus bald die treibende Kraft
auf jüdischer Seite (Apg 8,3). — Die Paulusfigur wird erneut eingesetzt, nachdem der (positiv gesehene) Fortgang der Heilsgeschichte
zur Heidenmission erfolgt und abgesichert ist (Apg 13). Das Vorgehen des Paulus als Missionar ist im Prinzip überall gleich: Er
wendet sich an Juden, erfährt ihren Widerspruch und ist dadurch
gezwungen, die Heiden allein anzusprechen; sie bilden aufs Ganze

gesehen die paulinischen Gemeinden. Dieser Vorgang wiederholt
sich „überall", so daß sich schließlich außerhalb Palästinas Heidenchristen und Juden beziehungslos gegenüberstehen. Schuld daran
ist nicht Paulus, sondern der jüdische Widerstand, den er hervorruft. — Dieser Widerstand bringt Paulus vor Gericht; dadurch
kommt der christlich-jüdische Konflikt zur Sprache. Die Verteidigung des Paulus entlarvt und analysiert den Widerstand der
Juden gegen das Evangelium als Festhalten an einem defizienten
Modus von Verheißungsglauben. Die Bekehrung des einstigen
Christenverfolgers Saulus wird dabei zu einem Argument besonderer Art: Sein wütender Christenhaß wird als durch Blindheit
(ἄγνοια) entstellter Gesetzeseifer (ζῆλος) den Gegnern als Zerrbild
ihrer eigenen Haltung entgegengehalten; seine Bekehrung wird als
unausweichliche Konsequenz seiner pharisäischen Hoffnung und
somit als zwingendes Exempel („Zeugnis") für alle, die sich als
„eifrige" Juden verstehen, hingestellt; die Ablehnung des paulinischen „Zeugnisses" wird als unverzeihlich, als unwiderruflich, als
Ausdruck eifersüchtiger Ungesetzlichkeit gedeutet. Wenn darauf
eben dieser Paulus, der selbst — zuerst in der durch ἄγνοια ent-
stellten Form — den Gesetzeseifer des verheißungsgläubigen
Judentums repräsentiert hat und jetzt in seiner reinen Gestalt
repräsentiert, den Bruch zwischen Kirche und Synagoge feststellt
und gemäß der Schrift als Verstockung interpretiert, dann erkennt
der Leser des lukanischen Werkes, daß die Trennung von Kirche
und Synagoge nicht besagt, daß die Kirche den Zusammenhang
mit der heilsgeschichtlichen Vergangenheit, sondern daß die Synagoge den Bezug zur verheißenen Erfüllung aufgegeben hat. So
sichert Lukas das nachapostolische Heidenchristentum gegenüber
dem Problem der faktischen Diskontinuität seiner eigenen Geschichte
ab, indem es die Legitimität seiner Genesis in der Figur des Paulus
verbürgt sein läßt.
2. Der Stellenwert der lukanischen Argumentation mit der Paulusfigur ist ohne die Berücksichtigung des historischen Abstands der
lukanischen Gemeinde von den in der Apostelgeschichte dargestellten Vorgängen und Entwicklungen nicht richtig einzuschätzen: Der
christlich-jüdische Konflikt scheint nicht den aktuellen Bezugspunkt
der lukanischen Argumente abzugeben, sondern bildet den weiteren
Erfahrungshorizont, auf dem das lukanische Identitätsproblem entstanden ist. Dies verdient festgehalten zu werden, weil so nicht
nur die Annehmbarkeit der lukanischen Beweisführungen seitens
des lukanischen Publikums überhaupt erst sichtbar wird, sondern
dadurch auch das Mißverständnis vermieden werden kann, die
lukanische Paulusfigur im allgemeinen und die Apologien des luka-

nischen Paulus im besonderen seien jemals Bestandteil eines Gesprächs zwischen Juden und Christen gewesen. Die lukanische Konzeption der Paulusfigur ist als Beitrag zum christlich-jüdischen Dialog weder entworfen noch geeignet und kann vom Standpunkt historisch-kritischer Forschung nicht unter diesem Aspekt diskutiert werden[2]. Bei der Frage nach der theologischen Relevanz des lukanischen Paulusbildes wird dies zu respektieren sein.

Es hat sich gezeigt, daß Lukas „seinen" Paulus als Schlüsselfigur in dem historischen Prozeß versteht, den er in seinem Doppelwerk „heilsgeschichtlich" interpretiert. Die Konzeption der lukanischen Paulusfigur gibt demnach unmittelbar Aufschluß über die „heilsgeschichtliche" Denkweise des Lukas. Wenn dies zutrifft, so wird es nicht länger möglich sein, den „heilsgeschichtlichen" Denkansatz des Lukas von der Bewältigung des Problems der ausgebliebenen Parusie herzuleiten. Insbesondere wird man die Vorstellung zurückweisen müssen, die „heilsgeschichtliche" Darstellung des Lukas wolle das Glaubensbewußtsein von der erwarteten Parusie umorientieren auf die Bewährung in der Zeit in der Bindung an die Erfüllung der Verheißung in der „Mitte" der Zeit, d. h. der *vergangenen* Zeit Jesu. Die Kontinuität mit der Jesuszeit als der heilsgeschichtlichen „Mitte", aus der die Kirche lebt, und das Anliegen der Bewährung des Christen in der Zeit sind zwar wichtige Elemente lukanischen Denkens, sie dürfen aber nicht isoliert werden. Die heilsgeschichtliche Kontinuität mit der Jesuszeit wird durchkreuzt von der Diskontinuität in der Entwicklung der Kirche in ihrem Verhältnis nicht nur zum Judentum, sondern auch zum Judenchristentum, das nach lukanischem Verständnis zwar die Kontinuität zwischen jüdischem Erbe und christlicher Erfüllung κατὰ σάρκα verkörpert, selbst aber nur als eine heilsgeschichtliche Größe sui generis[3] erscheint, die von der weiteren Entwicklung

---

[2] Feststeht, daß es Lukas nicht darum geht, den Bruch zwischen Synagoge und Gemeinde der Heidenchristen zu *rechtfertigen,* sondern darum, das darin gesehene *Problem* zugunsten der Christen zu lösen. Es wäre also nicht im Sinne des Lukas, wenn man den mit Apg 28,30 f. anvisierten Entwicklungsstand als gottgewollten Endzustand der Kirche im Verhältnis zum Judentum betrachtete. M. a. W.: Wenn Lukas das christlich-jüdische Verhältnis nicht im Dialog mit der Synagoge erörtern *kann,* so bedeutet dies — auch für Lukas — nicht, daß damit das Problem aus der Welt geschafft ist.

[3] Bezeichnend ist, daß die Judenchristen stets als in sich geschlossene Gruppe vom Heidenchristentum abgehoben werden. Die einzige „Ausnahme", die Gemeinde von Antiochia (vgl. Apg 11,20), wird als Übergangserscheinung gewertet. (Damit hängt zusammen, daß Lukas nirgends gezwungen ist, zu dem vom jüdischen Standpunkt aus gravierenden Tatbestand Stellung zu nehmen, daß Beschnittene und Unbeschnittene eine neue Gemeinschaft eingehen, deren Basis nicht der durch die Beschneidung initiierte Abrahamsbund ist. — Für

überholt wird[4]. „Heilsgeschichte" ist nach lukanischem Verständnis
also nicht die im Gedächtnis konservierte Erinnerung an vergan-
gene Großtaten Gottes, die Rückbindung an den Schatz unverlier-
barer Heilstatsachen, welche den Glaubenden mit einem nicht mehr
erwarteten, sondern rückblickend verstandenen und verehrten
Christus verbinden, sondern ist der Versuch, den eigenen geschichtlichen Standort am „Richtungssinn" geweissagter Ereignisse auf
eine verheißene Zukunft hin zu klären.
Die lukanische Hinwendung zur Vergangenheit bedeutet demnach
keine Abkehr von der Zukunft. Triebfeder des „heilsgeschichtlichen"
Orientierungsversuchs ist die aktuelle Frage nach dem Sinn und der
Legitimität der konfliktreichen Geschichte der nachösterlichen Verkündigung und insbesondere des aus ihr resultierenden gegenwärtigen Zustands der Kirche im paulinischen Missionsgebiet. Die über-
greifende Struktur von Verheißung und Erfüllung ermöglicht es
Lukas, heilsgeschichtliche Kontinuität nicht nur als irreversible und
abgeschlossene Kumulationsgeschichte von Heilsfakten und Heils-
erkenntnissen zu verstehen, sondern als spannungsvolles offenes
Geschehen, in dem es unausweichlich Bewegung und darin auch
Verlust und Loslösung vom Überkommenen gibt. Kaum ein anderer Hagiograph des NT demonstriert so eindringlich wie Lukas,
daß jeder status quo der Realisierung christlichen Lebens in der
Geschichte der Kirche auf die ausstehende Erfüllung der Herrschaft
Gottes hin überholt werden kann und muß. Dafür bürgt ihm der
Name „Paulus".
3. Lukas gehört traditionsgeschichtlich zur nachpaulinischen Ära.
Er ist der Exponent einer paulinischen Gemeinde, dem die Autorität

Lukas hängen mit dem Stichwort „Beschneidung" zwei andere Fragen zusammen: 1. Ob die Heiden überhaupt zum Heil zugelassen sind; 2. ob die jüdischen „Sitten" heilsnotwendig sind. Daß die erste Frage bejaht, die zweite
verneint wird, ist nur von einem heidenchristlichen Standpunkt aus nachvoll-
ziehbar.)
[4] Was für Lukas „Gegenwart" ist, darf man nicht innerhalb seiner Darstellung
suchen, zumal sie auf eine epochale Wende zusteuert. Lukas will zeigen, wie
und warum seine Kirche so ganz anders ist und sein muß als die Kirche am
„Anfang" in Jerusalem. Deshalb ist es nicht möglich, die Apostelgeschichte
als exemplarische Darstellung der vita apostolica zu definieren (gegen Schürmann, Komm., S. 17), weil die Idealszenen am Anfang der Apostelgeschichte
immer nur mutatis mutandis vorbildlich sind. Ferner ist gegenüber Käsemann
(Die Johannesjünger in Ephesus, aaO., S. 167 f.) zu fragen, ob man Lukas
als einen Una-Sancta-Mann zutreffend charakterisiert. Es ist zwar richtig,
daß Lukas um klare Grenzen zwischen Kirche und Nicht-Kirche bemüht ist;
ebenso richtig ist aber, daß er um eine klare Grenze zwischen Judenchristentum
und Heidenchristentum bemüht ist. In den von Käsemann behandelten Texten geht es doch wohl um die Sicherung *dieser* Grenze (vgl. 19,7: ὡσεὶ δώδεκα
— das ist in „Asien" nicht zu tolerieren).

ren, daß er die Autorität des Paulus einerseits voraussetzt, andererseits nichts tut, um Einwände, die zur Zeit des Paulus gegen dessen Autorität erhoben worden sind, zu diskutieren, sondern „kampflos" den Apostolatsanspruch des Paulus aufgibt. Dies ist als Ausdruck größter Unbefangenheit gegenüber einem Kardinalproblem des historischen (bzw. authentischen) Paulus zu werten und als Anzeichen dafür, daß die lukanische Gemeinde nicht als in einer Autoritätskrise befindlich vorzustellen ist. Die Apostel und Paulus sind Figuren, deren sich Lukas zur Darstellung ganz anders gelagerter Probleme bedient. Nicht um Paulus und paulinische Probleme geht es Lukas, sondern um den geschichtlichen Prozeß, in welchem Paulus — neben anderen Figuren — eine bedeutende Rolle spielt: die Auseinandersetzung zwischen Christen und Juden um das heilsgeschichtliche Erbe der Verheißung[5]. Diese auf die Sicherung der Außengrenzen der Kirche in ihren zwei Grundausprägungen als Judenchristentum und Heidenchristentum bedachte Perspektive ermöglicht es Lukas, von den Aposteln und Paulus als den „Zeugen" zu sprechen, ohne damit den exklusiven Zwölfer-Apostolat mit dem singulären Zeugendienst des Paulus in eine (kirchen-)rechtlich relevante Beziehung setzen zu müssen.

Wichtig zur Beurteilung der lukanischen Interpretation der Paulusfigur in ihrer heilsgeschichtlichen Rolle als Exponent jeder der beiden „Parteien", durch deren Streit um die Erbfolge der Verheißung Lukas die gegenwärtige Situation seiner Gemeinde bedingt sieht, ist die Tatsache, daß Lukas sein Paulusbild durch Redaktion von Paulus-Traditionen gewinnt, nicht primär aus eigener Kenntnis des historischen Paulus, seiner Theologie und seiner Probleme. Zwar lassen sich im lukanischen Paulusbild manche Spuren paulinischen und deuteropaulinischen Denkens (also „Paulinismen") nachweisen[6], doch hat die Untersuchung deutlich werden lassen,

[5] Daß dies wiederum auch ein Thema ist, das den authentischen Paulus beschäftigt hat, braucht deshalb gar nicht verschwiegen zu werden, sondern besagt nur, daß Lukas in die nachpaulinische Ära einzuordnen ist.

[6] Diese Spuren sind durch die historisch-kritische Analyse erst richtig sichtbar geworden: Hinzuweisen ist — abgesehen von der Tatsache, das Lukas Lehrtopoi der paulinistischen Tradition kennt und verwendet (vgl. oben, S. 60, S. 165 ff.) — vor allem auf die lukanische Beurteilung der Saulustradition als Berufungsbericht und des Damaskusereignisses als Offenbarungsgeschehen, durch welches der Offenbarungsempfänger zum missionarischen Zeugendienst „ausgesondert" wird (vgl. oben, S. 113 ff., S. 126 ff.). Der vordergründige Unterschied, daß diese Offenbarung nach paulinischem Verständnis ein Handeln Gottes (vgl. Gal 1,15 f.), nach Darstellung der Bekehrungsgeschichte des Saulus eine Selbstoffenbarung („ich bin") des Kyrios ist, wird sogar durch die lukanische Redaktion weitgehend ausgeglichen (vgl. Apg 22,14). Dies sind kaum zufällige Übereinstimmungen. Erinnert sei aber nochmals daran, daß

daß Lukas nicht primär aus eigener Kenntnis und paulinistischem
Engagement, sondern auf dem Wege gewissenhafter Redaktion
sorgfältig gesammelten Materials (vgl. Lk 1,3) sein Paulusbild
entwirft.

Erst im historisch-kritischen Bemühen um das Gefälle zwischen
Tradition und Interpretation wird die lukanische Pauluskonzeption
sicher greifbar. Sie erweist sich als ein Entwurf, der sowohl gegenüber dem authentischen als auch gegenüber dem Paulusbild der
Traditionen Eigenständigkeit behauptet.

sie nicht durch direkten Vergleich der Acta-Texte mit authentischen Paulustexten zu erheben sind, sondern daß dazu die historisch-kritische Unterscheidung von Tradition und Interpretation, die unabhängig von Übereinstimmung
oder Divergenz mit paulinischen Aussagen durchgeführt werden muß, die
Voraussetzung ist.

Nachtrag:

ZU CHR. BURCHARD,
DER DREIZEHNTE ZEUGE

Traditions- und kompositionsgeschichtliche Untersuchungen
zu Lukas' Darstellung der Frühzeit des Paulus,
Göttingen 1970 (= FRLANT 103)

Die vorliegende Untersuchung ist ohne Kenntnis der im Spätherbst 1970 erschienenen Habilitationsschrift von Chr. Burchard entstanden und abgeschlossen worden. Eine nachträgliche durchgängige Bezugnahme auf die Ergebnisse Burchards schien wegen der in der Einleitung skizzierten Frontstellung dieser Untersuchung unangebracht.
Dieser Nachtrag beschränkt sich darauf, die wesentlichen Meinungsverschiedenheiten in der Analyse vor allem der Tradition in Apg 9 zu kommentieren, und überläßt es der weiteren fachlichen Diskussion, Übereinstimmungen und Divergenzen im einzelnen festzustellen und zu beurteilen.

1. Zur Saulustradition

1.1 In der literarkritischen Beurteilung von Apg 9 reicht die Übereinstimmung bis zu dem Urteil, daß Apg 9,1—19a eine Einheit darstellt (vgl. S. 49, 88 u. ö.). Apg 8,3 möchte Burchard aus der „paulinischen Personaltradition" herleiten (vgl. Gal 1,23), womit nicht nur die Exposition der Saulustradition abweichend bestimmt wird, sondern vor allem auch die traditionsgeschichtlichen Beziehungen zwischen der Saulustradition und den oben (§ 1, V) behandelten paulinischen und paulinistischen Texten unterschiedlich beurteilt werden. Daß immerhin mit solchen Beziehungen gerechnet wird (vgl. S. 49 A 34, 51 A 39), verdient Beachtung.
Burchards Interpretation der von uns einer vorlukanischen Redaktion zugewiesenen Verse Apg 9,15f. deckt sich inhaltlich weitgehend mit dem oben (§ 1, III) entwickelten Verständnis. Die Ausführungen B.'s sind aber insofern irritierend, als er in diesem Fall die Traditionsfrage nur zögernd behandelt (S. 123, 127), nachdem er die Verse zuvor ohne Differenzierung zwischen Tradition und

14*

Redaktion interpretiert hat (S. 100—103). So wird weder genügend
deutlich, daß die in Apg 9,15 f. formulierte Bestimmung der Rolle
des Saulus/Paulus unlukanisch ist, noch wird sichtbar, aus welchen
Gründen der Wortlaut dieser Stelle für Lukas dennoch akzeptabel
ist.

1.2 Die offensichtlichsten Meinungsdifferenzen liegen im Bereich
der formkritischen und formgeschichtlichen Beurteilung der Saulustradition. In dieser Hinsicht reicht die Übereinstimmung immerhin
bis zu der Auffassung, daß die in erster Linie in Apg 9,1—19a
greifbare Tradition nicht nur ein fiktionaler Text mit typischen
Erzählmotiven ist, sondern einem bestimmten literarischen Typus
folgt. Diesen sucht Burchard aber nicht im Bereich der Tempelräuberlegenden, sondern im Bereich einer Literatur, deren mit
Apg 9 nächstverwandtes erhaltenes Exemplar, wenn auch in anderer Größenordnung und mit bestimmten Motivverlagerungen, im
ersten Teil von „Joseph und Aseneth" vorliege und deren literarische Formkonventionen der antiken Trivial-Romanschriftstellerei
entstammten (S. 59—88).

Diese These hat ihre Probleme. Abgesehen von der Schwierigkeit,
eine Strukturanalogie zwischen Texten ungleicher Gattungen —
nach B. ist die Saulustradition eine „Legende", „Joseph und Aseneth" dagegen ein „Roman" bzw. ein „haggadischer Midrasch aus
Romanstoff" (S. 85) — zu verifizieren, ist an der Beweisführung
Burchards auszusetzen, daß er nicht von einer Strukturbeschreibung
der Saulustradition ausgeht, sondern sein Urteil auf Grund einer
durchgängigen Motivvergleichung fällt (S. 86 f.), mit der die Struktur der verglichenen Texte angeblich getroffen ist. Motivähnlich-
keiten allein besagen aber wenig in einer Literatur, die auf Originalität nicht erpicht ist, sondern mit Motiven, Motivreihen und
Motivkomplexen als gegebenen Versatzstücken literarischer Produk-
tion umgeht. Deshalb wäre es nötig gewesen, von den gattungs-
konstitutiven Merkmalen eines der zu vergleichenden Texte auszugehen, um zu überprüfen, ob die Motiventsprechungen von struk-
tureller Relevanz sind. Eine nachträgliche Überprüfung des von
Burchard aufgestellten Katalogs der Parallelmotive (S. 86 f.) zeigt
die Unhaltbarkeit seiner These: Von den acht Motiventsprechungen, die Burchard zusammenstellt, können einige bereits auf motiv-
licher Ebene nicht überzeugen; einige entsprechen einander zwar als
Motive, haben aber nicht gleichen strukturellen Wert.

1.2.1 Daß die bösen Pläne des Saulus gegen die Christen in Damas-
kus mit dem männerfeindlichen Hochmut Aseneths gegenüber
Joseph zu vergleichen seien, ist deshalb nicht einzusehen, weil
Aseneths Feindschaft eine Reaktion auf die Ankunft Josephs ist,

während der Christenhaß in der Saulustradition die Aktion des Verfolgers in Gang setzt. (Das Verfolger-Motiv spielt — abgesehen von JA 12,7, wo es als Topos im Metanoia-Gebet der Aseneth anklingt — im ersten Teil von JA keine Rolle.) Daß die Heilung des Saulus (Apg 9,17.18a) nicht ohne weiteres mit Aseneths Verschönerung (JA 18) und die Geistmitteilung an Saulus durch die Taufe (Apg 9,18b) nicht direkt mit der Geistverleihung an Aseneth durch Joseph (JA 19,10 f.) korrespondiert, räumt Burchard selbst ein (S. 87). Zum Geist-Motiv ist außerdem anzumerken, daß es in Apg 9 redaktionell ist.

1.2.2 Visionen, auch korrespondierende bzw. antizipierende, spielen in beiden Texten eine Rolle (vgl. oben, S. 75). Daraus läßt sich aber keine strukturelle Parallelität im Sinne einer gattungsmäßigen Analogie herleiten. Das Motiv selbst beinhaltet eine Parallelität. Wenn es überhaupt vorkommt, dann notwendig in seiner Komplexität. Die Tatsache, daß es in verschiedenen Gattungen verwendet werden kann (vgl. die Belege bei Wikenhauser, Doppelträume), macht es erforderlich, zwischen komplexen Motiven einerseits und Strukturen andererseits zu unterscheiden, freilich ohne die besondere strukturelle Relevanz solcher Motive zu bestreiten.

Die Differenz von Motiv und Struktur läßt sich an den von Burchard aufgeführten Parallelen im einzelnen nachweisen: Nach Burchard entspricht (a) der Überwältigung Aseneths durch Josephs epiphanieartige Erscheinung (JA 5—9) die Christusepiphanie vor Damaskus (Apg 9,3—8), (b) dem Besuch des himmlischen Mannes bei Aseneth (JA 14—17) die Vision, in der Ananias Saulus erscheint (Apg 9,12), und (c) dem Besuch des himmlischen Mannes bei Joseph (JA 19,9) die Vision, in der Jesus Ananias erscheint (Apg 9,12). Daß es sich dabei um — auch strukturell relevante — Motiventsprechungen handelt, ist offenkundig. Daß aber die Motivgestaltung jeweils unter anderen strukturellen Regeln erfolgt, ist an den Rollenverschiebungen zu erkennen, die Burchards Aufstellung impliziert: Nach (a) korrespondiert die Rolle Josephs der Rolle Jesu, nach (c) aber der Rolle des Ananias; diese aber ist zudem nach (b) bereits durch den himmlischen Mann besetzt; letzterer wiederum hat nach (c) die der Rolle Jesu entsprechende Funktion, welche gemäß (a) bereits Joseph ausübt.

1.2.3 Die übrigen von Burchard aufgeführten Prallelen (Fasten: JA 10 par Apg 9,9; Gebet: JA 11—13 par Apg 9,11) sind überzeugend. Sie liegen im Bereich der Metanoia-Topik und bilden zusammen mit dem Motivkomplex der himmlischen Steuerung irdischer Bewegungen diejenigen Elemente, die eine gattungsmäßige Differenz gegenüber den Tempelräuberlegenden konstituieren (s. o., § 2, II).

1.3 Von der Entscheidung darüber, ob die Struktur der Saulustradition im Prinzip von einer ortsgebundenen propagandistischen
Gattung herzuleiten ist, wie es die Legenden „vom verhinderten
Tempelraub" sind, oder in dem literatursoziologischen Rahmen
spätantiker Unterhaltungs- bzw. Erbauungsliteratur anzusiedeln
ist, wie B. vorschlägt, hängt es ab, welches Alter und welchen
„historischen" Wert man der Saulustradition zugestehen kann.
Burchard plädiert im Gegensatz zu den von uns vertretenen Thesen
für eine sehr späte Ansetzung der Entstehung der Geschichte (vgl.
S. 126 ff.) — übrigens unter Berufung auf die von uns als sekundär
beurteilten Verse Apg 9,15 f.: Die Tradition „erzählte Paulus'
Bekehrung als Eingangskapitel zum Roman seines Lebens, das vom
Leiden für den Namen Jesu bestimmt war" (S. 127). Der Wert der
Saulustradition auch als „historisches" Zeugnis wird damit unnötig
skeptisch beurteilt. Dies geht so weit, daß B. unter Berufung auf
den seiner Meinung nach nicht zur Saulustradition gehörenden Vers
Apg 8,3 und paulinische Texte (bes. Gal 1,22 f.) die Ansicht vertritt,
Paulus habe die Jerusalemer Gemeinde verfolgt, nicht aber die in
Damaskus (so mit Kasting und Blank; vgl. S. 49 f.). Aus der oben
(§ 1) vorgetragenen Sicht ist dazu anzumerken, daß damit die
Skepsis gegenüber der Tradition umgeschlagen ist in ein unbegrün-
detes Vertrauen in die lukanische Redaktion.
Wenn man demgegenüber den hohen Zeugniswert der damaszenischen Ortsüberlieferung auch in historischer Hinsicht betont, so
bedeutet dies keineswegs eine Bagatellisierung der Fiktionalität
der Tradition von Anfang an. Die Saulustradition „berichtet" nicht,
sondern „erzählt", wenigstens im vorlukanischen Verständnis. Daß
sie auf das berichtende Konstatieren verzichten kann, liegt aber an
dem Bekanntheitsgrad dessen, was sie „erzählt". Die Publizität der
Bekehrung eines notorischen Feindes der Christen in Damaskus
ermöglicht gerade die Fiktionalität der daran anknüpfenden Propaganda. Unter Berücksichtigung dieses Bedingungsverhältnisses
ist die Saulustradition als auch „historisch zuverlässig" zu beurteilen.

2. Zur lukanischen Redaktion

2.1 In der gebotenen Kürze ist hier vor allem zu konstatieren, daß
Burchards Interpretation der lukanischen Redaktion der Saulustradition insofern prinzipiell mit den oben vertretenen Thesen
übereinstimmt, als auch er die Meinung vertritt, der sachliche
Abstand zwischen der Saulustradition und den Aussagen des authentischen Paulus über seine Berufung und Sendung sei durch Lukas
nicht vergrößert, sondern verringert worden. Lukas habe den Text
der Saulustradition unter dem Einfluß überlieferter paulinischer

Anschauungen redigiert (vgl. S. 120 f., 124 f.), was vor allem in den
— von uns so genannten — Redevarianten zum Ausdruck komme
(vgl. noch S. 24 f., S. 169). Dem entspricht bei Burchard die Unterscheidung von „charakteristisch Lukanischem" und „original Lukanischem" (S. 17).
Dies ist gewiß eine brauchbare, ausgewogene Beurteilung des
Paulinismus-Problems, obschon auch hier eine gewisse Scheu davor
zu beobachten ist, Lukas selbst als Paulinisten zu bezeichnen. Um
nämlich die genannte Unterscheidung von „Charakteristischem"
und „Originalem" aufrechtzuerhalten, kommt es bei B. zu einer
unnötigen Aufweichung des Traditionsbegriffs: Mit „Tradition"
bezeichnet Burchard nicht nur formal konsistente sprachliche Gebilde
(„Texte"), sondern auch „überlieferte Auffassungen" (S. 125), die
zu teilen für den Redaktor Lukas „charakteristisch" ist. Daß Burchard den Traditionsbegriff nicht im prägnanten Sinn der Formgeschichte, sondern im weiteren der Redaktionskritik verwendet
(„Stoff"; vgl. S. 17 A 14, S. 169 ff.), braucht nicht von Nachteil zu
sein, zumal Burchard jeweils zwischen „geformter" und sonstiger
Überlieferung unterscheidet. Die Unterscheidung von überkommenen und „originalen Auffassungen" im Bereich der redaktionellen
Phänomene selbst sollte man aber nicht mit irgendeinem Traditionsbegriff verquicken, weil dann schließlich mit „Tradition" alles
bezeichnet werden kann, was nicht Innovation ist. Der überdehnte
Traditionsbegriff dient nicht einer präziseren Erfassung der Stoff-
bindung der Redaktion im konkreten Fall, weil er die Textbezogen-
heit der Begriffe Tradition und Reaktion vernachlässigt und weil er
die Grenze zwischen beiden auf unkontrollierbares Terrain ver-
schiebt.
2.2 Was Burchard inhaltlich zum Verständnis des lukanischen Paulusbildes ausführt, verdient weitgehend Zustimmung. Die im Titel
„der dreizehnte Zeuge" zusammengefaßte Hauptthese Burchards,
im lukanischen Verständnis sei Paulus den zwölf Aposteln nicht
subordiniert, sondern stehe ihnen als der dreizehnte Zeuge gleichrangig zur Seite (vgl. S. 174), wäre aus der Sicht der von uns vorgetragenen Überlegungen jedoch so zu präzisieren, daß die Ungrad-
heit der Zahl Dreizehn stärker berücksichtigt wird, d. h. daß die
spezifischen Merkmale der Rolle des dreizehnten Zeugen gegenüber denen der Rolle der Zwölf deutlicher herausgearbeitet werden
(vgl. die Ansätze dazu bei Burchard, S. 168, 174 ff.)[1]. Nach Burchard
betrachtet Lukas das Wirken der Zwölf und des Paulus als ein-

---

[1] Daß es sich bei der Rolle des lukanischen Paulus um eine „besondere" Zeugenfunktion handelt, betont mit Recht G. Schneider, Die Zwölf Apostel als
Zeugen, in: Christuszeugnis der Kirche, hrsg. v. P. W. Scheele und G. Schnei-

heitlichen Vorgang (vgl. S. 176, 180) zur Sicherung des Zusammenhangs zwischen dem Wirken Jesu und der kirchlichen Verkündigung
(vgl. S. 180, 185). Dabei wird unseres Erachtens nicht deutlich
genug gesehen, daß durch das Wirken des dreizehnten Zeugen
nicht nur die Chancen des Andauerns der durch das Zeugnis der
Zwölf anfänglich garantierten Kontinuität mit dem Wirken Jesu
verbessert werden, sondern daß in die sendungsgeschichtliche Bewegung der weltweiten Verkündigung des Evangeliums in zuneh-
mendem Maße Elemente heilsgeschichtlicher Diskontinuität eingehen und daß es der spezifische Auftrag des lukanischen Paulus
ist, diese zur Kontinuität von Verheißung und Erfüllung kontra-
punktische Bewegung bis an ihr Ende zu treiben.
Zwar betont auch Burchard die Differenz zwischen der Zeit, die
Lukas (bis Apg 28) beschreibt, und der lukanischen Gegenwart
(vgl. S. 180 ff.), aber ohne deutliche Bezugnahme auf die heilsgeschichtliche Problematik des lukanischen Verständnisses von Zeit,
Bewegungen und Zuständen. „Nach" Apg 28 ist nicht nur, wie B.
richtig sieht, die extensive Bewegung des Evangeliums von Jerusalem nach Rom zu Ende (vgl. S. 176 ff.), sondern auch die Sichtbar-
keit des Zusammenhangs des von Lukas vertretenen nachpaulinischen Christentums mit seinem geschichtlichen Ausgangspunkt verloren.
Sofern diese problematische Entwicklung — wenn das überhaupt
der passende Begriff ist — durch das Wirken des lukanischen
Paulus definitiv geworden ist, ist er der „dreizehnte" Zeuge.

der, Essen 1970, S. 39—65, dort bes. S. 50 f. Allerdings dürfte die Aussage-
intention des Lukas bei der terminologischen Gleichstellung des Paulus mit
den Aposteln durch den Zeugenbegriff unterschätzt sein, wenn Schneider die
Rolle des lukanischen Paulus als eine lediglich „abgeleitete Zeugenfunktion"
(S. 51) interpretiert. Nach Schneider sieht Lukas in Paulus zwar keinen unter-
geordneten, wohl aber einen nachgeordneten Zeugen, dessen „besondere Aufgabe" es sei, „die Sache der Zwölf in die heidnische Welt hineinzutragen"
(S. 50) und so die „Brücke" darzustellen „von der Apostelzeit zu der Situation,
in der der Verfasser und seine Leser leben" (S. 62).

Literaturverzeichnis

Vorbemerkungen:

1. Alle benutzten Werke werden in den Anmerkungen einmal mit vollständigem Titel zitiert.
2. Die Abkürzungen entsprechen denen im Lexikon für Theologie und Kirche, 2. Aufl., Bd. I, S. 16*—48*.

Außerdem werden folgende Abkürzungen verwendet:

WMANT	Wissenschaftliche Monographien zum Alten und Neuen Testament, Neukirchen
StBSt	Stuttgarter Bibelstudien, Stuttgart
Studien ANT	Studien zum Alten und Neuen Testament, München
BuL	Bibel und Leben, Düsseldorf

3. Das Literaturverzeichnis enthält nur Sekundärliteratur, keine Textausgaben, Kommentare, Handbücher und Lexikonartikel.
4. Aufsätze, die in einem Sammelband unter dem Namen des Autors zugänglich sind, werden nicht eigens aufgeführt, wenn der Sammelband genannt ist.

Andersen, W.: Die Autorität der apostolischen Zeugnisse, in: EvTh 12 (1952/53) 467—481

Bammel, E.: Gal 1,23, in: ZNW 59 (1968) 108—112

Barrett, C. K.: Luke, the historian, in recent study, London 1961

Bauernfeind, O.: Vom historischen zum lukanischen Paulus, in: EvTh 13 (1953) 347—353

ders.: Zur Frage nach der Entscheidung zwischen Paulus und Lukas, in: ZSTh 23 (1954) 59—88

Behm, J.: Die Handauflegung im Urchristentum, Leipzig 1911

Benz, E.: Paulus als Visionär. Eine vergleichende Untersuchung der Visionsberichte des Paulus in der Apostelgeschichte und in den paulinischen Briefen, in: Akad. d. Wiss. u. d. Lit. in Mainz, Abh. d. geistes- u. sozialwiss. Kl., Nr. 2/1952, Wiesbaden 1952, S. 77—121

Bieder, W.: Grund und Kraft der Mission nach dem 1. Petrusbrief, Zollikon—Zürich 1950 (= ThSt [B] 29)

ders.: Die Berufung im Neuen Testament, Zürich 1961 (= AThANT 38)

Bieler, L.: Θεῖος ἀνήρ. Das Bild des göttlichen Menschen in Spätantike und Frühchristentum, Bd. I, II, Wien 1935, 1936

Bihler, J.: Die Stephanusgeschichte im Zusammenhang der Apostelgeschichte, München 1963

ders.: Der Stephanusbericht (Apg 6,8—15; 7,54—8,2), in: BZ, N. F. 3 (1959) 252—270

Blair, E. P.: Paul's call to gentile mission (Act. 22,17—21), in: Biblical Research 10 (1965) 19—33

Boismard, M. E.: Quatre hymnes baptismales dans la Première Epître de Pierre, Paris 1961

ders.: Une liturgie baptismale dans la Prima Petri, in: RB 63 (1956) 182—208; 64 (1957) 161—183

Borgen, P.: Von Paulus zu Lukas. Beobachtungen zur Erhellung der Theologie der Lukasschriften, in: StTh 20 (1966) 140—157

Bornkamm, G.: Paulus, Stuttgart 1969 (= Urban Bücher 119)
ders.: Das Bekenntnis im Hebräerbrief, in: Studien zu Antike und Christentum. Ges. Aufs. II, München 1959 (= BEvTh 28)
Bousset, W.: Kyrios Christos. Geschichte des Christusglaubens von den Anfängen des Christentums bis Irenäus, 5. Aufl., Göttingen 1965 (= FRLANT 21)
Braumann, G.: Das Mittel der Zeit. Erwägungen zur Theologie des Lukasevangeliums, in: ZNW 54 (1963) 117—145
Brown, Sch.: Apostasy and perseverance in the theology of Luke, Rom 1969 (= Analecta Biblica 36)
Brox, N.: Zeuge und Märtyrer. Untersuchungen zur frühchristlichen Zeugnis-Terminologie, München 1961 (= Studien ANT 5)
Bultmann, R.: Die Geschichte der synoptischen Tradition, 7. Aufl., Göttingen 1967 (= FRLANT 29)
ders.: Theologie des Neuen Testaments, 3. Aufl., Tübingen 1958
Burchard, Chr.: Untersuchungen zu Joseph und Aseneth, Tübingen 1965 (= WUNT 8)
ders.: Der dreizehnte Zeuge. Traditions- und kompositionsgeschichtliche Untersuchungen zu Lukas' Darstellung der Frühzeit des Paulus, Göttingen 1970 (= FRLANT 103)
Cadbury, H. J.: The book of Acts in history, London 1955
Campenhausen, H. v.: Kirchliches Amt und geistliche Vollmacht in den ersten drei Jahrhunderten, Tübingen 1953 (= BHTh 14)
ders.: Der urchristliche Apostelbegriff, in: StTh 1 (1947/48) 96—130
Conzelmann, H.: Die Mitte der Zeit. Studien zur Theologie des Lukas (= BHTh 17), Tübingen 1954, 5. Aufl. 1964
ders.: Geschichte, Geschichtsbild und Geschichtsdarstellung bei Lukas, in: ThLZ 85 (1960) 241—250
Dahl, N. A.: Formgeschichtliche Beobachtungen zur Christusverkündigung in der Gemeindepredigt, in: Neutestamentliche Studien für Rudolf Bultmann, Berlin 1954 (= ZNW, Beih. 21), 3—9
Dibelius, M.: Die Formgeschichte des Evangeliums, 5. Aufl., Tübingen 1966
ders.: Aufsätze zur Apostelgeschichte, hrsg. v. H. Greeven, 4. Aufl., Göttingen 1961 (= FRLANT 60)
ders.: Zur Formgeschichte des Neuen Testaments (außerhalb der Evangelien), in: ThR, N. F. 3 (1931) 207—242
Dibelius-Kümmel: Paulus, 3. Aufl., Berlin 1964 (= Sammlung Göschen 1160)
Diem, H.: Die Einheit der Schrift, in: EvTh 13 (1953) 385—405
Dobschütz, E. v.: Die Berichte über die Bekehrung des Paulus, in: ZNW 29 (1930) 144—147
Dornseiff, F.: Lukas der Schriftsteller, in: ZNW 35 (1936) 129—155
Drews, A.: Die Entstehung des Christentums aus dem Gnostizismus, Jena 1924
Dupont, J.: Les problèmes du Livre des Actes d'après le traveaux récents, Löwen 1950 (= An Lov II, 17)
ders.: Les sources du livre des Actes. État de la question, Brügge 1960
ders.: Le salut de gentils et la signification theologique du Livre des Actes, in: NTS 6 (1959/60) 132—155
Eltester, W.: Lukas und Paulus, in: Eranion (Fs. H. Hommel), Tübingen 1961, S. 1—17
Enslin, M. S.: „Luke" and Paul, in: The Journal of the American Oriental Society 58 (1938) 81—91
Erhardt, A. T.: The construction and purpose of the Acts of the Apostles, in: StTh 12 (1958/59) 45—77

Fascher, E.: Zur Taufe des Paulus, in: ThLZ 80 (1955) 643—648

Fiebig, P.: Jüdische Wundergeschichten des neutestamentlichen Zeitalters, Tübingen 1911

Flender, H.: Heil und Geschichte in der Theologie des Lukas, München 1965 (= BEvTh 41)

Freudenberger, R.: Das Verhalten der römischen Behörden gegen die Christen im zweiten Jahrhundert, 2. Aufl., München 1969 (= Münchener Beitr. z. Papyrusforschg. u. antiken Rechtsgeschichte 52)

Gärtner, B.: The Areopagus speech and natural revelation, Uppsala 1955 (= ASNU 21)

Georgi, D.: Die Gegner des Paulus im 2. Korintherbrief. Studien zur religiösen Propaganda in der Spätantike, Neukirchen 1964 (= WMANT 11)

Girlanda, A.: De conversione Pauli in Actibus Apostolorum tripliciter narrata, in: VD 39 (1961) 66—81; 129—140; 173—184

Gnilka, J.: Die Verstockung Israels. Isaias 6,9—10 in der Theologie der Synoptiker, München 1961 (= Studien ANT 3)

ders.: Paränetische Traditionen im Epheserbrief, in: Mélanges bibliques en hommage au R. P. Béda Rigaux, hrsg. v. A. Descamps und A. de Halleux, Gembloux 1970, S. 397—410

Goudoever, J. van: The place of Israel in Luke's Gospel, in: NovT 8 (1966) 111—123

Grässer, E.: Die Apostelgeschichte in der Forschung der Gegenwart, in: ThR 26 (1960) 93—167

ders.: Das Problem der Parusieverzögerung in den synoptischen Evangelien und in der Apostelgeschichte, Berlin 1957 (= ZNW, Beih. 22)

Graß, H.: Ostergeschehen und Osterberichte, Göttingen 1956

Güttgemanns, E.: Der leidende Apostel und sein Herr. Studien zur paulinischen Christologie, Göttingen 1966 (= FRLANT 90)

ders.: Literatur zur neutestamentlichen Theologie, in: Verkündigung und Forschung (= EvTh, Beih. 2/1967) 38—87

Haenchen, E.: Gott und Mensch. Ges. Aufs. I, Tübingen 1965

ders.: Die Bibel und wir, Ges. Aufs. II, Tübingen 1968

Hahn, F.: Christologische Hoheitstitel. Ihre Geschichte im frühen Christentum, Göttingen 1963 (= FRLANT 83)

ders.: Das Verständnis der Mission im Neuen Testament, Neukirchen 1963 (= WMANT 13)

Harbsmeier, G.: Unsere Predigt im Spiegel der Apostelgeschichte, in: EvTh 10 (1950/51) 352—368

Harnack, A.v.: Mission und Ausbreitung des Christentums in den ersten drei Jahrhunderten, 2 Bd., 4. Aufl., Leipzig 1924

Herzog, R.: Die Wunderheilungen von Epidauros, Leipzig 1931

Hinderlich, M.: Lukas und das Judentum. Eine Untersuchung des dritten Evangeliums und der Apostelgeschichte nach ihrem Verhältnis zum Judentum, Diss. masch., Leipzig 1958

Hirsch, E.: Die drei Berichte der Apostelgeschichte über die Bekehrung des Paulus, in: ZNW 28 (1929) 305—312

Jeremias, J.: Jesu Verheißung für die Völker, 2. Aufl., Stuttgart 1959

Jervell, Jacob: Zur Frage der Traditionsgrundlage der Apostelgeschichte, in: StTh 16 (1962) 25—41

ders.: Das gespaltene Israel und die Heidenvölker, in: StTh 19 (1965) 68—96

ders.: Paulus — der Lehrer Israels. Zu den apologetischen Paulusreden in der Apostelgeschichte. NovT 10 (1968) 164—190 ders.: Ein Interpolator interpretiert. Zu der christl. Bearb. der Test. d. zwölf Patriarchen, in: Studien zu den Testamenten der zwölf Patriarchen. Drei Aufs. hrsg. v. W. Eltester, Berlin 1969 = ZNW, Beih. 36, S. 30—61

Jolles, A.: Einfache Formen, Tübingen 1930

Jüngst, J.: Die Quellen der Apostelgeschichte, Gotha 1895

Käsemann, E.: Exegetische Versuche und Besinnungen. Bd. I, 5. Aufl., Göttingen 1967; Bd. II, 2. Aufl., Göttingen 1965

Kasting, H.: Die Anfänge der urchristlichen Mission, München 1969 (= BEvTh 55)

Kerenyi, K.: Die griechisch-orientalische Romanliteratur, 2. Aufl., Darmstadt 1962

ders.: Der göttliche Arzt, Basel 1948

Klein, G.: Die Zwölf Apostel. Ursprung und Gestalt einer Idee, Göttingen 1961 (= FRLANT 77)

ders.: Rekonstruktion und Interpretation. Ges. Aufs. zum NT, München 1969 (= BEvTh 50)

Koch, K.: Was ist Formgeschichte? Neue Wege der Bibelexegese, 2. Aufl., Neukirchen 1967

Kredel, E. M.: Der Apostelbegriff in der neueren Exegese, in: ZKTh 78 (1956) 169—193, 257—305

Lake, K.: The conversion of Paul and the events immediately following it, in: The beginnings of Christianity, ed. Jackson—Lake, Bd. 5, London 1933, 188—195

Lilly, J. L.: The conversion of Saint Paul. The validity of his testimony to the resurrection of Jesus Christ, in: CBQ 6 (1944) 180—204

Linton, O.: The third aspect. A neglected point of view, in: StTh 3 (1949/50) 79—95

Löning, K.: Ein Platz für die Verlorenen. Zur Formkritik zweier neutestamentlicher Legenden (Lk 7,36—50; 19,1—10), in: BuL 12 (1971) 198—208

Lohfink, G.: Paulus vor Damaskus. Arbeitsweisen der neueren Bibelwissenschaft, dargestellt an den Texten Apg 9,1—19; 22,3—21; 26,9—18, Stuttgart 1965 (= StBSt 4)

ders.: Eine alttestamentliche Darstellungsform für Gotteserscheinungen in den Damaskusberichten (Apg 9; 22; 26), in: BZ, N. F. 9 (1965) 246—257

ders.: „Meinen Namen zu tragen . . .“ (Apg 9,15), in: BZ, N. F. 10 (1966) 108—115

Lohse, E.: Die Ordination im Spätjudentum und im Neuen Testament, Göttingen 1951

ders.: Lukas als Theologe der Heilsgeschichte, in: EvTh 14 (1954) 256—275

ders.: Paränese und Kerygma im 1. Petrusbrief, in: ZNW 45 (1954) 68—89

Menoud, Ph.-H.: Le plan des Actes des Apôtres, in: NTS 1 (1954/55) 44—51

ders.: Les additions au groupe de douze apôtres d'après le livre des Actes, in: RHPhR 37 (1957) 71—80

ders.: Le sens du verbe πορθεῖν. Gal 1,15.23; Act 9,21, in: Apophoreta (Fs. E. Haenchen), Berlin 1964 (= ZNW, Beih. 30) 178—186

Morgenthaler, R.: Die lukanische Geschichtsschreibung als Zeugnis. Gestalt und Gehalt des Lukas, 2 Bd., Zürich 1948/49 (= AThANT 14, 15)

Moske, E.: Die Bekehrung des hl. Paulus. Eine exegetisch-kritische Untersuchung, Münster 1907

Munck, J.: Paulus und die Heilsgeschichte, Kopenhagen 1954 (= Acta Iutlandica, Aarskrift for Aarhus Universitet XXVI, 1)

ders.: La vocation de l'apôtre Paul, in: StTh 1 (1947/48) 131—145 ders.: Paul, the apostles and the Twelve, in: StTh 3 (1949/50) 96—110

Mundle, W.: Das Apostelbild der Apostelgeschichte, in: ZNW 27 (1928) 36—54

Nauck, W.: Freude im Leiden. Zum Problem einer urchristlichen Verfolgungstradition, in: ZNW 46 (1955) 68—80

Nestle, W.: Legenden vom Tod der Gottesverächter, in: Archiv für Religionswissenschaft 33 (1936) 246—269

Perdelwitz, R.: Die Mysterienreligionen und das Problem des I. Petrusbriefes, Gießen 1911 (= Religionsgeschichtliche Versuche und Vorarbeiten XI, 3)

Pesch, R.: Die Vision des Stephanus. Apg 7,55—56 im Rahmen der Apostelgeschichte, Stuttgart o. J. [1966] (= StBSt 12)

Pfaff, E.: Die Bekehrung des hl. Paulus in der Exegese des 20. Jahrhunderts, Rom 1942

Prokulski, W.: The conversion of St. Paul, in: CBQ 19 (1957) 453—473

Reitzenstein, R.: Hellenistische Wundererzählungen, Leipzig 1906

Rengstorf, K. H.: The election of Matthias, in: Current issues in N. T. Interpretation. (Fs. O. A. Piper) London 1962, S. 178—192

Rese, M.: Zur Lukas-Diskussion seit 1950, in: Wort und Dienst (Jahrb. d. Theol. Schule Bethel, N. F. 9), Bethel 1967, S. 62—67

Robinson, W. C.: Der Weg des Herrn. Studien zur Geschichte und Eschatologie im Lukas-Evangelium. Ein Gespräch mit Hans Conzelmann, Hamburg 1964 (= Theologische Forschung 36)

Roloff, J.: Apostolat — Verkündigung — Kirche. Ursprung, Inhalt und Funktion des kirchlichen Apostelamtes nach Paulus, Lukas und den Pastoralbriefen, Gütersloh 1965

Sanders, J. N.: Peter and Paul in the Acts, in: NTS 2 (1955/56) 133—143

Schelkle, K. H.: Paulus vor Damaskus, in: BuL 8 (1967) 153—157

Schille, G.: Anfänge der Kirche. Erwägungen zur apostolischen Frühgeschichte, München 1966 (= BEvTh 43)

Schmidt, C.: Gespräche Jesu mit seinen Jüngern nach der Auferstehung. Ein katholisch-apostolisches Sendschreiben des 2. Jahrhunderts, Leipzig 1919 (= TU 43)

Schmithals, W.: Das kirchliche Apostelamt. Eine historische Untersuchung, Göttingen 1961 (= FRLANT 79)

ders.: Paulus und Jakobus, Göttingen 1963 (= FRLANT 85)

ders.: Die Häretiker in Galatien, in: ZNW 47 (1956) 25—67

Schneemelcher, W.: Die Apostelgeschichte des Lukas und die Acta Pauli, in: Apophoreta (Fs. E. Haenchen), Berlin 1964 (= ZNW, Beih. 30), 236—250

Schneider, G.: Die Zwölf Apostel als Zeugen, in: Christuszeugnis der Kirche, hrsg. v. P. W. Scheele und G. Schneider, Essen 1970, S. 39—65

Schürmann, H.: Traditionsgeschichtliche Untersuchungen zu den synoptischen Evangelien. Beiträge, Düsseldorf 1968

ders.: Ursprung und Gestalt. Erörterungen und Besinnungen zum N. T., Düsseldorf 1969

Schütz, F.: Der leidende Christus. Die angefochtene Gemeinde und das Christuskerygma der lukanischen Schriften, Stuttgart 1969 (= BWANT 89)

Schulz, S.: Gottes Vorsehung bei Lukas, in: ZNW 54 (1963) 155—187

Schulze, G.: Das Paulusbild des Lukas. Ein historisch-exegetischer Versuch als Beitrag zur Erforschung der lukanischen Theologie, Diss. masch., Kiel 1960

Schweizer, E.: Die Bekehrung des Apollos. Ag. 18,24—26, in: EvTh 15 (1955) 247—254

Seidensticker, Ph.: Die Auferstehung Jesu in der Botschaft der Evangelisten. Ein traditionsgeschichtlicher Versuch zum Problem der Sicherung der Osterbotschaft in der apostolischen Zeit, Stuttgart 1967 (= StBSt 26)

Smend, F.: Untersuchungen zu den Acta-Darstellungen von der Bekehrung des Paulus, in: Angelos 1 (1925) 34—45

Söder, R.: Die apokryphen Apostelgeschichten und die romanhafte Literatur der Antike, Stuttgart 1932

Spitta, F.: Die Apostelgeschichte, ihre Quellen und deren geschichtlicher Wert, Halle 1891

Stanley, D. M.: Paul's conversion in Acts: Why the three accounts?, in: CBQ 15 (1953) 315—338

Stokholm, N.: Zur Überlieferung von Heliodor, Kuturnahhunte und anderen mißglückten Tempelräubern, in: StTh 22 (1968) 1—28

Stuhlmacher, P.: Das paulinische Evangelium. I. Vorgeschichte, Göttingen 1968 (= FRLANT 95)

Surkau, H. W.: Martyrien in jüdischer und frühchristlicher Zeit, Göttingen 1938 (= FRLANT 54)

Trocmé, É.: Le „Livre des Actes" et l'histoire, Paris 1957 (= Études d'histoire et de philosophie religieuses 45)

Unnik, W. C., van: Tarsus of Jerusalem. De stad van Paulus' jeugd, Medelingen der Koninklijke Nederlandse Akademie van Wetenschappen, Afd. Letterkunde, N. R. Deel 15, No. 5, Amsterdam 1952, S. 141—189

ders.: The „Book of Acts" the confirmation of the gospel, in: NovT 4 (1960) 26—59

ders.: Die Anklagen gegen die Apostel in Philippi (Apg 16,20 f.), in: Mullus (Fs. T. Klauser) Münster 1964, S. 366—373

Vielhauer, Ph.: Zum „Paulinismus" der Apostelgeschichte, in: EvTh 10 (1950/51) 1—15

Wagenmann, J.: Die Stellung des Apostels Paulus neben den Zwölf in den ersten zwei Jahrhunderten, Gießen 1926 (= ZNW, Beih. 3)

Weinreich, O.: Antike Heilungswunder, Gießen 1909 (= Religionsgeschichtliche Versuche und Vorarbeiten VIII,1)

Wikenhauser, A.: Die Apostelgeschichte und ihr Geschichtswert, Münster 1921 (= NTA Bd. VIII, H. 3—5)

ders.: Doppelträume, in: Bibl 29 (1948) 100—111

ders.: Die Wirkung der Christophanie vor Damaskus auf Paulus und seine Begleiter nach den Berichten der Apostelgeschichte, in: Bibl 33 (1952) 313—323

Wilckens, U.: Die Missionsreden der Apostelgeschichte. Form- und traditionsgeschichtliche Untersuchungen, 2. Aufl., Neukirchen 1963 (= WMANT 5)

ders.: Die Bekehrung des Paulus als religionsgeschichtliches Problem, in: ZThK 56 (1959) 273—293

Windisch, H.: Die Christusepiphanie vor Damaskus (Act 9, 22 und 26) und ihre religionsgeschichtlichen Parallelen, in: ZNW 31 (1932) 1—23

Wingren, G.: „Weg", „Wanderung" und verwandte Begriffe, in: StTh 3 (1950/51) 111—123

Wood, H. G.: The conversion of St. Paul. Its nature, antecedents and consequences, in: NTS 1 (1954/55) 176—189

Zeit und Geschichte. Dankesgabe an Rudolf Bultmann zum 80. Geburtstag, hrsg. v. E. Dinkler, Tübingen 1964

REGISTER